9905 Brauer Road
Clarence Center, N. Y. 14032

EGIL A. WYLLER

Der späte Platon

Tübinger Vorlesungen 1965

FELIX MEINER VERLAG
HAMBURG

© Felix Meiner, Hamburg 1970
Gedruckt mit Unterstützung von Norges Almenvitenskapelige Forskningsråd
Alle Rechte, auch die des auszugsweisen Nachdrucks,
der fotomechanischen Wiedergabe und der Übersetzung, vorbehalten
Schrift: Monotype-Times
Herstellung: Fränkische Gesellschaftsdruckerei Echter-Verlag GmbH, Würzburg
Printed in Germany

Meiner Frau Eva

INHALT

Vorwort VII
Einleitung
    Thema, Methode, Thesen 1
    Die Grundvision: 9
        1. Das Sonnengleichnis 11
        2. Das Liniengleichnis 16
        3. Das Höhlengleichnis 23

I. DER WEG HINAUF

1. Etappe: Diakrisis
    A. Kratylos: Die Frage nach dem ὄνομα 29
    B. Theaitetos: Die Frage nach der ἐπιστήμη 45
2. Etappe: Synkrisis
    A. Sophistes: Vom Sein des Nichtseienden 59
    B. Politikos: Die synkritische Methode 76

II. DER PHILOSOPH

Parmenides: Das Eine und das Andere
    A. Die Frage nach der ἀρχή und die zwei ἀρχαί 90
    B. Das Eine (Anfang bis 1. Hypothese) 97
    C. Das Andere (2. Hypothese bis Schluß) 104

III. DER WEG HINAB

1. Etappe: Seele
    A. Philebos: Vom Lustgefühl 113
    B. Phaidros: Eros und Psyche 122
2. Etappe: Welt
    Timaios und die Timaios-Trilogie (Kritias):
    Kosmos, Mensch und Geschichte 131
3. Etappe: Gott
    Nomoi und Epinomis:
    Der Kolonie- und der Akademie-Staat 146

Namenregister 161
Dialoge und Dialogstellen 163
Griechische Wörter und Begriffe 165
Verzeichnis berücksichtigter Literatur 177

VORWORT

Durch eine Initiative von Herrn Professor Wolfgang *Schadewaldt* erhielt ich im Winter 1964/65 die ehrenvolle Einladung von der Universität Tübingen, dort als Gastdozent für das Sommer-Semester 1965 zu lesen. Als Thema meiner Vorlesungen wurde „Der späte Platon" vorgeschlagen.

Die Aufgabe schien mir überwältigend. In den 20er und 30er Jahren konnte man sich solche breit angelegten Darstellungen wohl erlauben – aber in den hochspezialisierten 60er Jahren? Auch saßen mir immer noch die Nachwirkungen eines früher probierten Holmgangs mit dem „Parmenides" im Kopf, und ich erschrack davor, „noch einmal die Bahn der Liebe zu gehen" (Parm. 137A).

Aber Vertrauen ist schöpferisch. In mir schuf dies Tübinger Vertrauen einen wilden Mut, das kaum möglich Scheinende wirklich durchzuführen. Hatte mir doch in träumerischen Stunden eben diese Aufgabe jahrelang als eine besonders verheißungsvolle vorgeschwebt.

Heute bleibt mir nur der Dank – in erster Linie an Wolfgang *Schadewaldt*, den „Meister derer, die da wissen" (Dante), aber auch an all meine lieben Freunde, verehrten Kollegen und geduldigen Studenten während der so beglückenden Wochen der Arbeit in Tübingen. Drei Vorlesungsstunden (Nr. 20, 22 und 23/24) sind nachträglich geschrieben. Sonst gibt das Buch ziemlich genau das mündlich Vorgetragene wieder. Denn die Situation, und sie allein, ermöglichte die Durchführung der Aufgabe. Zwar habe ich ernsthaft daran gedacht, für die Drucklegung auf die Vorlesungsform und den ihr zugehörigen Zug der Mündlichkeit zu verzichten. Aber warum denn eigentlich, wenn man Platon eben „platonisch" zu verstehen und zu vermitteln wünscht?

Anmerkungen und Literaturhinweise sind der Vorlesungsform wegen auf ein Minimum eingeschränkt. Allgemeine Hinweise zum „Stand der Forschung" und ähnliches lassen sich unschwer an Hand der Forschungsberichte Cherniss' und Manasses (s. Lit.-Verz.!) kontrollieren. Als Text ist der von Burnet (Oxford) benutzt. Übersetzungen stammen zum größten Teil von Schleiermacher. Das griechische Wort-Register am Schluß soll die Lektüre auch denen ermöglichen, die Platons Sprache nicht kennen.

Besonders herzlichen Dank gilt meinem verehrten Herrn Verleger, der den skandinavischen „Fremden" großzügig empfangen und ihm bei der endgültigen Gestaltung des Manuskripts wesentlich geholfen hat. Auch mein dänischer Kollege Karsten *Friis Johansen* hat in freundlicher Weise das Manuskript kritisch gelesen.

Oslo, im September 1966   E. A. W.

EINLEITUNG

Thema, Methode, Thesen

(1. Stunde)
Unser Thema ist der „späte" Platon. Hierunter soll der Platon der Spätdialoge verstanden werden. Die „Spätdialoge" sind die Dialoge nach der „Politeia", dem monumentalen Werk des mittleren Platon. Mindestens folgende Werke, die wir in der angegebenen, ziemlich allgemein anerkannten Reihenfolge behandeln werden, gehören dazu:

"Theaitetos"
"Sophistes"
"Politikos"
"Parmenides"
"Philebos"
"Timaios"/"Kritias"
"Nomoi"/"Epinomis"

Auch den „Phaidros" wollen wir zu dieser Gruppe rechnen, einen Dialog, der zu den ganz wenigen gehört, die nicht eindeutig auf einer der drei Entfaltungsstufen Platons – der früheren, mittleren und späteren Stufe – einzureihen sind. Wir werden Argumente dafür bringen, daß der „Phaidros" in die Nähe des „Philebos" zu stellen ist. Darüber hinaus wollen wir einen Dialog mit einbeziehen, der wohl der mittleren Stufe zuzurechnen ist, vielleicht sogar der früheren, der aber thematisch eng mit der Dialoggruppe der späten Stufe zusammenhängt: den „Kratylos". Dieser Dialog seinerseits knüpft die Verbindung zum Frühdialog „Euthydemos", dessen „sophistische" Problematik wir zwar im Hintergrund unserer Ausführungen festhalten wollen, der aber als solcher außerhalb unseres Fragenkreises liegt.

So viele Platonwerke – und doch nicht die bekanntesten und beliebtesten! Nicht die „Apologie" und der schöne Kreis der kleineren sokratischen Arete-Dialoge: weder der „Charmides", der „Laches", noch der „Lysis". Nicht der grundsätzliche Arete-Dialog „Gorgias" noch die sich an ihn eng anschließende Akademie-Schrift, „Menon". Auch nicht die Tragödie „Phaidon" noch die Komödie „Symposion" (eine wahrhaft göttliche Komödie!), ja auch die großartige „Politeia" nicht ausführlich, obwohl es sich bald zeigen wird, daß wir uns nicht zutrauen, ganz ohne diesen Dialog den Zugang zum späten Platon zu finden. Besonders ist auch hervorzuheben, daß wir den 7. Brief sowie die rekonstruierbaren Fragmente aus der Vorlesung „Über das Gute" nicht eigens interpretieren werden. Diese Werke sind zwar unumgänglich als Hintergrund, wie es auch die hier nicht behandelten Früh- und Mittel-Dialoge sind. Auch werden wir versuchen, sie an ihrer gehörigen Stelle der vermuteten Folge der Spätwerke Platons einzureihen und von dort her zu beleuchten. Unsere Aufgabe soll aber von Anfang an auf eine Untersuchung der erwähnten Spät-*Dialoge* begrenzt sein.

Die so begrenzte Aufgabe gibt jedoch Stoff genug für eine zweistündige Vorlesungsreihe. Ja, der Verdacht liegt auch nach dieser Einschränkung der Thematik nahe, daß die Aufgabe für eine kurze Darstellung mit wissenschaftlichen Ansprüchen übergroß sein könnte. Bildet doch die Spätstufe des platonischen Denkens einen der rätselhaftesten und interpretationsbedürftigsten Themenkreise der klassischen Literatur und Philosophie. – Die Größe einer wissenschaftlichen Aufgabe hängt aber von dem Maßstab ab, mit dem man sie mißt. Mit dem Maßstab philologischer Textinterpretation gemessen, kann ein Buch, ja können einige Seiten eines Buches der „Politeia" für eine ganze Vorlesungsreihe genügend Stoff bieten. Am Maßstab systematischer Philosophie kann „Platon als solcher" im Laufe einer Vorlesungsstunde sinnvoll in den Griff des Begriffes genommen werden. Diese Maßstäbe können aber nicht willkürlich angelegt werden. Es hängt nicht nur von der Individualität des Forschers, sondern auch von dem jeweiligen Stand der Forschung ab, welche Maßstäbe zur Verfügung stehen. Eine Aufgabe, die der klassischen Philologie und Philosophie Generationen lang für „übergroß" und daher unwissenschaftlich gelten, als nur für Festreden bestimmt erscheinen konnte, zeigt sich vielleicht einer neuen Generation als dringend notwendig und somit natürlich und möglich. So bin ich der Meinung, daß die allerdings große Aufgabe, den „Platon der Spätdialoge" darzustellen, heute, dank einer Fülle fruchtbarer Einzeluntersuchungen von philologischer und philosophischer Seite, nicht mehr übergroß ist, sondern wissenschaftlich gestellt werden kann. Sie ist „reif". Und ich hoffe, daß man am Ende meiner Ausführungen, wenn auch nicht vom dargelegten Lösungsversuch, vielleicht auch nicht von der Weise der Inangriffnahme, aber doch von der wissenschaftlichen Möglichkeit, ja Dringlichkeit der Aufgabe überzeugt sein werde.

Die Aufgabe einer Synopse des späten Platon, wie sein Profil sich in den Dialogen zeigt, kann in mehrfacher Weise in Angriff genommen werden. Es liegt nahe, die genannte Schriftengruppe von ihren – äußeren oder inneren – *Bedingungen* her zu untersuchen. Zu einer Untersuchung äußerer Bedingungen gehörte, historisch-biographische Daten mit einzubeziehen, wie z. B. durch die beliebte und an sich sehr interessante Frage nach der politischen Tätigkeit Platons in Syrakus, wie auch die nach seinem Verhältnis zu den immer sich verändernden Strömungen seines auf allen Gebieten des profanen Geistes großartigen Zeitalters. Lebte doch Platon von Anfang des Peloponnesischen Krieges fast bis zur Schlacht bei Chaironeia, erlebte den schmerzlichen Tod seines Lehrers Sokrates und seines Freundes Dion; er erlebte mit und überlebte teilweise auch hochintelligente, hochgelehrte und hochkultivierte Persönlichkeiten wie Demokrit, Euripides, Isokrates, Eudoxos und andere. Von all diesen äußeren Bedingungen läßt sich ja auch entscheidendes Licht werfen auf den jungen und den mittleren Platon – aber auf den späten Platon? Es genügt, sich an den Namen *Ulrich von Wilamowitz-Moellendorffs* und dessen Platonwerk zu erinnern, um einzusehen, wie schwierig es ist, auf diesem Wege relevante Resultate zur Erschließung der Spätdialoge zu gewinnen. Sein für die Jugenddialoge ausgezeichnetes, für die ,,Politeia" zwar eigenwilliges, aber doch bedeutendes Werk hat zu Dialogen wie ,,Theaitetos", ,,Sophistes", ,,Politikos", ,,Parmenides", ,,Philebos" kaum etwas von Belang zu sagen. Nur für das physikalische Hauptwerk ,,Timaios" und für die realgeschichtliche Stoffülle der ,,Nomoi" sind Bedingungsuntersuchungen historisch-philologischen Charakters von besonderem Gewicht.

Mit einer, wie man sie nennen kann, ,,inneren" Bedingungsanalyse kommt man unserer Aufgabe in beträchtlichem Maße näher. Unter einer ,,inneren" Bedingung verstehe ich etwas, was in der Natur der Sache selber liegt. Zur Natur der vorliegenden Sache, nämlich der spekulativen griechischen Philosophie gehört der Zug einer allgemeinen, überpersönlichen Gedankenentfaltung (λόγος). Nicht so sehr ,,Ich denke" wie ,,Es denkt in mir" ist ihr eine grundsätzliche Erfahrung. Was wäre da natürlicher, als den späten Platon, diesen hochreflektierten, spekulativen Philosophen, vom voraufgehenden vorsokratischen Denken oder vom folgenden aristotelischen Denken, kurz, von der Gesetzmäßigkeit des allmählich sich entfaltenden griechischen Logos aus zu interpretieren? Einen solchen Versuch unternahm ja vor allen der tiefdringende Platon-Interpret *Julius Stenzel* – zuerst in seinen ,,Studien zur Entwicklung der platonischen Dialektik von Sokrates zu Aristoteles" (1917), dann in seinem Buch ,,Zahl und Gestalt bei Platon und Aristoteles" (1924), endlich in seiner ,,Metaphysik des Altertums" (1931), die von den Anfängen bis zu Plotin hin verläuft und deren Platon-Kapitel besonders ausführlich und aufschlußreich ist. Heute hat – in den Spuren Stenzels – diese Analyse der inneren Bedingungen der platonischen Spätdialoge eine intensive und ergebnisreiche Fortsetzung hier in Tübingen gefunden, durch meine verehrten Kollegen *Hans Joachim Krämer* und *Konrad Gaiser*. Sie sucht, wie Sie wissen, vom ,,esoterischen" Platon her, d. h. von dem, was wir heute von der mündlichen Lehrtätigkeit Platons in der Akademie wissen können, einen neuen Zugang zu Platon überhaupt, und besonders zum späten Platon zu gewinnen. Das Quellenmaterial, das jene Forschungsrichtung herauszuarbeiten und auszuwerten sucht, betrifft die *doxographische Überlieferung* dieser Lehre, wie sie von Speusipp schon und von Aristoteles her durch die ganze Antike hindurch bis zum späten Neuplatonismus eines Proklos und eines Damaskios, ja, man könnte hinzufügen, das ganze Mittelalter hindurch bis zu einem Renaissance-Platoniker wie Nicolaus Cusanus hin verläuft. Weite Forschungsbereiche eröffnen sich hier. Wie kaum früher in der Geschichte der wissenschaftlichen Platonforschung scheint jetzt die Möglichkeit gegeben zu sein, das *Kontinuum des Platonismus,* von Platon selber bis Cusanus hin, aus Quellen darzustellen (vgl. Lit.-Verz. Nr. 23b und 42f.). Wenn ein anderer Forscher auf diesem Gebiet, der geistvolle und kenntnisreiche *Ernst Hoffmann,* keine kontinuierliche Entfaltung des Logos des Platonismus anerkennen wollte, sondern im Gegenteil einen radikalen Bruch zwischen der von ihm sog. „Differenz"-Philosophie Platons und der „Identitäts"-Philosophie des Neuplatonismus ansetzte (vgl. z. B. Lit.-Verz. 19b, S. 305ff.), so hängt dies vermutlich eben mit einer Geringschätzung der „esoterischen" Tradition, mit ihrer eigenartigen Zahlen- und Symbolsprache zusammen.

Die Resultate solcher Untersuchungen innerer Bedingungen für das Verständnis der Spätdialoge Platons wollen wir nach Möglichkeit benutzen. Die platonischen Spätdialoge sind wie photographische Negative. An sich betrachtet lassen sie nur verworrene Schattenspiele sehen; erst vor einem leuchtenden Hintergrund treten die Konturen ihrer verborgenen Gestalten einigermaßen scharf zutage. Eines aber ist auch hier der Hintergrund, anderes das, was sich uns im Phänomen selber zeigt. In den platonischen Spätdialogen zeigt sich eben – um im Bild zu bleiben – das Negative. Wer behauptet, dieses ins eindeutig Positive umgewandelt zu haben, wer die Quintessenz des Platonismus so ohne weiteres auf den Tisch legt, der verstößt, meines Erachtens, gegen den sachbezogenen Sinn der *indirekten Mitteilungsweise* Platons. Der Sinngehalt, das Was seines Denkens bleibt an die Form, an das Wie seiner Dialoge gebunden. Sagt doch Platon ausdrücklich im vielzitierten 7. Brief (dessen Ausdrücklichkeit damit zusammenhängt, daß er hier weniger selber philosophiert als über Art und Weise seines Philosophierens Aussagen macht), das „in keiner Weise sagbare", οὐδαμῶς ῥητόν, könne, wenn überhaupt, dann von ihm selbst am besten ausgesagt und geschrieben werden (καίτοι τοσόνδε γε οἶδα, ὅτι γραφέντα ἢ λεχθέντα ὑπ' ἐμοῦ βέλτιστ' ἂν λεχθείη, 341D). Platon selber, nicht durch Aristoteles oder durch die Doxographie, sondern durch seine eigenen Werke zu verstehen, bleibt mithin die höchste Aufgabe jeglicher Platon- Interpretation, die Platon eben „platonisch" verstehen will.

Nun zu unserer eigenen Methode. Sie gehört weder zur realgeschichtlichen noch zur „logischen" Bedingungsanalyse, sondern zur sogenannten *reinen* Textinterpretation. Wir bringen keinen Schlüssel von außen mit, um diese Rätselwerke aufzuschließen. Was wir suchen, liegt in den Werken da; womit wir suchen, ist der durch wissenschaftliche Arbeit geschulte diskursive Verstand. Zwar werden wir während der Untersuchung an Stellen, und besonders an eine Stelle kommen, wo der Verstand (διάνοια) nicht mehr ausreicht, um zu einem Sachverständnis zu gelangen. Die reine Vernunft (νόησις) muß dort mit ins Spiel gebracht werden, eine Vernunft, die jedem von uns innewohnt, der aber allzu selten von der Wissenschaft ihre Freiheit gelassen wird. Aber die Voraussetzung rechten Vernunftgebrauchs ist Übung in der Anwendung des Verstandes. Ich darf daher um Geduld derjenigen bitten, die durch ein Intuitionsverfahren sofort zum „Kern der Sache" vordringen wollen[1].

Nun kann eine „reine" Textinterpretation platonischer Dialoge entweder literarisch oder philosophisch vorgehen. Repräsentanten dieser zwei Verfahrensweisen fürchten und infolgedessen befehden einander. Das Schlimmste, was von einem Philosophen gesagt werden kann, ist, daß er Literatentum treibt, und umgekehrt: wenn ein Literaturforscher scharf angegriffen werden soll, sagt man, er philosophiere. Wir werden aber trotzdem wagen, auf beide Weisen zugleich vorzugehen. Meine Methode, mit der ich den „reinen" Text auslegen will, ist mithin selbst nicht rein. In dieser Hinsicht läßt sich, methodologischen Puristen gegenüber, Trost schöpfen aus einer Anekdote, die Carl Friedrich von Weizsäcker von *Niels Bohr* überliefert hat. Der große dänische Atomphysiker stand mit seinem deutschen Kollegen in der Küche beim Abwaschen und sagte nachdenklich: „Eigentlich erstaunlich, wie man mit schmutzigem Wasser und einem schmutzigen Handtuch schmutzige Gläser rein machen kann!"

Daß eine *literarische* Interpretationsmethode hier unumgänglich ist, kann uns Platon selber lehren. Die indirekte Darstellungsweise seines Philosophierens hängt ja eben an *der literarischen Fiktion* des Dialogs (so wie später Kierkegaard aus sachlichen Gründen die Fiktion seiner Verfasserpseudonyme machte). Ein platonischer Dialog ist ein Logos, ein in sich geschlossenes sprachliches Kunstwerk. Jeder Logos, heißt es im „Phaidros" (264C), muß wie ein Lebewesen (ὥσπερ ζῷον) konstruiert sein, mit einem ihm eigenen Körper, ὥστε μήτε ἀκέφαλον εἶναι μήτε ἄπουν, ἀλλὰ μέσα τε ἔχειν καὶ ἄκρα, πρέποντα ἀλλήλοις καὶ τῷ ὅλῳ γεγραμμένα („so daß er weder ohne Kopf noch ohne Fuß ist, sondern Mitten hat und Enden, die gegeneinander und gegen das Ganze in einem schicklichen Verhältnis gearbeitet sind"). Das sprachliche Kunstwerk hat mithin eine strukturierte Form, ein *Eidos*. Dies von Platon selber ausgearbeitete literarische Strukturprinzip als Interpretationsprinzip auf die eigenen Dialoge Platons anzuwenden, war die epochemachende Leistung *Schleiermachers*, die dann von *Werner Jaeger* wieder hervorgehoben und besonders von *Paul Friedländer* für die Erforschung der Platon-Dialoge fruchtbar gemacht wurde. Dieses Strukturprinzip werden wir selbst in einem streng literaturwissenschaftlichen Sinn benutzen. Jeder Dialog soll Ihnen im Gang der Vorlesung als ganzer präsentiert, und sein innerer Aufbau – seine μέσα sowie seine ἄκρα – soll Ihnen sogar durch zum Teil gezeichnete Strukturschemata vor Augen gestellt werden.

Das literarische Strukturprinzip genügt jedoch nicht, um den Sinn wenigstens der *Spät*dialoge zu erschließen. Diese Werke halten zwar alle an der literarischen Darstellungsweise fest. Der Auffassung Stenzels, daß die platoni-

---

[1] Zur Unterscheidung Verstand (διάνοια)-Vernunft (νόησις) vgl. weiter unten S. 20ff., 68ff., 103.

schen Spätdialoge allmählich in aristotelische Traktatform übergingen, stimmen wir nicht zu. Die individuellen Persönlichkeiten verschwinden zwar (wie ein Protagoras, ein Gorgias oder ein Kallikles), die Philosophenschulen treten aber stattdessen typisiert hervor (wie in dem Fremden aus Elea, dem alten Parmenides selber, dem Pythagoreer Timaios). Der äußere Dialog wird zwar unterdrückt; stattdessen wird aber die Entfaltung des Denkens als ein inneres Gespräch mit sich selber aufgefaßt („Theaitetos" 189E) und als solches auch dargestellt (z. B. „Parmenides" 2. Teil, „Timaios"). Wir sollten in unserer Zeit nonfigurativer Kunst in der Einsicht genügend geschult sein, daß künstlerische Darstellung nicht an die Mimesis äußerer Naturgegenstände gebunden ist, sondern in dem Zusammenspiel reiner Formen, Farben und Klänge adäquat geschehen kann – ein „abstrakter" Gesichtspunkt, den übrigens Platon im „Philebos" (51C) eindringlich zum Ausdruck gebracht hat.

Das Ausschlaggebende aber – hinter dem alle nur auf das Literarischästhetische gerichteten Analysen der Spätdialoge Platons zurückbleiben – ist, daß die Elemente, die Platon hier in Zusammenspiel bringt, nicht mehr irgendeine „Form" oder eine „Farbe" oder einen „Klang" haben, die unsere sensuell orientierte Imagination ansprechen: Die Elemente dieses Spiels sind meistens rein philosophische Elemente, Begriffselemente, die nur gedanklich aufzeigbar und fixierbar sind. Erst wer einen typischen platonischen Spätdialog durch*dacht* hat, kann ihn mit Genuß *lesen*. Um den Sinn, den Wirklichkeitsgehalt dieser Elementarbegriffe einigermaßen zu fassen und die Gesetzmäßigkeit ihrer Verknüpfungen und Trennungen einigermaßen mitzuvollziehen, muß man also das philosophische Begriffsdenken mit einbeziehen, am besten nicht nur so, daß man in eine allgemeine Schule der Philosophen geht, um z. B. die begriffliche Trennung zwischen „esse" als Copula, als Essenz und als Existenz kennen zu lernen, sondern auch so, daß man versucht, die geistige Lage je der eigenen Zeit zu durchdenken, um dabei sich selber zur geistigen Welt der zeitlosen, das heißt: der immer mit dem denkenden Selbst *gleichzeitigen* Philosophie zu erheben. Nur wer mit Platon in dieser geistigen Welt gleichzeitig *da* ist, kann seine Spätdialoge sachgemäß ausdeuten. Diese letzte Forderung geht zwar über unser Vermögen; als Ideal muß sie uns aber richtungweisend vorschweben.

Selber habe ich hier, ein von Hause aus eher anglophiler Norweger, das Durchdenken der heutigen deutschen philosophischen Situation als zwingende Aufgabe empfunden. Besonders die fundamentalontologische Frage und die hermeneutische Methode *Martin Heideggers* haben mich in meinem Bemühen um das rechte Platonverständnis bestärkt. Das hat meinen Platonforschungen von skandinavischer Seite den Vorwurf des „Heideggerianismus" eingetragen. Diesen Vorwurf erwarte ich bei Ihnen, wo Begriffe aus der Philosophie Heideggers schon längst gängige Ware geworden sind, weniger. Im Gegenteil fürchte ich, bei Ihnen ziemlich bald ein trockener „Sprachanalytiker" genannt zu werden.

So weit über mein Thema: die geistige Profilierung des späten Platon durch seine nach der „Politeia" verfaßten Dialoge – und so weit meine Methode: schrittweise durch die Werke selber zu gehen mit der teils literarischen Formfrage nach ihrer inneren Struktur, teils philosophischen Sinnfrage nach dem Wirklichkeitsgehalt des sich dort abspielenden Begriffsdenkens. Ich werde mich nicht, wie so mancher brave Philologe, von der Konkretion, dem Zusammenwachsen mehrerer Gedankenfäden in einer und derselben Wortprägung fesseln lassen, so daß wir nur auf der Stelle träten; auch werde ich nicht, wie so mancher brave Philosoph, in abstracto über die Textzeugnisse einfach dahinreden. Mein Versuch geht darauf aus, durch rasch skizzierte Gesamtüberblicke sowie Interpretationen ausgewählter Textstellen die Sinnfülle der Dialoge *in extracto*, je für sich und insgesamt, für nicht ganz kenntnislose Hörer darzulegen. Daß ich mich durch die Größe der Aufgabe und die Unreinheit der Methode in ungewöhnlichem Grade unfreundlicher Kritik aussetze, ist unvermeidlich. Worauf ich aber hoffe, ist eine Kritik, die der συνουσία bei der Sache selbst entspringt.

Man kommt aber nicht in die platonische Hochburg Tübingen, um sich nur in allgemeinen Redensarten über die literarisch-philosophischen Aspekte des späteren Schrifttums Platons zu äußern. Gewisse Thesen sind es, die mich hierher bringen und die ich Ihnen vorlegen möchte – in der Hoffnung, sie im Laufe des Semesters kritisch überprüft zu bekommen. Diese Thesen sind die folgenden zwei:
1) Nicht nur die einzelnen Spätdialoge Platons, sondern auch das Spätwerk *insgesamt* hat eine innere Form. All die augenscheinlich so disparaten Meisterwerke dieser Periode gehören in einem *Gesamtentwurf* Platons.
2) Platon hat den Dialog „Philosophos", der allgemein als ungeschrieben gilt, geschrieben, und wir haben ihn in extenso überliefert bekommen. Dieser Dialog ist der „*Parmenides*".
Die beiden Thesen sind eng miteinander verbunden. Das stärkste Argument für die Gleichstellung „Philosophos" = „Parmenides" wird die erhoffte Evidenz in der Aufzeigung des Gesamtentwurfs geben – und umgekehrt: Eine Hauptstütze für die These eines Gesamtentwurfs wird die Gleichstellung „Philosophos" = „Parmenides" bieten. Wenn man erst den geheimnisvollen „*Parmenides*"-Dialog in die Mitte des Spätwerks setzt, so ergeben sich daraus Konsequenzen für die Beurteilung der ganzen Gruppe. – Von den Thesen ist mir aber die erste wichtiger. Es könnte ja sein, daß man eines Tages aus dem Sande Ägyptens eine Schriftrolle grübe mit dem wahren Titel: „Platons Philosophos", deren Inhalt *nicht* der „Parmenides" ist. Die erwähnte Gleichsetzung betrifft nur eine mögliche geschichtliche, d. h. zeitgebundene Tatsache, und von solchen „Tatsachen" – das lehrt uns der „Timaios" – kann man kein sicheres Wissen, sondern nur eine wahrscheinliche Vermutung haben. Die erste These aber be-

trifft eine ideale Größe. Auch wenn man im selben Sand Ägyptens ein Wort von Platon fände, seine Spätdialoge seien ganz ohne irgendeinen Plan, nur locker „wie es euch gefällt", für das profanum vulgus dahingestreut worden, würde das meine These kaum beeinträchtigen (denn auch ein solches Wort Platons müßte jeweils gebührend *interpretiert* werden). Nicht durch neue „Tatsachen", sondern nur durch Gegenargumente idealer Art kann diese These ihr ideales Leben einbüßen müssen[1].

Lassen Sie mich zum Schluß, um Ihnen die Kühnheit meiner Hauptthese klar vor Augen zu führen, die verschiedenen hier zu behandelnden Werke durch ein Stichwort inhaltlich kennzeichnen:

„Kratylos" – Sprachphilosophie

„Theaitetos" – Erkenntnislehre (Epistemologie)

„Sophistes" – Seinslehre (Ontologie)

„Politikos" – Methodologie und Staatslehre

„Parmenides" – Einheitslehre (Henologie)

„Philebos" – Moralphilosophie und Psychologie

„Phaidros" – Psychologie, Erotologie, Rhetorik

„Timaios"/„Kritias" – Kosmologie, Physik, Biologie etc., Geschichtsphilosophie (in Ansätzen)

„Nomoi"/„Epinomis" – Staatslehre, Jurisprudenz, Pädagogik, Theologie etc., Mathematik und Astrologie.

Eine kritische Frage zu meiner ersten These meldet sich schon nach dieser bloßen Aufzählung: Wie kann es überhaupt möglich sein, daß so viele zentrale und disparate Gebiete des menschlichen Wissens und Denkens von einer Gesamtkonzeption her durchdacht und dargestellt worden sind? Würde nicht dann, von der Gesamtkonzeption „unterjocht", das Spiel dieser großartigen Vielfalt verlorengehen müssen? Müßte nicht, damit es möglich würde, der „fortzeugende Gründer des Philosophierens", Platon, zu einem trockenen Schulmeister des konstruierten Systems umgebildet werden?

Diese kritische Frage könnte einfach durch folgende Gegenfrage ihren Stachel verlieren: Kann überhaupt das Spiel dieser großartigen Vielfalt von Platon dargestellt worden sein und vom Interpreten im Blick gehalten werden, muß nicht eben diese Vielfalt in ein sinnloses Durcheinander zerfallen, wenn nicht in irgendeiner Weise irgendeine grundsätzliche Einheit aufweisbar ist? Mit dieser Gegenfrage wollen wir die Weise angedeutet haben, wie wir die im folgenden darzustellende Gesamtkonzeption des späten Platon verstanden haben wollen:

---

[1] Nach der Abfassung dieser Vorlesungsreihe habe ich die These „Parmenides = Philosophos" an Hand der Forschungsgeschichte näher verfolgt, vgl. Lit.-Verz. Nr. 42, b. Die Gleichstellung wurde bis zur Mitte des vorigen Jahrhunderts ernst genommen und besonders von *Stallbaum* (1841) befürwortet, geriet aber gleichwohl damit, daß der „Parmenides" seinen philosophischen Sinn verlor, allmählich in Vergessenheit. Die Untersuchung hat meine Überzeugung von der Gültigkeit auch meiner zweiten These gestärkt.

als ein „Eines über mehreren", ein „ἓν ἐπὶ πολλῶν". Dadurch soll aber nicht die kritische Möglichkeitsfrage als schon abgetan betrachtet werden. Im Gegenteil: ihre Wiederaufnahme wird in der nächsten Stunde den Ausgangspunkt für unsere Untersuchung bilden.

Die Grundvision

(2. Stunde)

In unserer ersten Stunde präsentierten wir unser spätdialogisches *Thema*, charakterisierten unsere „unreine" literarisch-philosophische *Methode* und stellten unsere beiden *Thesen* postulierend dar, von denen die erste These – die von einer Gesamtkonzeption hinter allen Spätdialogen Platons – so provozierend erscheinen mußte, daß sich uns zum Schluß die Frage nach ihrer prinzipiellen Möglichkeit aufzwang. Heute werden wir mit dem Versuch einer Antwort auf diese prinzipielle Möglichkeitsfrage beginnen, und sie soll sich auf eine in der Platonforschung schon öfter mit einbezogene Parallele stützen, auf *Goethe*: Die platonischen Spätdialoge bilden im Prinzip dieselbe Art selbständiger Momente einer einheitlichen Grundkonzeption, wie es die verschiedenen Teile, Akte und Szenen der Dichtung „Faust I-II" tun.

Es scheint ja nach menschlichen Maßstäben unmöglich zu sein, ein Werk in der Weise zu verfassen, daß man innerhalb einer Zeitspanne von 60 Jahren inmitten tausend anderer Beschäftigungen bald hier, bald dort eine Szene, bald einige Zeilen hinwirft – mit dem Resultat einer gestalteten Ganzheit. So hat man auch Generationen lang versäumt, nach der Einheit der „Faust"-Dichtung systematisch zu fragen. Denn *die Wissenschaft* liebt nicht – im Gegensatz zum Manto in der klassischen Walpurgisnacht – den, „der Unmögliches begehrt". – Aber neuere „Faust"-Forschung hat tatsächlich die Einheit der ganzen Dichtung jedenfalls ihrer Idee nach überzeugend klar dargestellt – man erinnere sich nur an das bedeutende „Faust"-Werk des Philosophen Heinrich Rickert (Tübingen 1932)[1]. Das als unmöglich Erscheinende war doch möglich – und wie? Ich möchte das Wort „Vision" gebrauchen. Dante Alighieri hat ausdrücklich eine solche für seine Grundkonzeption der „Divina Commedia" in Anspruch genommen (in „Vita Nuova"). Von Goethe ist zu vermuten, er habe schon als ganz junger Mann die Grundstruktur seiner Faustdichtung „gesehen". Nur mußte er alles, um es dichterisch gestalten zu können, etappenweise durchleben – „bis es in meinem Kopf ausgebraust hat" („Dichtung und Wahrheit" III, 10).

Und so auch bei Platon – falls ein Gesamtbau seiner Spätdialoge aufzeigbar sein sollte. Denn wer kann eigentlich bezweifeln, daß die platonische Lehre von der *Theoria* in Werken wie „Symposion" und „Phaidros" aus der Erfahrung

---

[1] Von Wolfgang *Schadewaldt* angeregt, habe ich selber Früchte aus der Rickertschen Fragestellung zu ziehen versucht; vgl. Lit.-Verz. Nr. 42, g, h.

eines nicht nur erleuchteten, sondern visionären Geistes spricht? Platon ist nicht mit einem „System" in die Welt gekommen, das er dann aus einer nur protreptisch-pädagogischen Absicht heraus schrittweise bekanntgegeben hätte; auch ist keine organische Entfaltung einer immer gleich bleibenden Entelechie bei Platon zu spüren, geschweige denn eine mechanische Entwicklung. Weder die von der Scholastik herstammende System-Idee der Philosophie (durch Hegel von Zeller übernommen) noch das uns von Aristoteles gegebene organische Entfaltungsprinzip (an dem doch bedeutende Interpreten wie Werner Jaeger und Julius Stenzel orientiert geblieben sind) reichen – obwohl sie in Einzelfragen ausgezeichnete interpretatorische Hilfe leisten können – für eine Gesamtcharakteristik der Grundvision Platons aus.

Dem visionären Geist Platon muß sich irgendwann in seiner Jugend oder in seinen früheren Mannesjahren „plötzlich", „wie eine Traumvision im Schlaf" (Parm. 164D), eine so und so gestaltete geistige Welt aufgetan haben, an deren Existenz er nie später hat zweifeln können, um deren Essenz aber, deren Washeit, er sein Leben einsetzte, teils um sie sich selbst gedanklich anzueignen, teils um auch anderen – sei es im Gedanken, sei es im praktischen Tun – Teilnahme daran zu ermöglichen.

Dieses sei denn unsere Arbeitshypothese: Die Grundkonzeption jedenfalls des späten Schrifttums Platons stammt aus einer Grund*vision*, in deren Banne er selbst steht, und mit deren Sinne er selbst ringt. Bevor wir uns auf die etwas mühselige Wanderung durch die Spätdialoge begeben, wo die streng philosophische Argumentationsweise Platons uns allzu leicht an die Einzelheiten bindet und uns dadurch den Überblick verwehren kann, wollen wir mithin versuchen, uns einen Vorbegriff der vermuteten platonischen Grundvision zu bilden. Dazu dürften die drei zugleich allgemeinverständlichen und tiefsinnig-unergründlichen *Gleichnisse* der Politeia 6–7 – das Sonnen-, Linien- und Höhlen-Gleichnis – besonders gut geeignet sein. Dank ihrer imaginativen, sowohl allegorischen wie symbolischen Ausdrucksweise können sie synoptisch das hervorscheinen lassen, was logisch-analytisch zwar eindringlicher und gedanklich verbindlicher, aber doch nur in schwierig überschaubarer Weise zum Ausdruck gebracht werden kann.

Wir halten diese Gleichnisse für so ursprünglich und tiefgreifend platonisch, auch die Verschiedenheit in der Einheit ihrer metaphorischen Sprache für so markant, daß wir sie nicht synoptisch undifferenziert behandeln, auch nicht nur eins von den dreien paradigmatisch auswählen, sondern sie alle, jedes für sich, kurz interpretieren wollen. Der Rest dieser Stunde und die zwei nächstfolgenden Stunden werden somit zu Interpretationen der Textstelle Politeia 506D8 – 521 B11 verwendet werden. Vorher wollen wir einleitend eine prinzipielle Erwägung in Hinsicht auf die Deutung von Gleichnissen anstellen.

Ein Gleichnis im allgemeinen und ganz besonders ein platonisches Gleichnis hat zwei Aspekte, zwischen denen man sorgfältig unterscheiden muß: einen

Bild-Aspekt und einen Sach-Aspekt. Im allgemeinen ist der Bild-Aspekt dem Sach-Aspekt untergeordnet. Das Bild ist dazu da, zur Sache hinzuleiten. Dies ist besonders bei *allegorischen* Gleichnissen der Fall, wo das Allegorische als solches keinen Sinn hat, sondern seinen Sinn erst durch die genaue Entsprechung, Element für Element, mit einer unabhängig von ihm gegebenen Sache erhält. Es gibt aber auch Gleichnisse – erlauben Sie mir, auf die Gleichnisse Jesu zu verweisen – wo das Bild nicht in der Sache aufgeht. Auch nachdem man alle allegorischen Elemente des Bildes herauskristallisiert hat, bleibt etwas, das in einer anderen, „sachlichen" Weise kaum darstellbar ist. Dies an sich seiende, unübertragbare Moment eines Bildes nennen wir ein *Symbol*[1].

Das Auffälligste an den drei Gleichnissen Platons ist ihr durchgehaltener allegorischer Charakter. Fast jedem Strukturelement des Bildes entspricht ein sachliches Strukturelement. Platon stellt sogar selber ein dem Bild-Element entsprechendes Sach-Element dar; er läßt die Bilder nicht auf sich beruhen. Eine genaue Untersuchung des Allegorischen dieser Gleichnisse ist mithin eine Voraussetzung zu ihrem Verständnis. Das von Platon bildlich und das sachlich Ausgesagte müssen zusammengeschaut werden. – Es wird sich aber zeigen, daß die von Platon hier angewandten Bild-Komplexe, nämlich die der Sonne, der Linie und der Höhle, dermaßen gehaltvoll sind, daß sie sich nicht in einem Nurallegorischen erschöpfen. Auch etwas Symbolhaftes bleibt. Dieses Symbolhafte werden wir an mehreren Stellen aufzeigen. Zunächst aber das Allegorische – und wir fangen mit dem Sonnengleichnis an.

1. Das Sonnengleichnis (506D8–9C5)

Zwischen den zwei Aspekten eines allegorischen Gleichnisses – dem Bild-Aspekt und dem sachlichen Aspekt – soll, haben wir gesagt, im Prinzip eine Korrespondenz bestehen. Sie wird aber erst dann klar, wenn man sich zuerst den reinen Bild-Aspekt als solchen vergegenwärtigt. So wird auch im allgemeinen von Platon zwischen der Darstellung des Bildes und der Darstellung der zum Bild gehörenden Sache unterschieden. Im Sonnengleichnis fällt die Zäsur in Zeile 508 B 11. Bis dorthin wird nur von der Sonne und dem Licht gesprochen. Von dort ab werden die ihnen sachlich korrespondierenden Elemente,

---

[1] Zur Trennung Allegorie-Symbol eben an dieser Stelle vgl. die Ausführungen Povl Johs. *Jensens* (Kopenhagen), Lit.-Verz. Nr. 22, S. 51 ff. Goethe sagt in „Maximen und Reflexionen": „Die Allegorie verwandelt die Erscheinung in einen Begriff, den Begriff in ein Bild, doch so, daß der Begriff im Bilde immer noch begrenzt und vollständig zu halten und zu haben und an demselben auszusprechen sei. Die Symbolik verwandelt die Erscheinung in Idee, die Idee in ein Bild, und so, daß die Idee im Bilde immer unendlich wirksam und unerreichbar bleibt und, selbst in allen Sprachen ausgesprochen, doch unaussprechlich bliebe."

nämlich das Gute bzw. die Wahrheit und das Sein, erörtert. Vorerst also der Bild-Aspekt.

a) Das Bild (506D8 – 8B11). Die ganze Darstellung Platons nimmt von einer Erinnerung an eine früher im Gespräch behandelte und auch sonst allgemein besprochene Zwei-Welten-Theorie ihren Ausgang (507A). Die eine Welt ist eine sensible, die aus der Vielfalt schöner und guter und so-und-so gearteter Dinge besteht. (Unser philosophisch abgeblaßtes Wort „Ding" hat im Griechischen kaum und gerade nicht an dieser Stelle eine Entsprechung. Hier, wie oft bei Platon, wird nur das plurale Neutrum – καλά ... καὶ ... ἀγαϑά ... B2 – als Bezeichnung einer Eigenschaftsklasse verwendet.) – Die andere Welt ist eine noetische, die aus den die Eigenschaftswelt konstituierenden Wesenheiten, sogenannten „Ideen" (ἰδέα) besteht. Jetzt soll eine besondere dieser Ideen, die des Guten, gleichnishaft zum Ausdruck gebracht werden. Dazu wird ein besonderer Bereich innerhalb der Welt des Sensiblen, nämlich der optische – und eben nicht der akustische – ausgewählt.

Diese Wahl des optischen Bereichs ist für den Ansatz des platonischen Philosophierens überhaupt bezeichnend. Die Griechen werden ja im allgemeinen „Augendenker" genannt, und Platon war es vor allem. Wir wollen daher den Grund für die Wahl, den Platon kurz angibt (507C6ff.), recht ausführlich erörtern. – Jede Wahrnehmungssituation, so scheint es Platon vorauszusetzen, läßt sich in wenigstens *zwei* Komponenten scheiden – in die des Wahrnehmens, wie des Hörens bzw. des Sehens und des Riechens, und die des Wahrgenommenen, wie des Gehörten bzw. des Gesehenen und des Gerochenen. Die erste Komponente bezieht sich auf subjektive Tatsachen der „inneren", seelischen Welt, die zweite auf objektive Tatsachen der „äußeren". (Man bemerke, daß diese Art der „vertikalen" Teilung zwischen Subjekt und Objekt der zugrundegelegten Art der „horizontalen" Teilung zwischen zwei Welt-Schichten nicht entspricht; mehr darüber in Verbindung mit dem Liniengleichnis.) Streng physikalisch betrachtet gibt es auch eine dritte Komponente der allgemeinen Wahrnehmungssituation, nämlich das Medium, *in welchem* die Verbindung zwischen der subjektiven und der objektiven Komponente geknüpft wird, wie besonders die *Luft*. Dieses physikalische Medium wird von Platon hier, wo es ihm um das Metaphysische geht, außer Acht gelassen, aber in seinem physikalischen Hauptwerk „Timaios" (67B) ausdrücklich berücksichtigt.

Nun haben wir also die *zwei* Komponenten, und im allgemeinen scheint diese Scheidung ausreichend zu sein. Ich höre sofort das mir zu hören Gegebene, wenn ich nur hinhöre; ich rieche sofort das mir zu riechen Gegebene, wenn ich nur daran rieche. Aber wie steht es mit dem Sehen? Kann ich in derselben Weise das mir zu sehen Gegebene sofort dadurch sehen, daß ich es nur ansehe? Gesetzt, daß es in diesem Raume dunkel würde. Dann würde mir dieses Papier, das mir als solches zu sehen gegeben ist, nicht mehr sichtbar sein. Im Bereich des Sehens – *und nur hier* – kommt mithin eine spezifische dritte Komponente hinzu – Platon nennt sie ausdrücklich ein τρίτον γένος (D1, E1) – ohne welche das sehende Auge nicht sehen und der sichtbare Gegenstand nicht gesehen werden kann: das Licht. Dieses „Dritte", das Licht, ist mithin die spezifische *Möglichkeitsbedingung* des Gesichts. Platon unterstreicht – (vgl. die Häufungen in 508A1!) – seine Funktion als die eines ζυγόν, eines zusammenklammernden „Spanns", der die sonst auseinander fallenden Komponenten der Wahrnehmungssituation des Gesichts ein- und aneinanderspannt. Das möglichkeitsbedingende Licht macht also die *Spannkraft* der Welt des Gesichts aus.

Wir sind in den Spielbereich der *Lichtmetaphysik* in ihrer schwierigen Mittelposition zwischen *Lichtmystik* und *Lichtphysik* eingetreten. Das Sonnengleichnis spricht vom Licht – aber nicht hauptsächlich, geschweige denn ausschließlich! Denn erst nach diesen fundamentalen Feststellungen hinsichtlich τὸ τρίτον folgt im Text der entscheidende Schritt der Bild-Darstellung – der Schritt vom Licht zur Sonne (508A3).

Gesetzt nämlich – wir sprechen hier frei vom Texte – daß die Beschreibung der Situation des Sehens bei der „dritten" Komponente, der des Lichts, haltmacht: Dann ruft das Licht sofort seinen Gegensatz hervor, die Finsternis. Die Finsternis läßt sich ja ebenso gut eine Unmöglichkeitsbedingung wie das Licht eine Möglichkeitsbedingung des Gesichts nennen. Warum überhaupt das Licht, d. h. das Positive hervorheben? Ist nicht das Negative, die Finsternis, mit dem Positiven gleich ursprünglich – man schaue nur den gleichmäßigen Wechsel von Tag und Nacht, von Winter und Sommer an! – Die Antwort auf diese von uns gestellte Frage läßt sich gleichnishaft bei Platon nachlesen. Das Licht hat den Vorrang – *auf Grund der Sonne*. Die Finsternis nämlich hat keine Quelle, *woher* sie kommt; das Licht dagegen strömt von etwas, das über das Licht erhoben, für Platon sogar ein Gott ist (bes. A9). Die Sonne ist mithin innerhalb dieser Bild-Sprache des Sonnengleichnisses nicht dem Lichte gleichzustellen; sie ist ihm überzuordnen. Das Licht ist zwar die Möglichkeitsbedingung des Gesichts, die Sonne aber ist sein *Grund*.

Zum Schluß (508 A 9ff.) wird noch eine Frage von Platon aufgeworfen, die uns glücklicherweise nicht jenseits des Grundes hin zu einem etwa Böhmesch-Baaderschen „Ungrund" führt, sondern einen „Schritt zurück" zum früher erörterten Zweigespann der beiden Gesichts-Komponenten macht.

Die Frage richtet sich auf das Verhältnis des Sehvermögens zur Sonne. Und die Antwort lautet präzise: Das Sehvermögen (δύναμις = Vermögen, „power", nicht Fähigkeit, „faculty" – vgl. Adam ad. loc.) ist – nicht nur das Lichthafteste, sondern sogar das *Sonnenhafteste* (ἡλιοειδέστατον B3) aller Wahrnehmungsaktivitäten. Das Auge bildet selber einen Grund, aus dem her das Sehen, wie Licht, ausströmt. Bekanntlich hat Goethe, durch Plotin vermittelt, diese Einsicht Platons schön in folgender Weise ausgedrückt:[1]

---

[1] „Entwurf einer Farbenlehre", Einl. (Jub.-Ausg. 40, 71); vgl. Plotin I, 6, 8.

„Wär' nicht das Auge sonnenhaft,
Wie könnte es das Licht erblicken;
Wär' nicht in uns des Gottes eigne Kraft,
Wie könnt' uns Göttliches entzücken!"

Ohne Goethe verbessern zu wollen, möchte ich doch diesen platonischen „Schritt zurück" in folgender Weise noch zugespitzter wiedergeben:

So wie die Sonne, wie ein großes Auge, mit ihrem Lichtstrahl zu uns herniederschaut, so leuchtet das Auge, wie eine kleine Sonne, durch das Licht zur Sonne empor.

So weit die eigene Bildsprache des Gleichnisses. Jetzt zur korrespondierenden Sache, wie sie von Platon angegeben wird. Die Trennung Bild-Sache läßt sich aber nicht mechanisch durchführen. In der jetzt bevorstehenden „Versachlichung" des Gleichnisses werden auch seinem Bild-Gehalt neue Nuancen abgerungen.

b) Die Sache (508B12 – 509C14). Die Übertragung des Bildes auf die Sache knüpft direkt an die im voraus schon gegebene Gleichstellung „die Sonne = das Gute" an, wo die Sonne sogar als ein ἔκγονος (508B13 vgl. 606E3) des Guten betrachtet wird. Zwischen ihnen ist, heißt es sogleich, ein *analoges* Verhältnis (ἀνάλογον B 13). Denn

$$\text{die Sonne : Gesicht} \Big\langle \begin{array}{l} \text{Seh-Funktion} \\ \text{Gesichtsobjekte} \end{array}$$

$$=$$

$$\text{das Gute : Erkenntnis} \Big\langle \begin{array}{l} \text{Erkenntnis-Funktion} \\ \text{Erkenntnisobjekte} \end{array}$$

Außerdem wird dem „Dritten" im Bereich des Gesichts, dem Licht, eine entsprechende sachliche Komponente zugeordnet. Diese sachliche Komponente wird als eine Zweiheit dargestellt, als ἀλήθειά τε καὶ τὸ ὄν (508D5), „Wahrheit zugleich und Sein". Platon trennt aber sofort auch diese Zweiheit in der Weise, daß er zuerst die Gleichung (α) Licht = Wahrheit, sodann die Gleichung (β) Licht = Sein behandelt.

α) *Licht = Wahrheit (508E1 – 509A8)*. Wir, die wir so lange beim Licht-*Bild* verweilten, können jetzt sogleich den sachlichen Sinn dieser Übertragung einsehen: Wie das Licht das möglichkeitsbedingende Dritte für das Gesicht, so ist die Wahrheit das möglichkeitsbedingende Dritte für die Erkenntnis. Wahrheit entsteht somit nicht durch die Verknüpfung des Denkens mit dem zu denken Gegebenen. Wahrheit ist die vorausgegebene Bedingung dafür, daß diese Verknüpfung überhaupt stattfinden kann. Man denkt *in* der Wahrheit, wie man *im* Licht sieht. Dieser platonisch-griechische Wahrheits-Begriff, die ἀλήθεια, dürfte also von Heidegger sachgemäß mit „Un-Verborgenheit" übersetzt und als eine „Lichtung", in die das Denken hinausgesetzt ist, bestimmt worden sein.

Ebensowenig wie das Licht ist aber für Platon die Wahrheit eine an sich seiende, absolute Größe. Wie das Licht auf Finsternis, weist ja die Wahrheit auf Falschheit, die Unverborgenheit auf die Verborgenheit hin. Woher dann die Anziehungskraft, die normative Funktion der Wahrheit? Die ausgeprägt platonische Antwort darauf ist besser im Sonnengleichnis als im Höhlengleichnis (wo Heidegger sie aufsuchte) zu lesen. Die Wahrheit gründet im Guten. Genau wie das Licht der Sonne entspringt und ihr somit untergeordnet ist, entspringt und ordnet sich die Wahrheit dem Guten unter. Das Gute allein ist an sich erstrebenswert, während die Wahrheit und die mit ihr verbundene Erkenntnis nur darum erstrebenswert ist, weil sie das Gute vermittelt. Eine „Wahrheit" ohne das Gute gibt es nicht. Wenn z. B. später der Anti-Platoniker Nietzsche „Versuche" mit der „Wahrheit" auch in dem Bewußtsein macht, die Menschen würden daran vielleicht zu Grunde gehen, so könnte ein Platoniker im Sinne des Sonnengleichnisses folgende Antwort geben: Wenn Deine „Wahrheits"-Versuche am Guten orientiert sind, dann gut. Aber sieh zu, daß Du die „Wahrheit" als solche nicht verabsolutierst und dabei vielleicht, selbst unwahr im Grunde, am Guten vorbeischaust.

Und nun zum Schluß der entscheidende Punkt des ganzen Gleichnisses, wo die Sonne nicht mehr nur als Allegorie, sondern als Symbol zu fassen ist. Er betrifft Platons Erörterung der noch ausstehenden Gleichung:

β) *Licht = Sein (509A9 – C4)*. Um der Ausarbeitung dieser Entsprechung willen muß Platon eine neue Bedeutungsnuance dem Bild-Aspekt abringen. Wir sind oben von der Wahrnehmungssituation ausgegangen und haben zunächst das *Licht* herausgestellt als das die Möglichkeit des Gesichts bedingende Dritte, danach die *Sonne* als die dem Licht und dem Gesicht eigene Quelle. Jetzt macht Platon das Licht als solches, präziser gesagt: das Sonnenlicht als solches zum Gegenstand der Analyse und findet, daß es eine Komponente besitzt, die in der Situation der Wahrnehmung nicht aufgeht. Das Sonnenlicht – nicht z. B. das Licht des Mondes – ist auch die Bedingung für „Werden, Wachstum und Nahrung" (γένεσιν καὶ αὔξην καὶ τροφήν). Denn ohne Sonnenlicht kein Leben auf der Erde. Die Sonne ist die Quelle der physischen Existenz.

Übertragen heißt das: Das Gute schafft nicht nur Wahrheit als Bedingung der Erkenntnis; es schafft auch Sein und Wesensfülle (τὸ εἶναί τε καὶ τὴν οὐσίαν) als Bedingung des Daseins. Das Gute selber steht also *jenseits des Seins* (ἐπέκεινα τῆς οὐσίας) als dessen Grund. Ein „Sein" als solches gibt es mithin ebensowenig, wie es eine Wahrheit als solche gibt. Nur „guthaftes" (ἀγαθοειδής vgl. A3) Sein gibt es. Das Gute selber überragt dieses „guthafte" Sein an „Würde und Vermögen" (πρεσβείᾳ καὶ δυνάμει) – eine Feststellung, die der Gesprächspartner Glaukon sehr lebhaft und sehr bedeutungsvoll durch folgenden Ausruf kommentiert: Ἄπολλον, δαιμονίας ὑπερβολῆς „O Sonnengott, welche daimonische Übertreibung" (C1).

Die Übertreibung oder das „Hyperbolische" der Schlußfolgerung liegt eben darin, daß eine über das Sein gesetzte Größe nicht in irgendeiner Weise beschrieben oder erkannt werden kann – wenn nicht eben, wie hier, im *Symbol* der Sonne.

2. Das Liniengleichnis (509D1–511E5)

(3. Stunde)

Wir haben gesehen, daß eine Weise, in der sich unsere Hauptthese von einer einheitlichen Gesamtkonzeption hinter den spätplatonischen Dialogen ermöglichen läßt, die ist, Platon eine ihm im voraus gegebene *Vision* zuzuschreiben, in deren Licht er seine Werke schuf. Um uns einen Vorbegriff dieser möglichen Vision zu bilden, suchten wir die drei bekannten Gleichnisse in der „Politeia" 6–7 auf, und nachdem wir sorgfältig zwischen Bild und Sache und zwischen Allegorie und Symbol in einem Gleichnis unterschieden hatten, begannen wir die Untersuchung mit einer Interpretation des ersten der drei, des Sonnengleichnisses. Nach dieser Interpretation hat das Gute im noetischen Bereich dieselbe Funktion, wie sein Sproß, die Sonne, im sensiblen Bereich. Wie die Sonne die Quelle des Lichts ist, das wiederum die Möglichkeitsbedingung sowohl des Sehens wie des physischen Existierens ist, so ist das Gute der Grund der Wahrheit und des Seins, die wiederum die Möglichkeitsbedingungen der Erkenntnis bzw. des Daseins ausmachen. Das Gute selber steht „jenseits" der Wahrheit und des Seins, ist also nur in einer δαιμονία ὑπερβολή, d. h. „hyperbolisch" anzusprechen – im *Symbol* der Sonne.

Jetzt zum darauf folgenden, zweiten Gleichnis der drei, dem Liniengleichnis.

a) Das Bild (509D6–8 und passim). Die reine Bildsprache dieses Gleichnisses ist mathematisch, und seine Darstellung kann dementsprechend kurz und knapp sein. Faktisch besteht sie nur aus zwei Zeilen, die aber zu den meist interpretierten und berücksichtigten des ganzen platonischen Corpus gehören. – Man soll sich eine gezogene gerade Linie vorstellen, die in zwei ungleich große (man lese ἄνισα!) Teile geteilt ist. Aus der folgenden Erörterung geht eindeutig hervor, daß der eine Teil als ein „oberer", der andere als ein „unterer" verstanden werden soll (vgl. bes. ἀνωτάτω 511D8). Die Linie muß mithin *vertikal* gezogen werden; sie ist in ihrer Richtung gebunden. (Fig. 1)

Fig. 1

Die Grundvision: 2. Das Liniengleichnis

Nun ist schon viel erörtert worden, ob der größere Teil der Linie „oben" oder „unten" anzusetzen ist. Für „oben" spräche z. B. die größere Würde der Ideen, für „unten" das größere Ausmaß und die größere Anzahl der Dinge. Wir fürchten, diese Diskussionen sind ziemlich belanglos. Die Länge der ungleichen Teil-Abschnitte hat sachlich kaum etwas zu sagen. Worauf es Platon ankommt, ist, durch den Ansatz zwei ungleicher Größen eine Proportion und ein Proportionsgesetz zu bilden. Dies wird dadurch erreicht, daß jeder ungleich-große Teil wieder in zwei geteilt wird, und zwar ἀνὰ τὸν αὐτὸν λόγον, nach demselben Verhältnis. (Fig. 2) Derselbe Logos, dasselbe Verhältnis soll also den ursprünglichen Teilen (I, II) und auch den neuen Abteilungen (A und B, C und D) zugrunde liegen. Wir bekommen die Proportion:

$$I:II = A:B = C:D,$$

wobei

$$I = A+B, \text{ und } II = C+D.$$

Nun läßt sich mathematisch zeigen – aber nichts wird darüber im Text gesagt –, daß unter den hier gegebenen Bedingungen die Größen B und C *gleich groß* sein müssen. Z. B.

$$3:9 = 9:27$$
$$= 12 : 36$$

Die Proportion verlangt also ein *Zwischenproportionalglied*. (Fig. 3). Das kann kaum ein Zufall sein, wie die Interpreten gerne meinen. Das Proportionsdenken ist ein höchst charakteristisches Kennzeichen sowohl der griechischen Mathematik wie der Musiktheorie, und Platon war sich dieser Denkweise stark bewußt. Im „Timaios" werden z. B. sowohl der Welt-Körper wie die Welt-Seele aus bestimmten Proportionen mit Zwischenproportionalgliedern konstruiert. Später, wenn wir bei der Sache angelangt sind, werden wir daher diesem *Zusammenfall der mittleren Glieder* einen besonderen Sinn abzugewinnen suchen.

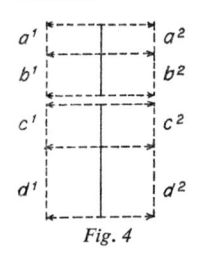

Bis hierher haben wir eine 2 × 2 geteilte, vertikal gerichtete gerade Linie als Bild vor Augen gehabt. Ehe wir zur Sache übergehen, müssen wir uns eine Verschiebung dieses Bildes, die während der sachlichen Darstellung stattfindet, vergegenwärtigen. Es werden uns nämlich sachliche Entsprechungen, 1 zu 1, auf jeder Stufe der Linie vorgeführt. Durch dieses Verfahren ist die Linie nicht mehr nur geteilt, sondern gleichsam der Länge nach gespalten und auseinandergerückt, so daß für die innere Anschauung zwei einander *parallel*laufende Linien entstehen. Hier ergibt sich die Proportion:

$$a^1:a^2 = b^1:b^2 \text{ usw.}$$

Diese Art der Proportion ist von der vorigen wesensverschieden. Das Verhältnis, das zwischen den 4 Teilen der geteilten Linie besteht, ist eines der *Analogie*. Dieses Verhältnis macht die Struktur der Linie selber aus. Das Verhältnis zwischen den 4 × 2 Teilen der gespaltenen Linie aber ist eines der *Homologie*. Dieses sagt nichts über die eigene Struktur der einen oder anderen Linie aus, sondern nur, daß zu jedem möglichen Punkt oder Abschnitt auf der einen Linie *ein entsprechender* Punkt oder Abschnitt auf der anderen Linie vorhanden ist. Die Homologie kann ohne die Analogie, die Analogie ohne die Homologie angesetzt werden. Um so bemerkenswerter ist, daß das Liniengleichnis sowohl ein analoges wie ein homologes Verhältnis versinnbildlichen soll. Ein jegliches Element der Linie erhält auf diese Weise sowohl eine „innere" (nämlich analoge) wie eine „äußere" (nämlich homologe) Bestimmung.

Wir gehen zur Sache über.

b) Die Sache (509D8 ad finem). α) *Die geteilte Linie.* Es leuchtet ohne weiteres ein – und Platon sagt es auch ausdrücklich 509D8 –, was die zwei Hauptteile der geteilten Linie darstellen sollen: die „obere", noetische bzw. „untere", sensible Schicht der früher schon erwähnten Zwei-Welten-Schichtung. Wäre es bei dieser Zwei-Teilung geblieben, so wäre nichts Neues zur Sache hinzugekommen. Der Bruch, der χωρισμός zwischen den zwei Teilen – der Linie oder der „Welt" – würde unüberwunden bestehen bleiben, und dieser Bruch ist ja auch das, was man dem platonischen Dualismus am liebsten vorwirft. – Erst bei den analogen *Unterteilungen* geschieht, was uns die Linie sachlich zu sagen hat. Dadurch entstehen nämlich die vier Glieder einer Proportion, und die Proportion schafft das erwünschte Band, den συνδεσμός. In der Gleichung

$$A:B = C:D$$

bezeichnet das Zeichen "=" ein Band, nämlich etwas, was sowohl zwischen A und B wie zwischen C und D *dasselbe* ist. Die noetischen und sensiblen Elemente können voneinander verschieden sein: wenn sie nur in der rechten Proportion zueinander stehen, recht aneinandergefügt sind, braucht die Welt als solche daran keinen Bruch zu leiden. Ein und derselbe Logos ist dann in mehreren und verschiedenen Elementen zugleich vorhanden.

Noch deutlicher tritt der „Band"-Charakter der geteilten Linie hervor, wenn wir das in diesem besonderen Proportionsschema verborgen vorhandene Zwischenproportionalglied nach seinem Sinn befragen. In diesem Glied haben die zwei Welten tatsächlich etwas gemeinsam, etwas, das nur dadurch von sich selbst unterschieden ist, daß es in verschiedenen Relationen steht. Nicht der Teil I (τόπος νοητός) und der Teil II (τόπος ὁρατός) sind einander völlig entgegengesetzt, sondern das obere Element (A) im Teil I und das untere Element (D) im Teil II. Durch die Identität der beiden mittleren Elemente B und C werden dann die an sich verschiedenen äußeren Elemente proportional miteinander verbunden (vgl. Fig. 3).

Was bedeuten nun diese Elemente A, B, C und D der Sache nach? Platon gibt, was die nur geteilte Linie betrifft, keine eindeutige Antwort. Die Antwort wird erst, wie wir jetzt sehen werden, durch seine sachliche Auslegung der gespaltenen Linie gegeben.

β) *Die gespaltene Linie.* Man erinnert sich, daß im Sonnengleichnis nicht nur die „horizontale" Teilung zwischen einer höheren und einer niederen Welt, sondern auch eine „vertikale" Teilung zwischen einer subjektiven Welt der Erkenntnis und einer objektiven Welt der Dinge vorkam. Diese Trennung soll die gespaltene Linie mit ihren homologen Entsprechungen versinnbildlichen. Die eine („linke") Seite stellt die Erkenntnis nach ihrem Grad der Wahrheit dar, die andere („rechte") Seite stellt die Dinge nach dem Grad der Evidenz ihres Seins (σαφήνεια) dar. Für ihre homologe Entsprechung gilt der Satz: Je deutlicher die Dinge da sind, desto wahrer die Erkenntnis – und umgekehrt: je wahrer die Erkenntnis, desto deutlicher sind die Erkenntnisobjekte da (511E 2–4).

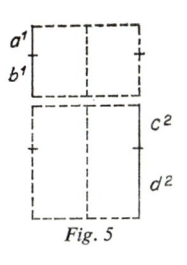

Nun geht Platon in einer ganz besonderen Weise vor, wenn die 4 × 2 Entsprechungen zu „versachlichen" sind. Er stellt zunächst die *untere rechte* Seite dar ($c^2 + d^2$), sodann die *obere linke* ($a^1 + b^1$). Die obere rechte Seite ($a^2 + b^2$), d. h. die objektive Welt der idealen Bezüge, stellt er überhaupt nicht eigens dar; die untere linke Seite ($c^1 + d^1$) wird ihrerseits nur in ihren Abteilungen benannt, nicht begrifflich analysiert oder exemplifizierend veranschaulicht. Wie gerne hätten wir hier eine knappe Darstellung der „Ideenwelt" an Hand der oberen rechten Hälfte! Alles, was wir hier tun können – und müssen, ist zu versuchen, diese verborgene Seite der platonischen Philosophie durch die sie fixierenden analogen und homologen Bezüge zu bestimmen.

Die sinnliche Welt der Dinge (unterer rechter Teil). Hier macht Platon genaue Angaben. In der untersten Abteilung d^2 befinden sich σκιαί, τὰ ἐν τοῖς ὕδασι φαντάσματα und ähnliches, sagen wir zusammenfassend Spiegel- und Schatten-Bilder (εἰκόνες) der sinnlichen Dinge (509E1–510A3). In der nächstunteren Abteilung c^2 befinden sich τὰ ζῷα, τὰ φυτά, τὰ σκεύη etc., sagen wir zusammenfassend „sinnliche Dinge". Die Art dieses Seienden ist deutlicher, die Art jenes Seienden, die nur Schattenbilder der sinnlichen Dinge darstellt, ist undeutlicher. Entsprechend wird die obere Art (c^2) in einem Grad der Erkenntnis erkannt, der „Wissen" (γνῶσις) ist im Verhältnis zu dem Grad der Erkenntnis, der den Schatten zukommend nur „Meinung" (δόξα) ist (510A8 bis 10).

Die noetische Welt der Erkenntnis (oberer linker Teil) (510B2ff.). Die folgende Darstellung des Gleichnisses wird fast ganz dazu verwendet, den oberen linken Teil der gespaltenen Linie zu versachlichen. Daher wird das Liniengleichnis auch gerne – und nicht zu Unrecht – als ein Musterbeispiel der platonischen *Erkenntnistheorie* genommen. Besonders eingehend analysiert

Fig. 5

Platon die verschiedenen Methoden im Erkenntnisvorgang, die in der höchsten (a[1]) und nächsthohen (b[1]) Abteilung dieses Teils angewandt werden.

Zunächst wird die untere Art (b[1]) analysiert (510C1–511B2). Sie betrifft die Erkenntnisweise der reinen Wissenschaften, die Platon hier τέχναι nennt – exemplifiziert durch die für die Griechen reine Wissenschaft kat'exochen: die Geometrie. Die Weise des Vorgehens in der (mathematisch-geometrischen) Wissenschaft ist, heißt es, von dargelegten Voraussetzungen (ὑποθέσεις) aus – man denkt an die Axiome und Definitionen Euklids – durch lückenlose Schlußfolgerungen, unterstützt durch anschauliche Zeichnungen, direkt zu einer Lösung, einem „quod erat demonstrandum" der vorgelegten Aufgabe zu führen. Die Geistesfähigkeit, die bei diesem wissenschaftlichen Verfahren zur Anwendung kommt, nennt Platon terminologisch διάνοια; wir übersetzen „Verstand".

Die höhere Art (a[1]) des Erkenntnisvorganges wird – im Gegensatz zur dianoia – νόησις genannt, was etwa unserem Begriff „Vernunft" entsprechen dürfte. Noesis ist die Erkenntnisweise des Nous; die Vernunft ist die Erkenntnisweise des Geistes.

Zur Unterscheidung der νόησις von der διάνοια werden mehrere Merkmale angegeben, und wir heben drei besonders hervor. Erstens kann und will die νόησις keine Hilfsmittel aus der sinnlichen Anschauung verwenden (εἰκόνων 510B8): Sie soll und muß von Anfang bis Ende mit Hilfe reiner εἴδη (wir lassen vorläufig das Wort unübersetzt) vor sich gehen (vgl. bes. 511C1–2). – Zweitens läßt die νόησις die von der διάνοια vorausgesetzten „Hypothesen" nicht auf sich beruhen, um sie als Grundlagen ihrer Untersuchung zu verwenden. Im Gegenteil, die Vernunft verwendet die Hypothesen so, heißt es, wie sie ihrem Wortsinn nach „eigentlich" (τῷ ὄντι) zu verwenden sind: nicht als „Grundsätze", von denen etwas abgeleitet wird, sondern als „Unterstellungen", die, „wie Sprossen einer Leiter und Impulse" (οἷον ἐπιβάσεις τε καὶ ὁρμᾶς) die νόησις zu etwas höher Liegendem „aufwärts" treibt. – Drittens sucht die Vernunft die Lösung eines ihr gegebenen Problems nicht geradezu zu finden, sondern sie macht, eben von den „Impulsen" der dem Problem impliziten „Hypothesen" getrieben, einen großen Umweg über die ἀρχὴ τοῦ παντός, den Grund des Alls. Diesen Grund nennt Platon hier das ἀνυπόθετον, das Unbedingte. Erst von diesem *Grund* aus kann die νόησις wieder zum Problem hintersteigen (καταβαίνῃ B8), um ihm die erwünschte Lösung zu geben.

Das Ausschlaggebende dieser Kennzeichnung der Vernunft, wie sie sich in der τοῦ διαλέγεσθαι δύναμις kundgibt, dürfte im Begriff ἀρχὴ τοῦ παντός zu finden sein. Daß man die Voraussetzungen, auf die sich die Einzelwissenschaften notwendigerweise stützen müssen, selber aus ihren Bedingungen her zu untersuchen wünscht, ist schon etwas, das den allgemeinen philosophischen Trieb, wie er z. B. heute in der logischen oder positivistischen wissenschaftlichen Grundlagenanalyse zum Ausdruck kommt, kennzeichnet. Aber den unentwegten Trieb zu einer ἀρχή τοῦ παντός zum Programm zu machen, betrifft nur die Art der Philosophie, die wir nach Aristoteles eine *prima philosophia*, eine „erste" Philosophie oder Meta-Physik nennen.

Erst durch diesen Trieb zum „unhypothetischen", unbedingten Grunde hin soll der wahre Dialektiker von dem Technites, sei dieser auch ein „Grundlagen"-Forscher der allgemeinen Wissenschaften, zu unterscheiden sein (vgl. auch 533Cff.).

Wir können hier nicht lange verweilen. Nur sei darauf ausdrücklich hingewiesen, daß sich in dieser methodologischen Beschreibung zwei Wege für die Entfaltung des dialektischen Denkens herausstellen: der eine Weg *aufwärts* – wir nennen ihn eine *Anabasis* (vgl. 515D7) – von den im anfänglichen Problem implizierten Hypothesen zur Arche hin; der andere Weg „abwärts" – wir nennen ihn eine *Katabasis* (καταβαίνῃ 511E8, vgl. 516E4) – von der erreichten Arche bis zur Lösung des gegebenen Problems. Im Höhlengleichnis werden wir sehen, wie diese zwei Wege auch einen „paideutischen" Sinn erhalten (bes. 519D).

Zum Schluß der Interpretation sollen die noch fehlenden Abteilungen der gespaltenen Linie so gut wie möglich „versachlicht" werden. Für die *unteren linken* Abteilungen liefert der Text, wie gesagt, nur – aber doch – Namen. Das den Schatten entsprechende Erkenntnisvermögen heißt εἰκασία, Einbildung oder Imagination. Das den sinnlichen Dingen entsprechende Erkenntnisvermögen heißt mit einem schwer zu übersetzenden Wort πίστις, das wir versuchsweise mit „Für-wahr-halten" wiedergeben möchten. In der Schattenwelt der εἰκασία ist alles gleich wahr und falsch, aber im Bereich der πίστις gibt es schon eine Möglichkeit der Trennung des Wahren vom Falschen. πίστις bedeutet – wenn die deutsche Sprache mir dieses Wortspiel erlaubt – das Für-wahr-halten dessen, was man wahr-nimmt.

Schwieriger wird die „Versachlichung" der *oberen rechten* Abteilungen ausfallen müssen. Denn hier gibt, wie auch gesagt, der Text keine direkten Hinweise. Als allgemeine Bezeichnung für die Objekte, mit denen sich sowohl der Technites wie der Dialektiker beschäftigt, fungiert der eine Terminus εἶδος. Es wird ausdrücklich hervorgehoben, daß auch die διάνοια des Technites, obwohl sie anschauliche Hilfsmittel benutzen kann, im Prinzip mit reinen εἴδη sich befaßt, Zahlen z. B., genauso wie der Dialektiker es tut. Die uns Modernen sehr naheliegende Unterscheidung in den Spuren Kants, daß der dianoetische Technites doch mit „Begriffen", der noetische Dialektiker eben mit „Ideen" Umgang pflegt, ist bei Platon nicht terminologisch fixierbar.

Der Text enthält aber doch einen Hinweis darauf, daß die höhere sich von der niederen Weise des Umgangs mit den εἴδη, mithin auch die Arten der εἴδη selber, unterscheidet. Nur der Dialektiker, heißt es, ersieht das Noetische dieser noetischen Objekte, weil er sie *von der Arche her* sieht. Was die zwei Arten der εἴδη voneinander trennt, ist also nicht, daß die eine mit, die andere ohne Sinnlichkeit da wäre, denn, wie gesagt, sie sind beide im Prinzip ohne Sinnlichkeit. Was sie trennt, ist vielmehr, daß die obere Art (a²) μετὰ ἀρχῆς (511D2), die untere Art (b²) aber ἄνευ ἀρχῆς da ist. Also, wenn *wir* an der vereinfachenden modernen terminologischen Trennung von Begriff und Idee doch festhalten wollen, so müssen wir ihre gegenseitigen Bezüge so bestimmen:

Begriff (b²) ist Idee (a²) ohne Grund.

Idee (a²) ist Begriff (b²) mit Grund.

Idee (a²) verhält sich zu Begriff (b²) wie ein Ding (c²) zu seinem Schatten (d²), und umgekehrt.

Idee (a²) verhält sich zur dialektischen Philosophie (a¹) wie Begriff (b²) zu den mathematischen Wissenschaften (b¹).

In diesem Sinne werden wir im folgenden die Worte „Begriff" und „Idee" terminologisch zu verwenden suchen.

$$\mathrm{\grave{\epsilon}\pi\iota\sigma\tau\acute{\eta}\mu\eta} \begin{cases} \text{νόησις} \\ \text{διάνοια} \end{cases} \quad \begin{array}{l} \text{εἴδη}^1 \text{ (μετά ἀρχῆς)} \\ \text{εἴδη}^2 \end{array}$$

$$\mathrm{\delta\acute{o}\xi\alpha} \begin{cases} \text{πίστις} \\ \text{εἰκασία} \end{cases} \quad \begin{array}{l} \text{ζῷα} \\ \text{σκιαί} \end{array}$$

Fig. 6

Lassen Sie uns jetzt die ganze Linie betrachten: die geteilte sowie die gespaltene! Sie erstreckt sich, wie eine Leiter, von oben nach unten und leitet von der höchsten Region des wahren Denkens (a¹) und der evident seienden Ideen (a²) bis zur tiefsten Region der weder wahren noch falschen Einbildung (d¹) und der unklaren, verworrenen Schattenbilder (d²). Diese diametralen Gegensätze innerhalb der Welt als solcher werden durch einen *Mittelbereich* miteinander in Verbindung gebracht, der teils das strenge wissenschaftliche Räsonnieren (διάνοια) (b¹) mit seinen objektiven Entsprechungen, den an sich seienden Begriffen, z. B. den Zahlen (b²), teils die allgemein-menschliche Meinung (δόξα) oder das Für-wahr-halten (πίστις) (c¹) mit ihren Entsprechungen, den sinnlichen Dingen (c²), umfaßt. In der Herausstellung dieses *Mittelbereichs* der wissenschaftlichen διάνοια *und* der allgemein-menschlichen δόξα dürfte das oben aufgezeigte Zwischenproportionalglied der geteilten Linie (Fig. 3) seinen sachlichen Sinn gefunden haben. Nur muß man sich davor hüten, in diesem Herausstellen eines Mittelbereichs zwischen der Schattenwelt der Sinnlichkeit und der Ideenwelt des Noetischen den tiefsten Sinn der ganzen Sache zu sehen. Der tiefste Sinn der Sache liegt vermutlich in dem aufgezeigten Streben des dialektischen Denkens zu der Arche hin und von der Arche zurück, in seiner auf den Grund bezogenen Anabasis und Katabasis.

Unter diesem Gesichtspunkt wollen wir auch die als Leiter gefaßte Linie symbolisch verstehen, als etwas, das nicht, wie die Sonne, den unaussagbaren Grund selber, sondern die Etappen *des Hinauf und Hinab* bezeichnen soll: als das Symbol der *Himmelsleiter* (vgl. 509D3: οὐρανοῦ).

3. Das Höhlengleichnis (514A–521B11)

(4. Stunde)

Wir haben uns noch eine Stunde mit einem Gleichnis Platons zu beschäftigen. Das Sonnengleichnis gab uns, durch seine Grund-Bilder des Lichts und der Sonne, eine Allegorie von der Wahrheit der Erkenntnis und vom Sein des Seienden, wie auch ein Symbol des Guten als des Grundes jenseits der Wahrheit und des Seins. Das Liniengleichnis hat uns eine Allegorie von den Abstufungen der Erkenntnis und des Seienden in ihren an sich analogen (*geteilte* Linie) und gegenseitig homologen (*gespaltene* Linie) Verhältnissen gegeben. Besonders haben wir die Tatsache berücksichtigt, daß sich die Versachlichung der Bildsprache fast ausschließlich auf die zwei unteren Stufen des Seienden und auf die zwei oberen Stufen der Erkenntnis bezog. Die zwei oberen Stufen des Seienden, die mit dem Wort εἴδη gemeinsam zu kennzeichnen sind, unterschieden sich den Angaben Platons zufolge „nur" darin voneinander, daß die obere Art μετὰ ἀρχῆς da ist und erfaßt werden kann, die untere ohne unmittelbare Grund-Beziehung. Diese für die Differenzierung des Noetischen entscheidende Beziehung zum Grunde (ἀρχή) kann im Bild des Liniengleichnisses nicht eigens zur Sprache kommen. Denn ein als unbedingt verstandener Grund kann zwar durch die an sich seiende „Sonne" symbolisiert werden, läßt sich aber durch ein relativierendes Gleichnis, wie es das der „Linie" ist, nicht darstellen. Die Sonne bleibt mithin *das* Symbol des Grundes. Die – geteilte und gespaltene – Linie ist ihrerseits als ein Symbol des *Hinauf* zum und des *Herab* vom Grunde zu verstehen, d. h. als das einer *Leiter.*

Und jetzt das bekannteste und beliebteste der drei Gleichnisse, das Höhlengleichnis.

Das Gleichnis fängt mit folgender Zeile an: „Vergleiche unsere menschliche Natur, was Bildung und Unbildung betrifft, mit folgendem πάθος". Also, das *Bild* des Gleichnisses soll ein πάθος darstellen, ein „Widerfahrnis", etwas, was mit jemandem geschieht. Die *Sache* des Gleichnisses betrifft die Frage nach der Bildung des Menschen, der Paideia.

a) Das Bild (514A2–517A8). Das Bild stellt zuerst eine Situation (α), dann ein Ereignis (β) dar.

α) Zur *Situation (514A2–515C3)* gehört eine schräg abwärts verlaufende, offene Höhle, außerhalb derer natürliches Licht (φῶς A4), innerhalb derer ein

Feuer leuchtet. Was außerhalb der Höhle ist (I, vgl. Figur!), nämlich der Bereich des natürlichen Lichts, wird erst bei der Beschreibung des Ereignisses dargestellt. Als konstitutiv für das Innere der Höhle (II) werden aber sofort folgende Strukturelemente hervorgehoben: Ein Feuer (a), eine Schranke (b), dazwischen Menschen (c), die über die Schranke hinausragende, verfertigte Figuren (d) tragen, deren Schattenbilder, die, ungehindert durch die Schranke, vom Feuer auf den Hintergrund der Höhle geworfen werden (e), und endlich gefesselte Leute (f) – Menschen „uns ähnlich" (ὁμοίους ἡμῖν 515A5), die nur vorwärts gegen den Hintergrund, nicht zurück und hinaus blicken können. Ihnen scheint das, was sie sehen und in Verbindung mit dem Schattenspiel auf dem Hintergrund hören, die Unverborgenheit (ἀλήθεια) zu sein.

Bis jetzt kein πάθος im eigentlichen Sinne, bis jetzt kein Widerfahrnis. Die Gefangenen sitzen nun da und sehen sich die Schattenbilder an (wie wir heute vor dem Fernsehgerät!). Die Situation als solche ist eine fixierte. Dann folgt aber in Zeile 515C4:

β) *Das Ereignis (515C4 ad finem)*. Wir alle kennen die mit Recht berühmte Beschreibung Platons von den zwei Erkenntniswegen des „befreiten" Menschen – der als solche ausdrücklich erwähnten *Anabasis* (515E7, 519D1) von der Höhle zum Licht und im Lichtbereich wiederum zur Sonne hin, und der gleichfalls als solche ausdrücklich erwähnten *Katabasis* (516E4, 519D5) von der Sonne zurück zur Höhle, dorthin, wo derjenige, der zurückkommt, die Schattenspiele nicht mehr so, wie die anderen sie verstanden haben wollen, versteht und darum Gefahr läuft, getötet zu werden. Dies alles wird so lebhaft von Platon dargestellt, daß wir vermuten könnten, wir seien schon bei der Sache angelangt – doch: Wir weilen fortwährend im Bild.

Besonders wichtig ist nämlich festzuhalten, daß auch die Beschreibung der Welt *draußen* zu der dem Gleichnis eigenen Bildsprache gehört. Es ist nicht einfach so, daß die „Höhle" das Bild ausmachte, und dann die Welt des Lichts d. h. die Welt der sinnlichen Alltäglichkeit, die Sache darstellte, für welche das Bild ein Bild sein soll. Nein, auch die Welt des Lichts ist zunächst ein Strukturelement des *Bildes* im Höhlengleichnis. Uns wird genau und ohne Rücksicht auf die Strukturelemente des Drinnen erzählt, wie die Wanderung draußen weiterverläuft, aufs neue eine mühsame Stufen-Wanderung, während der zuerst die Dinge hier auf der Erde (B), darauf die am Himmel (A) betrachtet werden, und beides wiederum so abgestuft, daß uns auf der Erde zuerst die Schatten und Spiegelungen der Dinge (4) und dann die Dinge selber (3), am Himmel zuerst die nächtlichen Himmelskörper, die Sterne und der Mond (2), und schließlich *der* Himmelskörper des Tages, die Sonne (1), begegnen (516AB).

Die Grundvision: 3. Das Höhlengleichnis 25

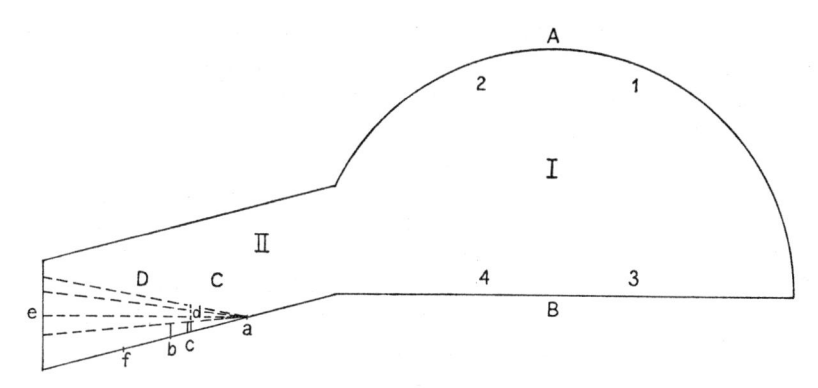

Dieses *Bild* des Höhlengleichnisses steht, wie man sieht, sowohl in seiner Ganzheit wie auch in seinen Einzelheiten, zum *Bild* des Liniengleichnisses in genauer Entsprechung. Die Welt draußen verhält sich zur Welt drinnen wie der obere Teil der Linie zum unteren Teil. Jede einzelne Welt im Bild des Höhlengleichnisses ist wiederum, genau wie jeder Teil der Linie, in zwei analoge Abteilungen geteilt:
nämlich die eine in
    die Welt draußen des Himmels (Sonne oder Sterne) (I A)
    die Welt draußen der Erde (I B)
und die andere in
    die Welt drinnen des Feuers hinter der Schranke (II C)
    die Welt drinnen der Schatten vor der Schranke (II D).

Wir können die Entsprechung sogar noch weiter verfolgen. Denn auch die Welt draußen *als solche* ist 2 × 2 geteilt, wie es der geteilten Linie entspricht, nämlich in:
    die himmlische Welt des Tages (A 1)
    die himmlische Welt der Nacht (A 2)
und
    die irdische Welt der Dinge (B 3)
    die irdische Welt der Schatten (B 4).

Nun wäre es sinnlos, solche Parallelen immer aufs neue aufzuzeigen, wenn nicht ein *Gesetz* darin zu finden wäre, das uns den Logos, den *Sinn* der ganzen Sache erschlösse. Das Gesetz, auf das wir hier gestoßen sind, ist von einem Fachmathematiker, der auch ein feinsinniger Platon-Interpret ist, *Andreas Speiser*, Basel, als
    Gesetz der superponierten Formen
bezeichnet worden.

Dieses Gesetz besagt, daß eine und dieselbe Form (z. B. das Verhältnis 2:4) eine Gruppe von Elementen sowie auch jede mögliche Untergruppe derselben Elemente bestimmt. Das ist ja der Fall, im Prozeß der Zellteilung. Zwei neue

Zellteile haben jeweils die Form ihrer früheren Ganzheit. Nach diesem Gesetz sollen auch, nach Meinungen vieler Experten, Andreas Speiser eingeschlossen, viele Kunstwerke, so die Kathedralen des Mittelalters, gebaut worden sein. Ein Portal oder eine Wölbung kann so proportioniert sein wie die ganze Kathedrale – oder wie ein Teil des Portals oder der Wölbung selber.

Das sei, wie es wolle: Uns ist wichtig, daß jenes *Gesetz der superponierten Formen*, wie es im Liniengleichnis als Möglichkeit zum Vorschein kam, jetzt im Höhlengleichnis als Faktum *da* ist, daß dieses Gesetz die ganze platonische Ontologie, die ganze platonische Denkweise und auch – das möchten wir besonders betonen – die ganze platonische Darstellungsweise zu beherrschen scheint. Ja, es ist kaum zu viel gesagt, daß wir ohne die Unterstützung dieses Gesetzes nicht das Wagnis auf uns genommen hätten, einen Gesamtentwurf hinter den Spätdialogen Platons aufzuzeigen. – Mehr darüber später während der Analyse der Spätdialoge.

Es gibt noch ein anderes Phänomen in der bildlichen Beschreibung des Ereignisses im Höhlengleichnis, das wir besonders hervorheben möchten: das Phänomen der Plötzlichkeit (ἐξαίφνης) oder der Freiheit.

Fragen wir nämlich den Text, wie es zu dem Ereignis komme, was die Gefangenen überhaupt von ihrem passiven Anstarren der vorüberziehenden Schatten löse, so antwortet Platon nicht; d. h. er antwortet nur, daß sich etwas „plötzlich" ereigne: ὁπότε τις λυθείη καὶ ἀναγκάζοιτο ἐξαίφνης ἀνίστασθαι (515C7–8). Und dieses „plötzlich" wird ausdrücklich auch dort als Stichwort gegeben, wo es sich um den Übergang von der Dunkelheit zum Licht (d. h. wenn man aus der Höhle *hinaus* kommt [516A4]) und von dem Licht zur Dunkelheit (d. h. wenn man vom Licht fort wieder in die Höhle *herunter* taucht [516E5]) handelt.

Die Plötzlichkeit der Übergänge muß zwar, heißt es, durch regelrechte Paideia möglichst gemildert werden; sonst weicht der Betreffende vor der Forderung des neuen Zustandes zur alten Gewohnheit zurück. So werden wir auch im folgenden mehr Gewicht auf die συνδεσμός-Idee, d. h. auf die Idee des Zusammenhangs, als auf die des χωρισμός, des Bruches, bei Platon legen. Aber das Phänomen der Plötzlichkeit ist doch etwas, was zur Natur der Sache, d. h. zur Natur des Übergangs (μεταβολή) schlechthin gehört (vgl. „Parmenides" 156D3), und kann daher nicht übersehen oder aufgehoben werden. „Non datur saltus", sagt der Scholastiker, der von Aristoteles gelernt hat. Datur saltus, sagt hier Platon, ein saltus, der zwar kein salto mortale sein darf, auch kein saltus der Zufälligkeit und der „freien" Willkür, aber ein saltus ist, der die Freiheit des Geistes, ihren *Funken* ausmacht (vgl. die Plötzlichkeit (ἐξαίφνης) des springenden Funkens in Ep. 7, 341C). Gerade in Verbindung mit einem wohl gefügten Zusammenhang (συνδεσμός) erhält das Phänomen der Plötzlichkeit *Sinn*. – Auch aus diesem platonischen
Prinzip der sinnvollen Plötzlichkeit

werden wir in den folgenden Interpretationen der Spätdialoge Nutzen ziehen[1].
b) Die Sache (517A7–521B11). Wir können die Sache hier kurz behandeln. Teils kennen wir sie schon in ihren Grundzügen von den früher erörterten Gleichnissen her, teils ist es, da unsere Absicht dem *späten* Platon gilt, nicht unsere Aufgabe, auf die allgemeinmenschlichen, pädagogisch-humanistischen Einzelfragen einzugehen, die bei einer Versachlichung des Höhlengleichnisses ihr besonderes Gewicht haben (vor allem 518B6ff.). Die Höhlenwelt drinnen soll ja die sinnliche Welt, die Lichtwelt draußen die übersinnliche, noetische Welt allegorisch darstellen, die Sonne des Draußen soll wiederum das Gute darstellen usw. Wir werden uns auf *ein* Moment beschränken, das mit der inneren Struktur dieser ganzen Gleichnisvision zu tun hat: das uns früher bekannt gewordene Zwischenproportionalglied.

Bei der allegorischen Übertragung des Bildes auf die Sache entsteht folgende Proportion:

Bild { Die Welt des Feuers in der Höhle verhält sich
zur Welt des Sonnenlichts draußen

wie

Sache { die Welt des Sonnenlichts
zur noetischen Welt

Ein Element des Bildes, nämlich die Welt des Sonnenlichts, ist hier *zugleich ein Element der Sache*, und zwar so, daß es, im Bilde den „höchsten" Platz, in der Sache den „niedersten" Platz innehat (vgl. Fig. 3 oben S. 17). Wiederum erstreckt sich die geteilte Linie vor uns (man erinnere sich an das Gesetz der superponierten Formen!), und jetzt stellt sich der Zusammenfall ihrer Mittelglieder ganz deutlich heraus. Denn: eine und dieselbe Welt – die unseres alltäglichen, sinnlichen Daseins – tritt dadurch als eine Zweiheit hervor, daß sie sinnvoll zugleich zwei einander diametral entgegengesetzten Welten – der bildlichen Welt der Höhle und der seienden Welt der idealen Bezüge – zugeordnet ist. Dank dieser Entzweiung ihres Selbst knüpft sie den Syndesmos des *Scheins*, der das Sein mit dem Nicht-Sein, die Realität mit dem Irrealen verbindet.

Das Bild wird in dieser Welt des Scheins zur Sache, die Sache wird zum Bild. Eine symbolisch zu verstehende Ganzheit entsteht, die nicht nur zwei (Bild-)-Elemente, auch nicht 2 × 2 (Bild- und Sach-)Elemente, sondern *drei* Strukturelemente besitzt: das Element der Höhle, das Element der (entzweiten) natürlichen Welt des Sonnen-Scheins, das Element der noetischen Welt des Guten. Daß Platon sich dieser *Dreiheit* bewußt ist und auch seine ganz bestimmte Meinung darüber hat, was sie eigentlich symbolisiere, kommt in den Worten des Sokrates am Ende des ganzen Gleichnisses zum Ausdruck. Die Befreiten steigen aufwärts, heißt es dort, ὥσπερ ἐξ Ἅιδου ... εἰς θεούς (521C3). Das Bild der Höhle allegorisiert zwar die Welt des natürlichen Lichtes, die Welt unseres All-

---

[1] Zum ἐξαίφνης bei Platon (und *Kierkegaard*: „Øieblikket"!), vgl. Lit.-Verz. 42, c.

tags, symbolisiert aber zugleich die Unterwelt, die Welt des Unsichtbaren, *Hades*. Das dreigliedrige Höhlengleichnis stellt in seiner vollen symbolischen Tragweite ein griechisches Pendant zum dreigestuften Weg Dantes und zum dreigestuften Weg Goethes dar: den Weg von der Hölle durch die Welt zum Himmel. In diesem Sinne versammelt dieses Gleichnis in einer Totalvision auch die Partialvisionen der beiden vorausgehenden Gleichnisse.

Das Sonnengleichnis hat uns zuerst mit der reinen Lichtwelt des Himmels und mit dessen überragendem Grund und überragender Quelle vertraut gemacht. Das Symbol des einen Grundes bedeutete, kann man sagen, einen *Punkt*, in dem alles Weitere gründet. Darauf folgte das neue Gleichnis, das diesen Punkt zu einer geteilten *Linie* auszog, die Linie wiederum in eine Doppel-Linie spaltete, wobei eine *Fläche* entstand, die uns wie eine Leiter von der oberen Lichtwelt des dialektischen bzw. mathematischen Himmels zur Erde hinunter brachte, wo wir die Spiegelungen des Lichts in den ζῷα zunächst und darauf in ihren Abschattungen zu erkennen lernten. Und dann zum Schluß das Gleichnis der vollen *Körper*welt, der Menschen, „wie wir es sind" – wo wir uns innerhalb der fast völlig verdunkelten Schattenwelt in Fesseln geschlagen finden (die Situation), befreit von den Fesseln aber einen Weg einschlagen können, der zunächst durch die Welt zum Himmel hinaufführt, dann wieder hinab um der Befreiung anderer willen verläuft (das Ereignis) – eine Situation und ein Ereignis, die auf einmal die Ganzheit aller drei Gleichnisse auf der untersten Stufe ihrer Dreiheit „superponiert" darstellen[1].

Dem, was nun *in extracto* über die platonischen Spätdialoge dargelegt werden wird, soll besonders das Gesamtbild dieses übersichtlichen Gleichnisses als Wegweiser dienen – auf dem Boden aber der zwei vorausgehenden Partial-Gleichnisse, die wegen der größeren Lichtfülle ihrer Symbolsprache in engerer Beziehung zum Grunde stehen und darum als ursprünglicher anzusehen sind.

---

[1] Die Entfaltung im Logos der drei aufeinander folgenden Gleichnisse *vom Punkt* über Linie und Fläche *zum Körper*, ist hier im Sinne der sogenannten „Dimensionenfolge" der Zahlensymbolik der platonischen Esoterik zu verstehen; vgl. Lit.-Verz. Nr. 14a, S. 107ff.

I. DER WEG HINAUF

1. Etappe: Diakrisis

A. „Kratylos": Die Frage nach dem ὄνομα

(5. Stunde)

Wir sind an einem Einschnitt in unserer Darstellung angelangt. Bis jetzt haben wir die drei großen Gleichnisse der Politeia 6–7 behandelt, je für sich und insgesamt – in einer Untersuchung, die von dem Wunsch getrieben wurde, durch die allegorisch-symbolische Gleichnissprache Platons zu einem Vorbegriff der platonischen Grund*vision* zu gelangen, von der her er die Grundkonzeption seines späteren Schrifttums entwarf. Nun werden wir zur synoptischen Darstellung der Einzelschriften des Spätwerks *in extracto* übergehen, und wir fangen heute mit dem „Kratylos", der vielleicht doch ein jüngeres Werk ist, an.

Zuerst eine prinzipielle Erwägung. Durch die Gleichnissprache sind wir rasch zum höchsten Gipfel der platonischen „Weltanschauung" geflogen, haben sogleich Aufenthalt droben an der Quelle des Seins nehmen können, um von dort den herrlichen Ausblick über die ganze geistige und auch sinnliche Welt bis zum Schattenreich der Unterwelt zu genießen – alles aber „ästhetisch", alles nur als Zuschauer. Was uns jetzt bevorsteht, ist etwas viel Schwierigeres und auch viel Verpflichtenderes. Nun sollen wir nicht mehr nur dasitzen und Bilder anschauen. Jetzt werden wir selber ein Pathos, ein Widerfahrnis durchleben müssen, ein Widerfahrnis der Philosophie. Die platonische Philosophie soll – nach den programmatischen Äußerungen im Liniengleichnis – durch εἴδη allein, durch Begriffe und Ideen, vor sich gehen, nicht, wie es in den Gleichnissen so schön zu Wort kam, durch εἴδωλα. Nun erst, in den Spätdialogen, breitet Platon die *eidetische* Welt der Philosophie vor uns aus – und nicht nur vor „uns": Jetzt erst hat er – wenn man den gut übereinstimmenden Resultaten der biographischen Platonforschung Vertrauen schenkt – die nötige Kraft und Klarheit gewonnen, *sich selber* der eidetischen Welt seiner Grundvision durch sein reines Denken zu versichern.

So entfaltet sich, wollen wir sagen, der Logos des späten Platon in den zwei Richtungen, die er selber für die dialektische Philosophie vorgeschrieben hat: Zuerst in der *Anabasis*, die, mit „Kratylos" und „Theaitetos" anfangend, über „Sophistes" und „Politikos" hin bis zum Ziel, dem „Parmenides" verläuft. Darauf in der *Katabasis*, die – mit dem „Parmenides" im Rücken – von „Philebos" und „Phaidros" ausgeht, durch den „Timaios"-„Kritias"-(„Hermokrates")-Komplex verläuft bis zum Ziel hin, der „Nomoi"-„Epinomis"-Gruppe.

Die Anabasis sucht Begründung. Sie geht vom Schein durch das Sein zur ἀρχή jenseits des Seins, die im „Parmenides" als das Eine als solches „rein" in den Blick genommen wird. Sie wendet ein kritisches – teils diakritisches (1. Etappe), teils synkritisches (2. Etappe) – Verfahren an. Die Katabasis sucht die Phänomene zu „retten", wie es mit einem bekannten platonisierenden Ausdruck heißt (σώζειν τὰ φαινόμενα). Sie bildet den Weg zurück zur sinnlichen Mannigfaltigkeit („Nomoi"), auf dem jede Etappe durch eine bestimmte metaphysische Entität – Seele, Welt, Gott – gekennzeichnet wird. Ihr Verfahren ist dementsprechend ein konstruktiv-dogmatisches.

Wir wollen die kritische Anabasis *den Weg zum Philosophen* („Parmenides"), die konstruktive Katabasis *den Weg zum Akademie-Staat* („Nomoi" XII) nennen. Wenn wir heute mit dem „Kratylos" anfangen, beginnen wir also mit der ersten Etappe auf dem Weg zum Philosophen.

So viel im allgemeinen. Im besonderen läßt sich noch dazu sagen, daß nicht nur das ganze Spätwerk Platons, sondern auch die meisten Einzeldialoge – wenn nicht die meisten Platon-Dialoge überhaupt – diese zwei Wege, den Weg hinauf und den Weg hinab, darstellen. Sie bestehen sehr häufig aus drei klar voneinander trennbaren Teilen, von denen der mittlere den Grund-Teil ausmacht. Im ersten Teil wird ein Problem gestellt. In diesem werden versteckte „Hypothesen" gefunden, Voraussetzungen, die dann als „Impulse" wirken und zur tiefergehenden Erörterung des mittleren Teils vorwärtsstreiben. Von dort geht dann der Logos im dritten Teil zurück zum Fragebereich des anfänglichen Problems, um ihm eine mögliche Lösung zu geben. Wenn diese Gesetzmäßigkeit vorliegen sollte, würde jeder platonische Musterdialog – dem Gesetz der superponierten Formen entsprechend – die Gesamtheit aller Dialoge, jedenfalls die aller Spätdialoge abbilden. Wir könnten hier die früheren Musterdialoge, „Symposion" und „Politeia" als Zeugnis anführen. Ihre Logoi steigen beide zuerst stufenweise zu je ihrer Berührung mit dem Grunde auf – mit dem Grunde als dem Schönen und als dem Guten – wenden sich dann um und gelangen wieder zurück zum Fragebereich der Ausgangsposition. Die Strukturen dieser Einzelwerke aufzuzeigen, würde aber hier unsere Untersuchung unnötig aufhalten[1]. Worauf wir jedoch im folgenden Wert legen wollen, ist, nicht nur philosophische Einzelfragen zu erörtern, wie sie unseres Erachtens Bausteine für den Gesamtbau bilden, sondern auch den Logos jedes einzelnen Dialogs in seinen Hauptschritten darzulegen. Das bedeutet nicht, daß jeder Dialog diese beiden Wege durchschreiten darf oder faktisch durchschreitet. Wir wollen uns sehr davor hüten, die Dialoge von einem im voraus konzipierten Schema her zu lesen. Das Ergebnis unseres langjährigen Umgangs mit dem platonischen Schriftwerk ist aber, daß der Logos jedes Dialogs in einem sinnvollen Verhältnis

---

[1] Die erwähnten Dialoge werden von diesem Gesichtspunkt aus in meinem „Parmenides"-Buch (Lit.-Verz. 42a) behandelt.

zur Vision vom Wesen der Dialektik steht, wie sie in den behandelten Gleichnissen dargelegt wird. In *welchem* Verhältnis und in *welchem* Sinne? – Nun, das ist eben die Frage, die in jedem Einzelfall wieder aufgeworfen und erörtert werden muß[1].

Das Thema des Dialogs „Kratylos" wird in den ersten Zeilen schon gestellt (383A4) und später streng beibehalten. Es betrifft die Frage nach der Richtigkeit eines ὄνομα (ὀνόματος ὀρθότης 384A7, vgl. 391B5, 427A). Das griechische Wort ὄνομα bedeutet im engeren Sinne „Nennwort" im Gegensatz zu „Zeitwort" (ῥῆμα) oder „Eigenname" im Gegensatz zu „Allgemeinname" (προσηγορία) Hier hat es aber die weite Bedeutung „Benennung" überhaupt. Der Dialog fragt nach der Richtigkeit sprachlicher *Benennungen*.

Die Personen *Kratylos*, ein gebildeter Herakliteer, und der jüngere *Hermogenes* vertreten je ihren Standpunkt in dieser Frage – Kratylos den eines Naturalisten: daß die Benennungen als solche eine Richtigkeit τῇ φύσει besitzen, Hermogenes den Standpunkt eines Konventionalisten: daß die Richtigkeit der Benennungen nur auf συνθήκη καὶ ὁμολογία beruht. Bei der Eröffnung des Dialogs droht die Kommunikation zwischen diesen Repräsentanten je eines einseitigen Standpunkts aufzuhören. Sokrates wird als Helfer dazu gerufen, und er akzeptiert unter der Bedingung, selber keinen Standpunkt vertreten zu sollen; er will nur mit den anderen συζητεῖν (384C2).

Die συζήτησις, die nach diesem Prooemium (– 385A1) folgt und den übrigen Teil des Dialogs ausmacht, ist voll von sokratischer Ironie und platonischem Witz – so voll, daß man oft geneigt ist, diesen Dialog – wie es auch lange mit dem „Parmenides" geschah – nicht ganz ernst zu nehmen. Man hat ihn als einen Jugend-Dialog herabgesetzt, als nur sophistisch-spielerisches Pendant zum „Euthydemos" gelesen; ja, in einer großen schwedischen Übersetzung der gesammelten Werke Platons in den zwanziger Jahren wurde „Kratylos" als einziger Dialog ausgelassen.

Die Wertschätzung eines Platon-Dialogs hängt aber in wesentlichem Grade von der philosophischen Offenheit ab, die der Interpret selbst und sein geistiges Milieu besitzen. Dem Platon-Kenner und Einheitsdenker des ausgehenden Mittelalters, Nicolaus Cusanus, war der „Parmenides" Platons bedeutendstes Werk; für den Renaissance-Platoniker und Ästheten Ficino hatte schon das „Symposion" diese Stellung erobert; im vorigen Jahrhundert des politisierenden Denkens kam die „Politeia" zur höchsten Geltung, und durch den Rück-

---

[1] Die „Nomoi" allein haben, wie sich zeigen wird, eine *nicht* „dialektische" Struktur, was sich aber eben aus der ganz eigenartigen Zielsetzung dieses realistisch geplanten Werkes erklären läßt (vgl. unten S. 156ff.). – Auf die Struktur der „Epinomis" werden wir nicht eigens eingehen, da wir geneigt sind, dieses Werk nur als einen von Platon selber oder etwa seinem Schüler Philipp von Opus verfaßten Appendix zu den „Nomoi" zu betrachten.

gang zu ontologischen Fragestellungen in den zwanziger Jahren erhielt der „Sophistes" einen ganz besonderen philosophischen Rang. Inzwischen hat die *Sprach*-Philosophie das Interesse des modernen Denkens erobert. Die neue Sprache der symbolischen Logik, die neue Sprache der maschinellen Kybernetik, die Sprache der Information, die Sprache als „das Haus des Seins", als symbolische Form...: an allen Universitäten der modernen Welt arbeiten Sprach-Philosophen – Semantiker, Semiotiker, Logistiker, Analytiker, Seinsphilosophen, Metaphysiker – kurz, die Sprache kann heute allgemein als *das* Thema der Philosophie gekennzeichnet werden.

Und sofort blüht der sonst so vernachlässigte Dialog „Kratylos" auf! Nicht so, daß er gleich an die Seite etwa des „Parmenides", des „Symposion" oder der „Politeia" rücken kann. Aber *ernst* muß man ihn heute nehmen und wird er genommen, denn heute sieht man allmählich wieder die nicht nur linguistische, sondern rein philosophische Problem-Fülle, die darin steckt. Ich möchte die Voraussage wagen, daß die „Kratylos"-Renaissance jetzt erst vor ihrem wahren Anfang steht. Nur darf man auch nicht ganz aus dem Auge verlieren, daß Platon doch Scherze machen kann, die einfach scherzhaft gemeint sind.

Der Dialog hat drei Teile. Im ersten prüft Sokrates kritisch den konventionalistischen Standpunkt des Hermogenes (385A – 391B). Im dritten Teil tut er dasselbe im Hinblick auf den naturalistischen Standpunkt des Kratylos (427D ad finem). Im mittleren Teil, der bei weitem der ausführlichste ist, führt Sokrates selbständig eine etymologische Untersuchung zentraler religiöser und philosophischer Benennungen in seiner griechischen Muttersprache durch, die mit einer Analyse der Begriffe „Grundwort" und „Grundelement" in der Sprache beschlossen wird. Diese konstruktive etymologische Mittelpartie ist der Ort, an dem Sokrates auch scherzhaft redet. Die beiden kritischen Teile sind durchaus ernst zu nehmen.

Auch diese haben aber ein beim ersten Eindruck verwirrendes Moment. Sokrates läßt im ersten Teil den Konventionalisten mit „naturalistischen" Argumenten widerlegt werden – und dann im dritten das Umgekehrte stattfinden: der Naturalist wird dort durch „konventionalistische" Argumente widerlegt. Spielt er nur mit den beiden, wie der intelligente, aber selbst standpunktlose Skeptiker es gerne tut? Die Antwort eben hierauf hängt von dem Sinn ab, den der Interpret der sokratischen Doppel-Argumentation abzuringen vermag. Worin steckt nun *das Problem* in der Frage nach der „Richtigkeit der Benennung"? Erst wenn uns dies sichtbar ist, können wir hoffen, den Sinn der Erörterung des Problems einigermaßen zu erschließen.

Einleitende Problem-Stellung (383A–384E)

Die Frage nach der Richtigkeit der Benennung ist *nicht* eine Frage nach dem Wesen der *Sprache*. Zu diesem Fragenkomplex gehören Themen wie das Verhältnis zwischen Denken und Aussage („Theaitetos" 206D), das Verhältnis zwischen Mündlichkeit und Schriftlichkeit („Phaidros" 274Bff.), die Funktion der Negation „nicht" („Sophistes" 257B6) und der Copula „ist" („Parmenides" 162AB), und ganz besonders Untersuchungen zum Begriff des λόγος („Theaitetos" 206Cff., „Phaidros" 259Eff.). Das Problem der Richtigkeit der Benennung (ὄνομα) ist ein besonderes innerhalb dieses weit größeren Gebiets. Wir würden es heute zum Problemgebiet der Semantik rechnen. Von dem semantischen Sonderproblem aus dringt Platon zwar, wie immer, zum Grundproblem des weiteren Gebiets vor. Wir müssen aber zuerst nach dem Sinn des Sonderproblems selber fragen.

Eine Aufhellung können wir in den Beispielen finden, mit welchen Kratylos und Hermogenes im Prooemium ihre Standpunkte unterstützen. Die Beispiele des „Naturalisten" Kratylos sind alle aus der Art von Nennwörtern genommen, die wir *Eigennamen* nennen. Sokrates heißt „Sokrates" mit Recht, sagt Kratylos; Hermogenes aber heißt nicht „wirklich" Hermogenes, obwohl die ganze Welt ihn nur unter diesem seinem scheinbaren „Namen" kennt. Dieser Standpunkt impliziert also, daß die Eigennamen einen ihnen eigenen *Sinn* haben, der eindeutig ist, und, wo der Name „richtig" ist, zu dem Sinn des damit benannten Objekts (der Person) in Korrespondenz steht. So bedeutet ja der Name Ἑρμογένης „Aus dem Geschlecht des Hermes" (vgl.407E, 429C3); einzelne Menschen *sind* aus diesem Geschlecht; die betreffende Person „Hermogenes" gehört aber nicht dazu – aus Gründen, die Kratylos nicht angeben will oder kann; folglich ist „Hermogenes" nicht ihr natürlicher Name, was wiederum mit sich bringt, daß „Hermogenes" überhaupt nicht ihr *Name* ist; es ist nur ein Kennwort oder ähnliches.

Unser heutiges Namenverständnis ist hier nicht so feinsinnig. Wir trennen zwischen zwei Arten der Eigennamen: dem Nach-Namen und dem Vor-Namen (der im Englischen bezeichnenderweise „the Christian name" heißt). Der Nachname (oder Familienname) hat für uns keinen Sinn mehr. Mr. „Smith" bedeutet nicht mehr „Schmied", und Herr „Schmied" auch nicht „smith". „The Christian names" können aber immer noch sinnvoll sein, denn sie stammen von einem sinnenden Namengeber. So könnte man heute gerne Herrn Sartre folgendes hören lassen: „Nein, Jean Paul (d. h. Johannes Paulus), dies ist doch nicht Dein *Name*".

Der Standpunkt des Konventionalisten Hermogenes aber wird durch „Allgemein"-Namen („common name") exemplifiziert. Für ihn haben solche Namen überhaupt keinen eigenen, ihnen innewohnenden Sinn. Was sie haben, ist nur Bedeutung, d. h. sie deuten nur auf etwas hin[1]. Was wir „Pferd" nennen, sagt

---

[1] Unsere Trennung zwischen „Sinn" und „Bedeutung" geht zurück auf den für so manche Abzweigungen der heutigen Philosophie grundlegenden Aufsatz zum Thema von Gottlob *Frege*, vgl. Lit.-Verz. Nr. 10.

Hermogenes, hätte *mit gleichem Recht* „Mensch" genannt werden können – und umgekehrt. Das Wort als solches, die Benennung, ist nur ein Zeichen, das durch Vereinbarungen der Benutzer solcher Zeichen, d. h. der Menschen, als Kennzeichen für die und die Dinge praktische Anwendung finden kann, das aber mit dem Wesen der Dinge gar nichts zu tun hat. Solche Namen-Vereinbarungen können privat oder öffentlich getroffen werden und können und müssen nach sprachlichen und kulturellen Verhältnissen variieren.

Heute könnte dieser konventionalistische Standpunkt weitgehend auf Anerkennung des „common sense" rechnen, erfahren wir doch alltäglich die Konstruktion neuer Wörter, die augenscheinlich nur als Zeichen dienen sollen. Besonders deutlich tritt die Konventionalität der Wortbildung in der heutigen politischen Atmosphäre mit ihren vielen Verkürzungen hervor. Wir alle wissen, was ein Zeichen wie „UNO" *bedeutet*, wollen aber einen *Sinn* diesem Zeichen nicht zuschreiben. – Eben hier müssen wir aber unterscheiden lernen zwischen zwei Verwendungsweisen eines Zeichens. Es kann ein *Zeichen für Worte* sein. So ist „UNO" ein verkürztes Zeichen für die Worte „The United Nations Organisation". Diese haben einen Sinn, sogar den hohen Sinn der „Einheit". Viele, die dieses Zeichen verwenden, wissen aber bald nicht mehr, für welche Worte es steht. Ihnen wird es dann nur ein *Zeichen für eine Sache*. Mit dem Zeichen „UNO" verbinden sie eine Gruppe ernsthafter Männer mit Hörgerät in einem Versammlungslokal irgendwo in New York. Dann ist die Sprache ihnen eine reine Konvention geworden. Denn diese Gruppe würde ja ihre Funktion gleich gut ausrichten können, auch wenn sie nicht „UNO", sondern etwa „PQ" oder „RS" genannt worden wäre. – Ob wir in diesem Falle, wo der Sinn der Bezeichnung völlig von ihrer *Bedeutung* zurückgedrängt worden ist, es immer noch mit einer Benennung zu tun haben, einem ὄνομα innerhalb einer menschlichen *Sprache*, ist eben eine der grundsätzlichen Fragen, die Sokrates im Dialog „Kratylos" analysiert.

Wir werden die sokratische Analyse in ihren drei Hauptschritten zu verfolgen suchen. Der erste Schritt (Teil I) besteht darin, daß Sokrates im Gespräch mit dem Konventionalisten Hermogenes die Sinn-Struktur, nicht nur die Bedeutungs-Struktur der Benennung aufzudecken versucht. Dinge werden benannt, zeigt er hier, mit Rücksicht auf die ihnen eigene, ideale Natur, eine ideale Natur, die dann durch die Benennung selbst irgendwie offengelegt werden muß. – Hieraus folgt der nächste Schritt (Teil II), bei dem Sokrates – immer noch im Gespräch mit Hermogenes – den innewohnenden Sinn ausgewählter griechischer Benennungen intuitiv zu erfassen versucht, in einer etymologischen Untersuchung, die bewußt einseitig und daher auch teilweise recht spielerisch angelegt ist. – Mit dem letzten Schritt (Teil III) wendet sich Sokrates dann gegen den Naturalisten Kratylos und unterstreicht die Notwendigkeit auch einer *Bedeutungs*-Funktion der Benennung, da ein ὄνομα, wie er sagt, ein Bild, eine εἰκών *von etwas* ist.

Die konstruktive Theorie der Sprache, die durch diese Analysen aufgebaut zu werden scheint, verstehen wir so, daß eine Benennung weder ausschließlich das Wesen der Dinge aussagen soll (Naturalismus) noch nur ein Zeichen für die Dinge ist (Konventionalismus), sondern daß sie ein doppeldeutiges *Bild* ist, wodurch das ideale Sein der Dinge *annäherungsweise* zum Vorschein kommt.

Teil I. Kritik am Konventionalismus (385A–391B)

Der entscheidende Ausgangspunkt für die Kritik am Konventionalismus besteht darin, daß Sokrates das ὄνομα nicht isoliert an sich, sondern als Element betrachtet, nämlich des λόγος. Der Begriff „Logos" impliziert als solcher den Begriff „Sinn". Ein sinnloser „Logos" ist kein Logos; er ist eine ἀλογία (vgl. „Theaitetos" 199D, 207C). Hier wird Logos zuerst als der sinnvolle *Satz*, darauf als die sinnvolle *Aussage* verstanden.

1. Als Element des sinnvollen *Satzes* (λόγος) nimmt das ὄνομα, wie Sokrates zeigt, teil an der Sinnfülle und dem Wahrheitsgehalt des Satzes. Ist der Satz falsch, dann sind seine Elemente, d. h. seine ὀνόματα auch falsch, und sie sind wahr, wenn der Satz wahr ist (z. B. kann in dem falschen Satz, „Hermogenes ist Sprach-Naturalist", jedes ὄνομα als „Träger der Falschheit" betrachtet werden). Wahrheit wird hier bestimmt als „das Seiende so zu sagen, *wie es ist*" (τὰ ὄντα λέγειν ὥς ἐστιν) und Falschheit als „das Seiende so zu sagen, *wie es nicht ist*". In diesem „wie es ist" und „wie es nicht ist" liegt, so verstehe ich hier Sokrates, ein Logos-Moment, von dem her jeglichem ὄνομα, welches das Seiende aussagt, seine Wahrheit bzw. Falschheit zukommt. Die Richtigkeit der Anwendung des ὄνομα wurzelt mithin in der Wahrheit des Logos, beruht also nicht nur auf Konvention.

2. Als Element der sinnvollen *Aussage* (λόγος) gehört das ὄνομα zum Bereich der πρᾶξις. Ein Schuh wird geschnitten, eine Aussage wird gesagt (λέγειν), eine Benennung wird genannt (ὀνομάζειν). Der Schuh, die Aussage, die Benennung sind alle zunächst einmal πράγματα. – Auf dieser Grundlage versucht daher Sokrates, ein allgemeines Modell für den Verlauf einer jeden πρᾶξις induktiv zustande zu bringen, um von diesem Modell aus Rückschlüsse auf die hier gesuchte πρᾶξις, das ὀνομάζειν, ziehen zu können. Das Resultat dieser Untersuchung fassen wir in folgender Weise formelhaft zusammen:

Der Gesetzgeber (νομοθέτης 389A2) bewirkt *Belehrung über das Sein und Sonderung des Seins* (διδασκαλία καὶ διάκρισις τῆς οὐσίας –, vgl. 388B13) dadurch, daß er mit dem Blick auf die *ideale Benennung* (ὃ ἔστιν ὄνομα D7) und unter Aufsicht des *Dialektikers* (390C11) *die jedem Ding gehörige Benennung* (τὸ ἑκάστῳ φύσει ὄνομα 389D4) festsetzt.

Das ὄνομα wird von Sokrates ausdrücklich als ein ὄργανον bestimmt (388A8). Der Name ist das, *wodurch* der Gesetzgeber seine διδασκαλία καὶ διάκρισις bewerkstelligt. Das Entscheidende aber, was dieses Modell der Sprache von einem rein instrumentalistischen trennt, ist, daß der Gesetzgeber sein Geschäft, genau so wie z. B. der Schuster, *mit dem Blick auf etwas ihm schon Gegebenes*, nämlich auf „eben jenen Namen, der ist" (αὐτὸ ἐκεῖνο ὃ ἔστιν ὄνομα), ausführt.

An dieser entscheidenden Stelle müssen wir das Argument Platons näher kennen lernen (389Bff.). Auch hier nimmt Sokrates sein Beispiel aus der technisch-handwerklichen Welt. Ein Webstuhl geht entzwei. Der Schreiner, der einen neuen machen will, muß dann vor seinem inneren Blick ein Bild haben – nicht von dem entzweigegangenen Stuhl, sondern vom idealen Webstuhl in seiner gegebenen Natur. Übertragen: Der Name „Hermogenes" hat sich als falsch erwiesen. Dann muß ein neuer Name gemacht werden – nicht im Hinblick auf den Namen „Hermogenes", sondern im Hinblick auf *den idealen Namen* der betreffenden Person. Der ideale Name kann selber nicht als solcher zum Ausdruck gebracht werden – ebensowenig wie der ideale Webstuhl wirklich konstruiert werden kann. Die Idee ist immateriell, das Hervorgebrachte ist an Material gebunden. Die materiellen Komponenten der Sprache sind besonders die der Verlautbarung, die Phoneme (die „Grapheme", wenn man sie so nennen kann, werden von Platon kaum berücksichtigt). Sie variieren je nach den äußeren Umständen (390 A). Auf der phonetischen Material-Verschiedenheit beruht, nach dieser Auffassung, die Verschiedenheit des menschlichen Sprachbaus.

Wir sind ans Ende des ersten Teils gelangt. Während der Kritik des Sokrates am Konventionalismus ist uns schon eine ernst zu nehmende Theorie begegnet. Sie besagt, daß zum Wesen jedes Dinges eine ideale Benennung gehört, die, selbst unsagbar, durch den Sinn der Benennungen der verlautbarten Sprache *annähernd* richtig zum Ausdruck gebracht werden kann (vgl. 389D).

Von diesem Gesichtspunkt aus sollte sich eine Untersuchung über die „Richtigkeit" der Benennung (ἡ ὀνόματος ὀρθότης) nicht nur an Hand der sachlichen Beziehung, wie es aus der konventionalistischen Theorie folgen muß, sondern direkt aus dem den Benennungen eigenen Sinn durchführen lassen – vorausgesetzt, man habe immer noch den rechten Zugang zu diesem Sinn. Es folgt der mittlere, etymologische Hauptabschnitt des Dialogs.

Teil II. Das etymologische Spiel (391B–427D)

(6. Stunde)

Einleitend werden wir versuchen, auf Grund der schon aufgezeigten Namen-Theorie Platons, Prinzipien zur Unterscheidung von Spiel (a) und Ernst (b) im Hauptabschnitt des Dialogs auszuarbeiten.

a) Wir haben in der obigen Erörterung gesehen, daß innerhalb der Klasse der Eigennamen der Familienname („Smith") den ursprünglichen Sinn verloren hat, aber der Vorname („Jean") diesen Sinn immer noch bewahren konnte. Jetzt können wir mit Platon diese Tatsache durch ihr Warum erklären: weil der Vorname immer aufs neue gegeben wird, während der Familienname, der auch ursprünglich gegeben ist, später nur von Generation zu Generation mechanisch vererbt worden ist (vgl. die Erörterung des παρὰ φύσιν, 394Dff.). – Hieraus läßt sich, scheint mir, ein platonisches Gesetz für Namen überhaupt ableiten:

Der „Allgemein"-Name („Pferd") verhält sich zum Eigennamen wie innerhalb der Klasse der Eigennamen sich der Familienname („Smith") zum Vornamen („Jean") verhält. – Auch der „Allgemein"-Name entspringt im Prinzip einem Akt der Benennung, ist das Produkt einer bewußten Namen*gebung*.

Diese prinzipielle Übereinstimmung zwischen dem „Allgemein"-Namen und dem Familiennamen läßt sich aber in der Praxis nicht aufrechterhalten. Wir können den Familiennamen „Smith" die Generationen hindurch bis zum – sagen wir – späten Mittelalter zurückverfolgen, wo wir ihn vielleicht im Zünftewesen begründet finden. So können wir nicht Benennungen wie „Pferd" und „Mensch" bis zum Zeitpunkt ihres Ursprungs zurückverfolgen. Zwar zeigt Platon, daß zwischen gewissen Stammwörtern der Sprache und den von ihnen abgeleiteten Wörtern unterschieden und der Sinn der Ableitungen von dem der Stammwörter her gedeutet werden kann und muß (421Cff.). Diese Ableitungen könnten gegebenenfalls bis zum Zeitpunkt ihres Ursprungs zurückverfolgt werden. Aber der Sinn der Stammwörter selber läßt sich nicht mehr von ihrem zeitlichen Ursprung her verstehen; Platon hat sich in dieser Hinsicht dem Ursprung kaum näher gesehen als wir heute. Also muß eine etymologische Untersuchung der Wörter allein zwar nicht sinnlos sein, ist aber als solche eine *Grund-lose* Beschäftigung. Sie kann nie zu eindeutigen Resultaten vordringen, ist im Prinzip dem Spiel der *Doxa* anheimgegeben.

b) Was sich aber dem zeitlichen Ursprung nach einer Erklärung entzieht, läßt sich seinem idealen Ursprung nach vielleicht doch einigermaßen erklären. Diesem am nächsten steht zu jeder Zeit der Philosoph. Der Philosoph hat nicht nur die zwei Dinge: Sache und Namen, zur Hand. Er orientiert sich auch direkt an denjenigen „idealen Namen", an denen sich der ursprüngliche Namengeber orientiert hat. Daher sollte ja auch, nach unserem obigen Modell, der Dialektiker (d. h. der Philosoph) die Kontrollinstanz für die Namengebung bilden. Eine *philosophische* etymologische Forschung würde mithin etwas mehr erbringen können als nur lockere, mehr oder weniger wahrscheinliche δόξαι vom Sinn der Wörter. Sie müßte wenigstens einen Sinn*horizont* der Wörter auf Grund einer Erschließung ihres Seins angeben können.

In solcher philosophischen *Sinnerhellung* des idealen Seins der Wörter besteht nach unserer Auffassung das ernste Problem des sonst verwirrenden Mittelstücks im „Kratylos".

Die weiter gespannte Absicht unserer Untersuchung erlaubt es nicht, auf Einzelheiten des etymologischen Spiels einzugehen. Wie Sie wissen, stehen hier wohlgelungene, jedenfalls sachlich erhellende Behauptungen (wie z. B. Ἑρμῆς aus ἑρμηνεύς 407E) spielerisch verkehrten Behauptungen (wie z. B. ἀλήθεια aus θεία ἄλη 421B, göttliche Irre) zur Seite. Wir wollen uns auf zwei Momente beschränken, auf den erschlossenen philosophischen Sinnhorizont (1) und auf die dargelegte Theorie zur Erklärung der Stammwörter (2).

1. Der philosophische Sinnhorizont, der hier erschlossen wird, ist – wie in einem Werk unter dem Namen „Kratylos" zu erwarten ist – der herakliteische. Nach dieser philosophischen Grund-Auffassung ist das Sein der Dinge, die „Natur" (φύσις), in der κίνησις, d. h. in einem ständigen Sich-Ändern zu finden. Der tragende Grund für die Naturauffassung der vor-sophistischen Denker überhaupt findet sich in dem goetheschen Naturbegriff „Wechseldauer" erfaßt – so bleibt der strömende Fluß immer wechselnd dennoch da. Während aber der Eleate Parmenides besonders die *Dauer* in der Wechseldauer betont, betont Heraklit darin besonders den *Wechsel*. Wie Heraklit, so hier auch Platon. Alle ausgewählten Wörter werden so verstanden, so gepreßt, daß sie irgendwie auf den sinnerhellenden Horizont des Seins als eines *Wechsels* zurückbezogen werden. θεός soll aus θεῖν herstammen, bedeutet mithin „der Läufer"; ὄν wird abgeleitet aus ἰόν usw.

Eine „göttliche Irre"! Aber doch mit einer „Hälfte" Wahrheit! Später im Dialog wird uns nämlich erzählt, wie dieselben Wörter ebensogut auf die entgegengesetzte Grundauffassung von der Natur der Dinge hätten zurückgeführt werden können, auf die des Parmenides (437C). Diese Möglichkeit der Doppelbeziehung könnte als reine Willkür anmuten. Aber es lassen sich wenigstens zwei Argumente für den Ernst dieser Doppelbeziehung beibringen:

a) Heraklits und Parmenides' Denken sind für den späten Platon nicht zufällige Beispiele der Seinsphilosophie. Im Gegenteil: der ganze platonische Weg zum Philosophen hin, seine dialektische Anabasis, zeichnet sich dadurch aus, daß Heraklit und Parmenides gegeneinander ausgespielt werden. Heraklit ist der große Gegenspieler im „Kratylos" wie auch – von Protagoras unterstützt – im „Theaitetos". Dann übernimmt der Fremde aus Elea das Gespräch im „Sophistes" und „Politikos", wobei Parmenides immer mehr in den Vordergrund rückt. Endlich tritt Parmenides persönlich hervor in dem nach ihm benannten Dialog, in welchem Platon selber seine krönende, heraklitisches *und* parmenideisches Denken zugleich umfassende dialektische Philosophie vorlegt. Der spätplatonische *Weg hinauf* läuft, kann man sagen, „Spießruten" zwischen diesen beiden konträren Gegensätzen der Seinsphilosophie, wie es in der „Politeia"7 von der Dialektik verlangt wird: ὥσπερ ἐν μάχῃ διὰ πάντων ἐλέγχων διεξιών („Politeia" 534C1). Erst auf dem „Rückweg", auf dem die Phänomene „gerettet" werden sollen, kommen die Pythagoreer ausdrücklich zu Wort, besonders im „Philebos" und „Timaios".

b) Zweitens erhält durch die mögliche Doppelbeziehung das Nennwort selbst eine Wesenscharakteristik. Es ist ὡς ἀμφίβολον (437A3), hat eine „amphibolische", doppeldeutige Natur. – Als Beispiel für die Amphibolie der Wörter wird an zwei Stellen des Dialogs ἐπιστήμη verwendet (437A, vgl. 412A). Wenn dieses Wort herakliteisch verstanden werden soll, ist es von ἕπομαι her zu deuten. Die Seele „folgt" dem wechselnden Zug der Dinge nach (ἐπί). Erkennen heißt dann etwa „Nachfolgen", wie ein Schüler einer Belehrung folgend Kenntnisse erwirbt. Wenn es aber parmenideisch verstanden würde, wäre das Wort ἐπιστήμη von ἵστημι abzuleiten. Die Seele „steht bei oder über" den Dingen. Erkennen heißt demnach „Ver-Stehen". Auch wenn man gut „folgt', und alles genau aufschreibt, braucht man ja nicht unbedingt die Sache zu *verstehen!* Beide Erklärungen sind mithin der Sache nach sinnvoll, die letzte aber, betont Sokrates, ist unbedingt sach-*gemäßer*.

Diese *Amphibolie der Sprache* dürfte für Platon in ihrer teils materialen, teils idealen Natur gegründet sein. Für ihre ideale Natur gibt der starre Eleatismus den besten Erklärungshorizont, wie er denn auch die Schule *der Logik* im früheren Denken war. Für ihre materiale Natur aber gibt die herakliteische Fluß-Theorie einen guten Erklärungshorizont. Und daß es Platon hier besonders auf die materiale Seite der Sprache ankommt, wird sich jetzt zeigen, wenn wir zu seiner Erörterung des Problems der Stammwörter übergehen.

2. Die etymologische Untersuchung hat – auf herakliteischer Grundlage – das Vorhandensein gewisser Stammwörter der Sprache offengelegt, z. B. von ὄν, als ἰόν gedeutet, und des Wortes für Fließen, ῥέω. Wie sind nun wiederum diese Stammwörter geschaffen worden? – fragt Sokrates (422Dff.). Das heißt: Worauf hat der erste Namengeber, der diese Wörter hervorbrachte, seine Aufmerksamkeit gerichtet?

Die sokratisch-platonische Antwort hierauf gibt keine ideale, sondern eine sehr scharfsinnige material-*phonetische* Theorie (426Cff.). Platon stellt das Problem so, daß etwas, dessen Sinn nicht durch Laut zu vernehmen ist, durch sinnvollen Laut wiedergegeben werden soll (die onomatopoietischen Bezüge, in denen tatsächliche Laute der Natur durch entsprechende Laute der Zunge wiedergegeben werden, scheidet Sokrates als oberflächlich aus). Hierauf schlägt er die Lösung vor, daß die kleinsten Elemente des Sprachlauts, die *Phoneme*, sinntragend seien. Der Laut, der durch das Zeichen „ρ" gekennzeichnet ist – wir würden ihm eine Liquida nennen – besage, behauptet Sokrates, ein strömendes Rollen und sei daher besonders wohl geeignet, die herakliteische Grundintuition in „ῥέω" zu verlautbaren. σ und ψ sind Aspiratae, die „Erschütterndes" (σεισμόν) besagen usw. Es sind phonetische Distinktionen, die Platon hier überaus sauber vornimmt. Diese sinntragenden Grundelemente der menschlichen Stimmlaute hat, so setzt sich die Theorie fort, der ursprüngliche Namengeber auf seiner „Palette" gesammelt – ganz wie es der Kunstmaler mit den Grundelementen der farbigen Welt tut. So sucht er in einer auf Homologie basierenden Nachahmung des Wesens der Dinge seine ersten Stammwörter zu konstruieren oder – um im Bild zu bleiben – zu „lautmalen".

Uns gebührt es nicht, so im Vorübergehen ein Werturteil über diese sonderbare, aber gewiß tiefschürfende Theorie Platons von dem Ursprung der Wortbildung zu fällen. Sie hat in jedem Fall für die spätplatonische Art des Philosophierens – sowohl für seine Methode wie auch für seine Thematik – paradigmatischen Wert.

Rein methodologisch betrachtet zeigt sie die analytische Kraft und Konsequenz Platons. Er strebt jetzt zu den Elementen (τὰ στοιχεῖα) hin, und er erarbeitet sie sich durch zwei markante Weisen des Vorgehens. Die eine ist ein Reduktionsverfahren. Eine unbegrenzte Vielheit (der Benennungen der Sprache) wird auf eine begrenzte Anzahl (Stammwörter der Sprache) zurückgeführt, in einem Verfahren, das später im „Philebos" seine theoretische Begründung wie auch seine systematische Anwendung finden wird. Die andere Weise vorzugehen ist „analytisch" im eigentlichen Sinne (vgl. 422B7), nämlich ein „Auflösen" komplexer Größen (eines Stammworts) in die sie konstituierenden Elemente, die an sich so unscheinbar sind, daß sie eben nur als Konstitutiva der komplexeren Größe unsere Aufmerksamkeit fordern können. Besonders dieses analytische Verfahren wird von Platon in den folgenden Dialogen oft angewendet. Wie hier die sinntragenden Laut-Elemente der Wortbildung, so sucht er im „Theaitetos" die begrifflichen Elemente der Erkenntnis und im „Sophistes"-„Politikos" die idealen Elemente des Seins durch haarfeine Analysen komplexer Größen ausfindig zu machen. Dann kann er im „Parmenides" endlich selber als der „Maler" hervortreten, dessen „Palette" voll ist von den Elementen der Erkenntnis und des Seins – z. B. „αἴσθησις", „δόξα", „διάνοια", bzw. „ὄν", „μή", „ἕτερον", „ταὐτόν", „ὑπερβολή", „ἔλλειψις". Der *Philosoph* kann dort seine Mimesis der wahren Wirklichkeit durch eine eidetische Elementarsprache darstellen.

Auch das hier behandelte Thema, die Frage nach dem Verhältnis der Worte zu ihren Buchstaben-Elementen, ist besonders exemplarisch für den späten Platon. Das griechische Wort für Element, στοιχεῖον, bedeutet bekanntlich auch „Buchstabe" (als Zeichen eines Phonems), und Platon wird nie müde, das eigenartige Verhältnis Wort – Silbe – Buchstabe zu analysieren (z. B. „Theaitetos" 207Eff., „Politikos" 277Eff., „Philebos" 18 Bff., „Timaios" 48B). Dazu hat einer der führenden Oxford-Analytiker neuerdings einen scharfsinnigen Aufsatz „On letters and syllables in Plato" veröffentlicht (Gilbert Ryle, 1960). Aus solchen analytischen Filigran-Untersuchungen zu Platon ist viel zu lernen. Aus ihrer Redlichkeit im Argumentationsverfahren, ihrer genauen Art des λόγον διδόναι spricht ein wissenschaftliches Ethos, das beeindruckt. Doch macht die Sprache für Platon nicht, wie für einen modernen Analytiker aus der Schule Ryle's, die Sache der Philosophie aus, sondern eben nur ihr Instrument, ihr Organon[1]. Die Sache der Philosophie dürfte nach Platon sein, die Geistig-

---

[1] Jetzt (1966) ist das lange erwartete Platon-Buch von Gilbert *Ryle* (Lit.-Verz. Nr. 34b)

keit der sinnlichen Welt und die Grund-Bezogenheit der geistigen Welt durch rein eidetisches Vorgehen zu erhellen (vgl. „Politikos" 286D ff.). Sein Organon muß er zwar, wie jeder gewissenhafte Handwerker, kennenlernen und möglichst zweckmäßig machen. Platon hat daher konsequenterweise seinen späteren Weg zum Philosophen mit einer Analyse von Elementen und Sinn *der Sprache* angefangen, vielleicht schon früh, hat noch dazu dieses Organon während seiner Wanderung immer durch erneute Analysen von „letters and syllables" scharf zu halten versucht. Aber er hat diesen Weg mit einer universalen Elementar-*Philosophie* beendet, einer Philosophie von der Einheit und der Andersheit, die auch „synkritisch" (d. h. konstruktiv), und nicht nur „diakritisch" (d. h. analytisch) ist. Das werden wir später, wenn wir zum Ziel unserer Anabasis gelangt sind, besser zu verstehen lernen.

Teil III. Die Kritik am Naturalismus (427D ad finem)
(7. Stunde)

Der dritte Teil greift auf die Fragestellung des ersten zurück. Kratylos, der jetzt erst das Wort von Hermogenes übernimmt, ist über das „herakliteische" Etymologisieren des Sokrates sehr erfreut. Er hat die Ironie der ganzen Untersuchung gar nicht begriffen, glaubt stattdessen, seinen eigenen Standpunkt durch die sokratische Kritik an Hermogenes bestätigt: Sokrates sei, wie er selber, in seiner Auffassung vom Wesen der Sprache ein purer Naturalist. – Dieses Mißverständnis klärt Sokrates nun ausdrücklich auf mit einer Reihe von Argumenten, die sich – vor dem Hintergrund der Theorie der Stammwörter in Teil II – direkt an die Erörterung des ersten Teils, besonders an das dort ausgearbeitete Sprach-Modell, anschließt (vgl. κατ' ἀρχάς 429A1). Dieses bildet also die konstruktive Grundlage der ganzen platonischen Sprachphilosophie im „Kratylos". Hier sollen uns die nicht-naturalistischen Momente des Modells ausgearbeitet werden. Wir heben besonders zwei Problemgebiete hervor:

1. Das Problem der falschen Benennung: Die Qualität (429B10ff.)

Für den Konventionalisten Hermogenes, haben wir gesehen, war es schwierig, die Wahrheit bei der Namensanwendung in ihrem eigenen Recht zu begründen. Diese Begründung gab Sokrates durch seine Lehre von der Teilhabe des ὄνομα an der Wahrheit des λόγος. Dem Naturalisten Kratylos, zeigt sich jetzt, macht umgekehrt die Falschheit einer Benennung Schwierigkeiten. Der Sinn ist ihm dermaßen mit eindeutiger Wahrheit der Benennung verbunden, daß er keine

---

erschienen. Man muß mit Staunen feststellen, daß der Sprachanalytiker dort versuchsweise Philologe geworden ist, der kaum mehr philosophisch Belangvolles über Platon zu sagen hat (vgl. „lacking spectacles" S. 46!). Ein Zeichen der „Platon-Vergessenheit" innerhalb der heutigen akademischen Philosophie?

Möglichkeit zur Trennung zwischen Falschheit und Sinnlosigkeit sieht. Ein falscher Name ist ihm sofort ein sinnloser Name, ja, nur ein sinnloser Laut: ὥσπερ ἂν εἴ τις χαλκίον κινήσει κρούσας („wie wenn einer an Metall schlägt, daß es tönen muß"). Auch kann er über die tatsächliche Bewahrung des Sinnes bei einem Namen, dessen Buchstaben (»Elemente«) teilweise verstellt sind, keine Rechenschaft ablegen. Die Buchstabenansammlung „Kartylos" kann er nicht als eine entstellende Schreibweise von „Kratylos" lesen; er muß auch sie als die Darstellung eines nur leeren, sinnlosen Lauts verwerfen.

Hierauf erwidert Sokrates: Du übersiehst den besonderen Charakter des ὄνομα, der darin liegt, daß es kein Ding wie andere Dinge, sondern eine εἰκών, ein *Bild* von etwas ist. Die sprachliche Benennung ist ein akustisches Bild, das sich dem Gehör so zeigt, wie das Bild eines Malers dem Gesicht. Hier muß man eben, fährt er fort, zwischen Wort und Zeichen unterscheiden. In einer Zeichensprache, wie etwa der Zahlensprache der Mathematik, ergibt die Entstellung eines Elements etwas grundsätzlich „Verschiedenes" (ἕτερον). Wo die Zahl 10 richtig ist, ist die Zahl 11 falsch. Im Begriff des „Bildes" aber liegt eine Qualität, ein ποιόν τι (432B1). Ein Bild soll einem Ding nicht gleich (ἴσον), sondern »ähnlich« (ὅμοιον) sein; es soll nicht jeder Einzelheit des Dinges, sondern nur seinem τύπος entsprechen. Das Typische an der Sache macht eine Ganzheit aus, die von der Ganzheit des Namens, auch wenn Elemente entstellt sein sollten, annäherungsweise abgebildet werden kann. – Hierin liegt dann die Möglichkeit sinnvoller Falschheit. Denn je schlechter der τύπος zum Ausdruck kommt, um so falscher das Bild; je besser, um so wahrer. Zu völliger Sach-Entsprechung wird das ὄνομα-Bild nie kommen können und soll es auch niemals kommen.

Nebenbei: welch schöner Trost liegt auch für unser eigenes Unternehmen in dieser Theorie! In unserem Versuch der Darstellung der ganzen platonischen Spätphilosophie werden wir bestimmt – obwohl wir unser Bestes tun, um das möglichst zu vermeiden – oft „Kartylos" für „Kratylos" schreiben müssen. Kaum darf irgend jemand hoffen, fehlerfrei eine solche Aufgabe durchführen zu können. Die Möglichkeit, ja die fast gewisse Notwendigkeit des Irrens in Einzelheiten soll uns aber nicht – Platons Theorie der sinnvollen Falschheit gemäß – von unserem Vorhaben schon im voraus abschrecken. Denn wir suchen eben nicht das ἴσον, sondern das ὅμοιον, suchen den τύπος der spätplatonischen Philosophie durch Worte offenzulegen. Während in der Mathematik ein Fehler irgendwo im System das ganze System zum Schwanken bringt, verfälscht ein falsches Element in einer platonischen Ganzheit nicht notwendig die Ganzheit. Nur das Umgekehrte ist bei Platon der Fall – wie wir es oben bei der Analyse des ὄνομα als Satz-Gliedes gesehen haben: Eine falsche Ganzheit verpflanzt ihre Falschheit in jedes Element, selbst wenn die Elemente „an sich" richtig gebraucht zu sein scheinen.

Das volle Problem, das hier zwischen Kratylos und Sokrates zur Erörterung steht, läßt sich von zwei verschiedenen Definitionen der Falschheit her, die im

Dialog gegeben werden, präzise fassen. Im ersten Teil hat Sokrates die Falschheit so definiert:

(a) τὰ ὄντα ὡς οὐκ ἔστιν λέγειν (385C) („das Seiende, wie es nicht ist, zu sagen"). Nach dieser Definition wird das Seiende auch in der Falschheit dargestellt. Auch falsche Aussagen sprechen Seiendes *als etwas* aus, nämlich als etwas, das es *nicht* ist. Nur sinnlose Aussagen sind nichtssagend, sprechen kein Seiendes aus. – Im dritten Teil des Werkes aber gibt Kratylos folgende Definition der Falschheit:

(b) τὸ μὴ τὰ ὄντα λέγειν (429D) („das Seiende nicht zu sagen"). Dieser kratyleischen Definition zufolge besagt die falsche Benennung kein Seiendes, d. h. sie ist nichtssagend.

Es ist allerdings zu bemerken, daß Definition (a) von einem Satz (λόγος), während Definition (b) von einer Benennung (ὄνομα) spricht. Durch die Bild-Theorie des Sokrates erhält aber auch die reine Benennung die Eigenschaft eines Satzes, nämlich etwas *als* (ὡς) etwas auszusagen. In dieser ὡς-Struktur der Sprache – dem, was Heidegger „das hermeneutische Als" nennt („Sein und Zeit« § 32) – wurzelt auch das grundsätzliche *Prädikations*problem, das Platon in den folgenden Dialogen „Theaitetos" und „Sophistes" eindringlich erörtern wird. Wir werden darauf nicht eigens eingehen können.

2. Das Problem der Setzung: Die Freiheit (433D7ff.)

Im sokratischen Sprach-Modell scheint immer noch ein schwacher Punkt zu liegen, der zwar nicht die Schönheit des Modells, wohl aber seine Anwendbarkeit zu reduzieren droht: der des Gesetzgebers bzw. „Normengebers" (νομοθέτης) als des Urhebers der Sprache. Wird nicht dadurch das ganze Problem in die Urzeit des Mythos, ins unkontrollierbare „Es war einmal" hinausgeschoben? Wird nicht die Frage, wie man sich heute zur Sprache verhalten soll, dadurch umgangen?

Am Ende seines Gesprächs mit Kratylos kommt Sokrates darauf – obwohl nur indirekt – zu sprechen (433Dff.). Aus gewissen Erörterungen geht hervor, daß ein Moment der Konvention bei jeder Anwendung der Sprache vorliegt, in dem Sinne, daß der Sprecher *mit sich selbst* übereinstimmen muß (434E). Er kann also nicht nur mechanisch aus einem schon vorhandenen Wortschatz die Wörter herausholen; er muß sie sich durch seine innere Zustimmung selber zu eigen machen. Dies besagt meines Erachtens, daß jeder echte Namen-Benutzer tatsächlich ein Namen-Geber ist. Sooft ich den Laut- oder Zeichen-Komplex »Pferd« sinnvoll verwende, *gebe* ich ihn dieser oder jener Sache als ihren Namen. Das Strukturmoment des Namengebers im Modell ist mithin nicht nur zeitlich zu verstehen: es ist ein ontologisches. Jeder wahre Sprachbenutzer muß zu jeder Zeit in demselben ursprünglich-freien Verhältnis zum τύπος stehen wie der sogenannte „erste Gesetzgeber". Erst dann, wenn er die Namen „frei" verwenden kann, kann er sie „richtig" verwenden.

Derjenige, der dies in besonderem Grade tut, ist, wie schon oben erwähnt, der Dialektiker (436Dff.), der im Prinzip über die ἀρχὴ παντὸς πράγματος (D4) Bescheid weiß. Er erkennt das Seiende „ohne Wörter" (ἄνευ ὀνόματος), d. h. er versteht das Seiende nicht nur in seinem Verhältnis zu den vorhandenen Wort-Bildern, sondern von seiner eigenen Unverborgenheit her (ἐξ ἀληθείας, 439AB). In dieser Position ist es ihm erlaubt, die vorhandenen Wörter zu justieren und sogar neue zu schaffen (vgl. auch „Sophistes" 267DE, „Politikos" 262A). Der ursprüngliche Namen- oder Gesetz-Geber und der alltägliche Namen-Benutzer begegnen sich in der Gestalt des der ἀρχή zugewandten Dialektikers.

Der Dialog endet also mit einem schönen, aber ganz behutsamen Hinweis auf einen immer gleichbleibenden Bereich idealer Bezüge (439Cff.). Sokrates „träumt" oft, wie er sagt (C 7) von einem selbständigen καλὸν καὶ ἀγαθὸν καὶ ἓν ἕκαστον τῶν ὄντων. Dieser Traum, der als solcher aus der ἀλήθεια herkommt (wenn er echt ist), nicht aus dem Umgang mit Wörtern, hätte, sagt Sokrates, keine sachliche Entsprechung, wäre ein reines Hirngespinst, falls die Auffassung Heraklits vom *Wechsel* aller Dinge zu Recht bestünde. Ja, noch schlimmer für diese Auffassung: Nicht nur alle Erkenntnis-*Objekte*, sondern auch die Erkenntnis selber müßte als fließend gedacht werden; und das würde einfach bedeuten, es gäbe keine echte Erkenntnis (man erinnere sich an die Ableitung der ἐπιστήμη aus ἵστημι). Nein, dieses Thema muß von Grund auf neu untersucht werden – in einer hier erwünschten Untersuchung der Erkenntnis und des Seins, die in der Reihe von Dialogen, die mit dem „Theaitetos" eingeleitet wird, tatsächlich folgt.

Abschließend nur einige Worte über den Platz des Dialogs »Kratylos« innerhalb der postulierten Gesamtkonzeption der Spätdialoge. Seine Thematik, das ὄνομα, wie auch sein Hinweis am Schluß auf die ἐπιστήμη als besonders untersuchungsbedürftig ordnen ihn sachlich dem „Theaitetos" zu, der die ἐπιστήμη und den notwendig damit verbundenen Begriff λόγος zur Untersuchung aufnimmt. Traditionell wird aber gerne der „Kratylos" als ein sprachspielerisches Pendant zum Sophistendialog par excellence, dem „Euthydemos", betrachtet. Und genau *zwischen* diesen beiden, der wahrscheinlich frühen Schrift „Euthydemos" und dem bestimmt späten Dialog „Theaitetos", möchten wir den Logos des „Kratylos" ansetzen.

Der „Euthydemos" stellt die – nach Platons Auffassung – nihilistische Grundlage aller Sophistik dar, oder in der Gleichnissprache gesagt: Er stellt die Grundlage des Schattenspiels auf der Höhlenwand dar. Hier stehen wir der Welt des reinen Fließens gegenüber, wo es keine Wahrheit, ja, kein mehr oder weniger „Wahres" gibt, mithin auch keine Erkenntnis möglich ist. Keine Gesetzmäßigkeit, kein Maßstab des Denkens und des Sprechens wird hier anerkannt; ein Widerspruch wird durch einen anderen erklärt usw.

Von diesem sinnlosen Fließen des bloßen Schattenspiels, dieser Phantasmagorie der Unlogik, muß die Seele aufbrechen, um sich irgendwie die von Sokrates lockend angedeutete „königliche Kunst" („Euthydemos" 290Eff.) zu erwerben. Aber wie? Welche Mittel stehen zur Verfügung, um diese Sophistereien zu überwinden? Die später folgende *aristotelische* Antwort darauf lautet: formale Logik. Wer die Gesetzmäßigkeit der Schlußfolgerungen berücksichtigt, die sich sofort ergibt, wenn man nur ein paar formale Grund-Gesetze anerkennt wie das Widerspruchsgesetz und das Identitätsgesetz, und wer sich in dieser Gesetzmäßigkeit rein formal übt, ersieht dadurch und erschafft sich ein Organon, das die Trugschlüsse der Sophistik aus der Welt räumt. Die platonische Antwort dagegen scheint nicht un- oder vor-logisch zu sein, wie es gerne heißt, sondern in eine ganz andere Richtung zu gehen, in die Richtung nicht des formalen Denkens, sondern des realen Sprechens. Eine *Sprachbesinnung*, eine Besinnung auf den Sinn und die Bedeutung, den Realitätsgehalt der ὀνόματα ist die Weise, wie Platon die Seele von ihren Fesseln löst und sie zum Aufstieg vorbereitet. Besinnung auf die Sprache – ihre Größe und ihre Grenzen – bildet den Anfang des Weges zur königlichen Kunst.

Daher der „Kratylos" als erster Schritt, oder besser: als der „plötzliche" Aufbruch. Hier lernen wir die Größe der Sprache kennen: daß sie Seiendes offenlegt. Selbst wenn man sich zu ihrem materialen Elementarbestand, den Phonemen, hinuntertastet, findet man Sinn und mithin Sein. Hier lernen wir auch die Grenzen der Sprache kennen: daß sie Seiendes nur „*als*" etwas offenlegt. Es gibt eine Differenz, ein ἕτερον zwischen Sprache und Sache, das die Sprache nur mehr oder weniger annähernd, nie aber völlig überwinden kann. Auch wenn die Sprache zu reiner Begriffssprache geschliffen ist, wird sie nur εἰκόνες darstellen können, haftet an ihr etwas im Prinzip Unzulängliches. Die königliche Kunst wird also, sei sie sonst, wie sie wolle, ihre σπουδή in einer παιδιά der Sprache finden müssen.

B. „Theaitetos": Die Frage nach der ἐπιστήμη

μαιεύεσθαί με ὁ θεὸς ἀναγκάζει,
γεννᾶν δὲ ἀπεκώλυσεν. (Theaitetos 150C)
„Geburtshilfe zu leisten nötigt mich der Gott,
zu erzeugen aber hat er mir verwehrt."

(8. Stunde)

Wenn der „Kratylos" zu den problematischen Platondialogen gehört – sowohl, was seine Stelle als auch was seine Qualität und sein eigentliches Anliegen betrifft – dann ist der „Theaitetos" ein platonischer Musterdialog. Auch zur Zeit der rabiatesten Platonkritik des vorigen Jahrhunderts – als man so weit gehen konnte, nur 6–8 Dialoge als echt anerkennen zu wollen – hat man meines

46   I. Der Weg hinauf

Wissens nie die Echtheit des „Theaitetos" bezweifelt. In der heutigen Philosophie wird er viel berücksichtigt, besonders in der angelsächsischen. *Bertrand Russell*, der in seiner Jugend einen „Platonismus" der mathematischen Philosophie vertrat, aber später diese seine Jugendliebe fast zum Haß umgewandelt hat (jetzt mehr durch sozial-politisches Denken motiviert), sieht immerhin noch heute im „Theaitetos" ein Grundbuch der Erkenntnistheorie. *Ludwig Wittgenstein* nahm in seiner späteren Periode ausdrücklich auf Probleme, ja auf wörtliche Formulierungen dieses Platonwerks Rücksicht (eine Bezugnahme auf andere kommt nur sehr selten bei ihm vor), während im letzten Jahrzehnt der Oxford-Philosophie die scharfe Auseinandersetzung zwischen *Ayer* und *Austin* über „Sense and Sensibilia" völlig auf dem im „Theaitetos" abgesteckten Spielfeld ausgetragen wurde[1]. – In der deutschen Philosophie dieses Jahrhunderts hat der „Theaitetos" kaum solche Spuren hinterlassen. *Edmund Husserl*, dessen mathematisch und antipsychologistisch orientierte Problematik ihm nahe kommt, hat der Philosophie vor Descartes kaum Aufmerksamkeit geschenkt[2]. Sonst wandte man sich den Problemstellungen des deutschen Idealismus und des idealistisch verstandenen Kant zu, Fragestellungen, die, obwohl erkenntnistheoretisch von Belang, doch die Art der Erkenntnistheorie, die im „Theaitetos" erörtert wird, nicht eigens zur Sprache bringen. Jedoch hat *Martin Heidegger* in einer aufsehenerregenden, nur zum Teil publizierten Vorlesungsreihe Anfang der dreißiger Jahre in Freiburg/Br. über den Wahrheitsbegriff bei Platon ausgewählte Stellen aus dem „Theaitetos" eingehend interpretiert, bes. 185A ff. (der veröffentlichte Teil betrifft das Höhlengleichnis).

Das Thema des „Theaitetos" ist ebenso eindeutig wie das des „Kratylos". Dort betraf es die Richtigkeit der sprachlichen Benennung (ὀνόματος ὀρθότης), hier betrifft es das Wesen des Wissens oder der Erkenntnis (ἐπιστήμη). Wie in den früheren ἀρετή-Dialogen Platons wird schon am Anfang eine τί ἐστι ... - Frage gestellt: τί ἐστιν ἐπιστήμη. Und ganz wie in jenen Dialogen wird nacheinander eine Reihe von Antworten gegeben, die alle scheitern. Bevor wir aber zu ihnen übergehen, möchten wir auch diesmal uns den Fragehorizont im vor-

---

[1] Vgl. Lit.-Verz. Nr. 33, z. B. S. 208; Lit.-Verz. Nr. 41, Passus 48, 518. – J. L. *Austin* setzt sich in „Sense and Sensibilia" (1962) ziemlich schroff mit der sog. „sense-data" Theorie der englischen empiristischen Tradition auseinander, heute vertreten durch A. *Ayer*. Die Auseinandersetzung betrifft „theaitetische" Themen wie: „the argument of illusion" (Kap. III, S. 20 ff.), die Wörter „appear", „look", „seem" (IV, 33 ff.), die Dichotomie zwischen „sense-data and material things" (V, 44 ff.), „the Nature of Reality" (VII, 62 ff.) etc; deshalb hebt Austin einleitend (S. 2) auch die Platon-Nähe der ganzen (modernen) Erörterung hervor („The doctrines we shall be discussing ... were already quite current in Plato's time").

[2] Es scheint, eine lohnende Aufgabe zu sein, bei Husserl den Grundbegriff des „Doxischen" (vgl. Ideen I, § 102 ff.) an Hand des grundlegenden δόξα-Begriffs des „Theaitetos" zu untersuchen. Überhaupt könnten vielleicht einmal die im folgenden entworfenen Ideen zu einer platonischen Henologie durch eine Auseinandersetzung mit der husserlschen Phänomenologie systematisch erhärtet werden.

1. Etappe: Diakrisis. B. Theaitetos

aus sichern. Wonach fragt diese Frage nach der ἐπιστήμη? Was sagt uns schon das griechische Wort, platonisch verstanden, und was sagt uns die Sache vom heutigen Standort der Philosophie aus?

Das Wort ἐπιστήμη kennen wir schon aus den Erörterungen im „Kratylos" (ob. S. 39). Seine Amphibolie läßt sich teils aus ἕπομαι, teils aus ἵστημι herleiten. Im ersten Falle bezeichnet ἐπιστήμη „den Dingen folgen können"; wir fassen jetzt diese Bedeutung terminologisch als *Kenntnis*. Im zweiten Falle bezeichnet ἐπιστήμη „über (oder bei) den Dingen stehen", in einer Bedeutung, die wir jetzt terminologisch als *Erkenntnis* fassen wollen. – In der Terminologie des Liniengleichnisses umfaßt die *Kenntnis* besonders die zwei unteren Arten, εἰκασία und πίστις, die *Erkenntnis* die zwei oberen Arten, διάνοια und νόησις, wobei jedoch, dem Phänomen des Zwischenproportionalgliedes zufolge, der διάνοια auch die Kenntnisweise der πίστις und umgekehrt der πίστις auch die Erkenntnisweise der διάνοια zukommt. Nur die εἰκασία gehört nicht unmittelbar zur Erkenntnis und die νόησις nicht unmittelbar zur Kenntnis.

Nach dieser Gliederung des Wortes und des Begriffs gliedert sich auch, bemerkenswerter Weise, die Sache der modernen *Epistemologie*. – In der angelsächsischen Tradition seit Locke, Berkeley und Hume konzentriert sich die sogenannte „Theory of Knowledge" („knowledge" = Kenntnis) auf den Fragebereich des Verstandes, d. h. der διάνοια. Wie verhält sich erstens der Verstand zur Wahrnehmung? Welcher Grad von Kenntnis der Dinge wird schon durch die Wahrnehmung erreicht, und in welchem Grad gehört, um eine Kenntnis überhaupt zu konstituieren, dazu noch die Beurteilung? Zentral für dieses Untersuchungsgebiet ist der Begriff „perception", und die nächsten stehenden Hilfswissenschaften sind die Psychologie und etwa die Jurisprudenz. Wie verhält sich zweitens der Verstand zu sich selbst? Welche Möglichkeit hat man, sich durch rein logisches Schließen neue Kenntnisse zu erwerben; auf welche einfachen Axiome läßt sich das formale Gerüst des Denkens zurückführen usw.? Grundbegriffe sind hier „Prädikation", „Analytizität" und ähnliches, und die vornehmsten Hilfswissenschaften sind die Mathematik und die formale Logik.

Recht andersartig gestaltet sich die Tradition der kontinentalen *Erkenntnistheorie*; man denke etwa an Cusanus, Descartes und Fichte. Sie wendet ihre Aufmerksamkeit der Vernunft (νόησις) zu und untersucht sie im Verhältnis zum Verstande, zu ihr selbst und zum Absoluten jenseits ihrer selbst. Wie lassen sich die Grundvoraussetzungen des rechten Verstandesgebrauchs, wie die Gesetze des Widerspruchs und der Identität, in ihrem Gültigkeitsbereich abgrenzen? Wie, wenn überhaupt, kann die Vernunft sich selbst erkennen und darüber hinaus auch zum Absoluten in ein Erkenntnisverhältnis treten? Hier melden sich sogleich Zentralbegriffe wie „Selbstbeziehung" und „Dialektik". Hilfswissenschaften sind die Theologie und die Geisteswissenschaften im weitesten Sinne (Dilthey), freilich auch die Mathematik.

Das klassische Beispiel einer Verbindung dieser Fragebereiche – des angelsächsischen der Kenntnis und des kontinentalen der Erkenntnis – bildet Kants „Kritik der reinen Vernunft", ein Werk, das in England tatsächlich wohl nur bis zur transzendentalen Analytik, auf dem Kontinent hauptsächlich um der darauffolgenden transzendentalen Dialektik willen gelesen wird.

Vielleicht scheint jemandem dieser einleitende Versuch einer Ortsbestimmung der Epistemologie banal und auch weitschweifig zu sein. Derlei kennt man ja schon im voraus! Wir können aber von diesen „banalen" Unterscheidungen aus die besondere Art der Epistemologie, die im „Theaitetos" so glänzend gehandhabt wird, sofort unschwer charakterisieren. Sie betrifft – obwohl sie in ihrem Fragen unentwegt nach der ἐπιστήμη als solcher fragt – in ihren dargebotenen Antworten immer nur die „angelsächsische" Art der „Theory of Knowledge". Von der αἴσθησις und der δόξα wird gehandelt, zusätzlich noch von der διάνοια; die νόησις aber und die besonders mit ihr verbundene Welt der idealen Bezüge werden in den Antworten überhaupt nicht erwähnt. Die Hilfswissenschaft der Mathematik ist da – in den bedeutenden Mathematikern Theodoros und Theaitetos personifiziert; die Wissenschaft der Psychologie ist vertreten – man denke nur an die berühmten Ausführungen vom Taubenschlag und der Wachstafel der Seele; und die ganze juristische Atmosphäre ist da, wie sie sich natürlich aus der Diskussion mit dem Sophisten Protagoras ergibt.

Besagt dies, daß der uns aus dem „Kratylos" heraus schon sehr „analytisch" erscheinende Platon spezifisch „angelsächsisch" denkt? Es besagt bis jetzt nur, daß Platon im „Theaitetos" spezifisch angelsächsisch denkt – in dem Werk, wo er, unserer Grundauffassung nach, Sokrates die Seele hinauf bis zur Öffnung der Höhle führen läßt. Was danach folgt – in den Dialogen „Sophistes" und „Politikos" – werden wir später kennen lernen.

Der Dialog „Theaitetos" hat äußerlich eine einleuchtende Gliederung in *Prooemium* und *Hauptgespräch*, das sich ebenfalls einleuchtend in zwei *Teile* (I–II) gliedert. Auch zeichnet sich nach äußeren Kriterien (wie z. B. Personenwechsel) eine *Mittelpartie* des Dialogs aus. Zur weiteren Gliederung müssen aber innere Kriterien aus dem in diesem Dialog überaus verwickelten Argumentationsverfahren verwendet werden. Unser folgendes reines Strukturschema setzt somit schon eine Interpretation des Inhalts voraus.

Zunächst wird im obligatorischen *Prooemium* (142A–143C), von dem jüngst verstorbenen Mathematiker Theaitetos (ca. 441–369) gesprochen; im Hauptgespräch treffen wir Theaitetos selbst als Epheben mit seinem Lehrer Theodoros zusammen im Gespräch mit Sokrates an. Das Hauptgespräch ist in einem Buch (τὸ βιβλίον 143C7) niedergeschrieben und wird von einem der Gesprächspartner des Prooemiums vorgelesen. Auf den möglicherweise tieferen Sinn dieser bei Platon erstaunlichen Darstellungsweise werden wir zurückkommen.

1. Etappe: Diakrisis. B. Theaitetos

Nach einigen einleitenden Worten fängt das *Hauptgespräch* sofort mit der Frage nach dem Wesen der ἐπιστήμη an (145Cff.). Theaitetos antwortet zuerst in Form eines Beispiels, was zu gewissen methodologischen Überlegungen Anlaß gibt; hier begegnen wir u. a. der bekannten sokratischen Darstellung seiner μαιευτικὴ τέχνη (149A–151E). Darauf folgen, eine nach der anderen, die zwei akzentuierten Hauptantworten des jungen Mathematikers auf die Frage nach dem Wesen der ἐπιστήμη, und dementsprechend zerfällt das Hauptgespräch in zwei große Teile.

Teil I (151D–187A). Die Antwort des Theaitetos, die hier zur Erörterung steht, lautet:

ἐπιστήμη ist αἴσθησις.

Sokrates analysiert zunächst – unter Berufung auf Protagoras und Heraklit – den Sinn dieser Antwort und findet ihn in einer „phänomenalistischen" Wahrnehmungslehre, die er expliziert (155Eff.) und kritisiert (160Dff.). Dann läßt Sokrates den Protagoras selbst sich verteidigen in einer meisterhaft fingierten Rede (165D – 168C), die einen pragmatischen Wahrheitsbegriff entwickelt und von Sokrates eine vertiefte Analyse des Sinns dieses Standpunktes erzwingt. Die Analyse wird in der Mittelpartie des Dialogs gegeben, wo Sokrates ununterbrochen mit Theodoros spricht (168C – 184A); sonst spricht er hauptsächlich nur mit Theaitetos. Endlich folgt zum Schluß des Teils die endgültige Kritik des Sokrates an dem Satz: ἐπιστήμη ist αἴσθησις (184A–187A). Zwei Auffassungen, zwei Standpunkte bezüglich dieses Satzes kommen also nacheinander an den Tag, und dementsprechend wollen wir diesen ersten Teil des Dialogs in zwei Unterabteilungen gliedern:

A. Darstellung und Kritik eines „ästhetischen" Phänomenalismus (151E–165D).

B. Darstellung und Kritik eines „ästhetischen" Pragmatismus (165D–187A).

Mitten in dem die Mitte bildenden Gespräche mit Theodoros befindet sich eine mit Recht berühmte Stelle, die sich von dem Dialog thematisch scharf unterscheidet – die sogenannte „Episode" im „Theaitetos". Sie spricht überhaupt nicht von der ἐπιστήμη, sondern vom Wesen des Philosophen und vom Gott. In der Mitte dieser Mitte der Mitte, ja nach der Seitenzahl gemessen genau in der Mitte des gesamten Dialogs (Abschnitt 176A!) steht das bekannte platonische dictum: ὁμοίωσις θεῷ. In einem jüngst erschienenen Versuch einer Darstellung von „Platos Gespräche" (Bröcker) wird diese „Episode" eine „Parenthese" genannt und folglich übersprungen. Uns scheint eher diese formale Mitte des Dialogs auch seine reale, geistige Mitte zu bilden – worauf wir das nächste Mal ausführlicher zu sprechen kommen werden.

Teil II (187A ad finem). Die Antwort des Theaitetos, die hier zur Erörterung gestellt wird, läßt sich grundsätzlich so formulieren:

ἐπιστήμη ist δόξα,

wird aber von Theaitetos sogleich in folgender Weise präzisiert:

A. ἐπιστήμη ist δόξα ἀληθής (187B)

Sie führt zu einer Untersuchung nicht der Wahrheit, sondern der Falschheit, des ψεῦδος einer δόξα (man erinnere sich an die Untersuchung zum ψεῦδος des ὄνομα im „Kratylos", die an genau entsprechender Stelle des Dialogs stattfand, wo das ursprüngliche Thema wieder aufgegriffen wurde). Diese Untersuchung der falschen δόξα ist nicht logisch, geschweige denn sprachlich, sondern psychologisch orientiert. Zwei berühmte Modelle zur veranschaulichenden Erklärung des psychischen Vorgangs beim richtigen und falschen Urteilen werden vorgeführt – das einer Wachstafel und das eines Taubenschlages. Das Modell der Wachstafel soll die Möglichkeit des Verwechselns von Eindrücken, „Impressionen", das des Taubenschlages die Möglichkeit der Erinnerungsverschiebung erklären.

Um gewissen Schwierigkeiten zu entgehen, die diese Untersuchungen zum Begriff der Falschheit bloßgelegt haben, gibt Theaitetos in folgendem Satz eine noch präzisere Fassung seiner Ansicht:

B. ἐπιστήμη ist δόξα ἀληθής μετὰ λόγου (201C)

Zur Analyse dieser sehr gelungenen Behauptung dient der Rest des Dialogs. Die Behauptung ist an einem juristischen Modell orientiert. ἐπιστήμη soll derjenige haben, der nicht nur, wie heute die Geschworenen, „ja" oder „nein" sagt, sondern der wie ein ausgebildeter Richter sein wahres Urteil mit einer Darstellung der Prämissen vorlegen kann. In der kritischen Untersuchung bezeugt sich wiederum die analytische Denkkraft Platons. Es wird die Frage nach der Möglichkeit der Erkenntnis von Elementarbestandteilen (τὰ στοιχεῖα) aufgeworfen (201 ff.), es werden treffende Unterscheidungen gemacht in und zwischen den dialektischen Grundbegriffen ὅλον und πᾶν (203 A ff.), und besonders werden Bedeutungsnuancen des Begriffs „λόγος" in einer wunderbar klaren – obwohl gar nicht den Begriff erschöpfenden – Weise erörtert (206 C ff.).

Das Gespräch endet, genauer gesagt: das im Dialog vorgetragene βιβλίον endet – wie die Jugenddialoge – negativ. Sokrates sagt: Weiter kann es meine μαιευτικὴ τέχνη nicht bringen; aber laßt uns morgen wieder zusammenkommen. – Und so geschieht es tatsächlich im Dialog „Sophistes", wo kein Buch mehr vorgetragen wird.

THEAITETOS

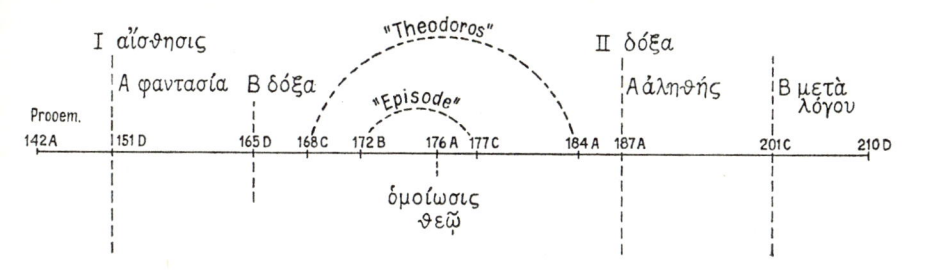

```
   I αἴσθησις         "Theodoros"        II δόξα
   ┊                 ╱─────────╲          ┊
   ┊A φαντασία B δόξα╱           ╲       ┊A ἀληθής    ┊B μετὰ
Prooem.              ╲ "Episode" ╱                    ┊  λόγου
142A  151D    165D 168C  172B  176A 177C  184A 187A   201C        210D
                         ὁμοίωσις
                           θεῷ
```

(9. Stunde)

Nach unseren bisherigen Behauptungen hat der „Theaitetos" zwar die Frage nach der ἐπιστήμη, die am Schluß des „Kratylos" besonders untersuchungsbedürftig genannt wurde, prinzipiell *gestellt*, hat aber durch die Antworten, die im Laufe des Dialogs versuchsweise gegeben werden, nicht den Begriff der ἐπιστήμη in seiner vollen Tragweite entfaltet. Die grundsätzlichen Antworten betreffen ἐπιστήμη als αἴσθησις (I) und als δόξα (II), Antworten, die zwar beide sachlich von Belang sind, aber für eine platonische Auffassung der ἐπιστήμη, wie sie z. B. im Liniengleichnis in allen ihren Hauptkomponenten dargestellt wird, gar nicht ausreichen, weshalb auch beide scheitern müssen; sie beschreiben uns nur zwei *Arten* der ἐπιστήμη. Das ihnen Gemeinsame haben wir „herakliteisch-kratyleisch" aus ἕπομαι abzuleiten und im Begriff der *Kenntnis* zusammenzufassen versucht. Diesen Begriff wiederum haben wir mit dem englischen Begriff „Knowledge" verknüpft und dann kurz darauf hingewiesen, daß die Thematik des „Theaitetos" besonders in der sensualistisch-analytischen Tradition der angelsächsischen Philosophie, von Locke, Berkeley, Hume bis zu Russel, Wittgenstein, Austin heimisch sei. Die kontinental-europäische Tradition dagegen fragt mehr nach der *Erkenntnis*, d. h. nach dem Wissen vom eigenen Wissen und vom Absoluten, in einer Fragestellung, die Platon schon in den Frühdialogen, im „Charmides" und dem großen „Alkibiades" (falls er echt ist), wie auch später im „Symposion" und in der „Politeia" ausdrücklich erörtert hat, die aber in den logisch-analytischen Hauptpartien des „Theaitetos" nicht eigens zu Wort kommt.

Folglich wäre der „Theaitetos" nur ein halbes Werk, etwa ein platonisches Fragment? Weit entfernt! Der „Theaitetos" bleibt auch für denjenigen, der die prinzipielle Begrenzung seiner Thematik eingesehen hat, ein platonischer Musterdialog. Denn die Mittelpartie der „Episode" bringt mythisch-erhaben zum Ausdruck, was in der sonstigen Erörterung fehlt: eine Welt der reinen Idealität und ein Fundament dieser Welt in Gott. Die erhabene „Episode" wirft – wie besonders schön von *Paul Friedländer* in seiner Betrachtung des

Dialogs gezeigt worden ist – auf die sonstigen, logisch-analytischen Erörterungen ein Schlaglicht, das sie in ihrer Begrenzung sichtbar macht und sie eben dadurch ein platonisches Ganzes widerspiegeln läßt. Wir fangen daher unsere jetzt bevorstehende Untersuchung des Dialoginhaltes *in extracto* mit einer Betrachtung dieser Mittelpartie an.

Die *Episode* (172C–177C) spricht vom philosophischen Lebens- und Forschungsideal. Im Gegensatz zum Rhetor-Sophisten (wir würden sagen: zum Juristen), der in seinem Denken und Tun den Mitsklaven (ὁμόδουλοι), d. h. den Mitmenschen gefällig zu sein trachtet, richtet der Philosoph sein Leben und Sterben auf Gott. Die „Angleichung an Gott" (ὁμοίωσις θεῷ) bildet seine höchste, unbedingte Forderung. Ihm wird es vielleicht wegen der Unbedingtheit dieser Forderung schlecht auf der Erde gehen. Man denke nur an den alten Thales, der, während er zu den Sternen empor sieht, in einen Brunnen fällt. Aber das Lachen seiner Nachbarn prallt von ihm ab. *Sie* interessieren den Philosophen nicht – ob sie Menschen oder Tiere sind; dagegen interessiert ihn die Frage, was ein Mensch als solcher ist (bes. 174AB).

In einem bekannten Aufsatz, „Über Ursprung und Kreislauf des philosophischen Lebensideals" (1928), kommt *Werner Jaeger* auf die „Episode" im „Theaitetos" zu sprechen. Sie bedeutet, findet er, das Auftreten eines radikal neuen Philosophen-Ideals: das Ideal des vom Leben abgewandten Theoretikers. Wie weit entfernt von dem Sokrates im Gespräch auf der Agora in Athen, wie weit entfernt von den geselligen Sophisten, wie weit entfernt auch von den (nach der Auffassung Jaegers) πόλις-bewußten frühgriechischen Denkern! – Es dürfte auch ohne weiteres einleuchten, daß dieses philosophische Lebensideal jedenfalls dem rhetorisch-sophistischen Ideal der φιλανθρωπία (Isokrates) fern liegt; eben auf diesen Gegensatz kommt es ja Platon hier ausdrücklich an. Wir sind aber geneigt, den Gegensatz eher typologisch als historisch zu verstehen. Zum Philosophen als solchem gehören nach Platon diese Charakterzüge, sei er ein Thales, ein Platon selber oder ein Descartes. Und wir möchten auch – gegen den alles harmonisierenden Humanismus Werner Jaegers – auf einen bedenklichen Zug im Bild des reinen philosophischen Typus aufmerksam machen, auf das hier hervorgehobene Fehlen des Interesses für den schlichten Nachbarn. Platon kannte keine wahre Menschenliebe, auch Sokrates kaum. Zur Menschenliebe gehört die Liebe auch zur menschlichen Schwäche, z. B. zu der des Untauglichen. Um von einem Sokrates und einem Platon überhaupt beachtet zu werden, mußte man „taugen", d. h. man mußte teilhaben am Logos, an dem, was der Mensch als solcher (nach ihrer Auffassung) *ist*. Taugen wir nicht, dann lassen sie beide uns laufen, wie auch Haustiere auf der Straße geduldet werden müssen, doch wahrscheinlich mit dem Unterschied, daß Platon uns in extremen Fällen am liebsten als Neugeborene sterben sähe.

Nein, wenn der Philosoph einseitig nach der ὁμοίωσις eines θεός trachtet, der nicht Christus ist oder der durch Christus vermittelte Gott-Vater, steht er – das lehrt uns diese Episode im „Theaitetos" – in Gefahr, die Fähigkeit zum schlichten Mit-Dasein zu verlieren. Daran hat sich seit Thales bis zum heutigen Tag kaum etwas wesentlich geändert. Sollte er trotzdem diese Fähigkeit behalten, so ist er wahrscheinlich kein eigentlicher Philosoph, sondern „nur" – was auch in der Episode klar zum Ausdruck kommt – ein als Philosoph verschleierter, lebenskluger Sophist.

I. ἐπιστήμη als αἴσθησις

Die zwei Abteilungen der αἴσθησις-Untersuchung erhalten nach unserer dargelegten Auffassung ihre Zäsur bei dem fingierten Eingreifen des Protagoras (165D). Bis dahin wird die αἴσθησις als sinnliche Wahrnehmung verstanden, und es entfaltet sich eine in den Hauptzügen rein sensualistische Problematik (IA). Das Problem der Subjektivität der Sinneswahrnehmungen wird zur Erörterung gestellt (152B); eine Theorie des „sensualistischen Phänomenalismus" wird von Sokrates vorgetragen (die so eigenartig und so schön kohärent ist, daß der feinsinnige Platon-Interpret *Cornford* sie u. E. mit Recht für eine echt platonische Theorie hält) (156Aff.); es wird nach einem τεκμήριον zur Unterscheidung zwischen Wachen und Traum gefragt (157Eff.) usw. – alles mit Bezug auf eine reine seelische Wahrnehmungsfähigkeit, die Platon hier φαντασία nennt (152C1), und die in ihrer Scheinhaftigkeit (vgl. im Text die Häufung von Wörtern wie φαίνεσθαι, φάντασμα, φαινόμενον) mit der εἰκασία des Liniengleichnisses gleichzustellen ist.

Sokrates verknüpft diese Problematik mit der Bewegungs-Theorie Heraklits und besonders mit dem Relativismus des protagoreischen homo-mensura-Satzes. Wenn alles nur so sei, wie es erscheine (φαίνεσθαι), argumentiert er, könne ebensogut das Schwein das Maß aller Dinge genannt werden (161C).

Hier läßt aber Sokrates Protagoras selbst eingreifen (IB), mit einer fiktiven Verteidigungsrede für sein homo-mensura-Denken, die von Platon so „fair" dargestellt worden ist, daß z. B. ein nicht ganz unbekannter englischer Philosoph aus dem Anfang dieses Jahrhunderts, *F. C. S. Schiller*, seine ganze pragmatische Philosophie, die er einen „Humanismus" nannte, auf dieses „Protagoras"-Stück des „Theaitetos" bezog. Man kann also auch bei Platon Sympathie für die Gegner bekommen! Der Neuansatz in dieser Rede dürfte im Begriff des δοξάζειν liegen. Αἴσθησις wird jetzt nicht mehr nur als das verstanden, was die φαντασία beeinflußt und aus ihr fließt, sie wird nicht mehr nur im Problemkreis des *Wahrnehmens* gesehen: Jetzt wird sie darüber hinaus auch als *Anschauung* verstanden, als ein „Für-wahr-halten" – so, wie wir im Liniengleichnis den Begriff πίστις erläuterten (Protagoras verwendet nicht das Wort πίστις, sondern δοκεῖν und δόξα, was aber auf dasselbe hinauslaufen dürfte). In dem Fürwahr-halten der Anschauung liegt schon ein Moment des Denkens. Denn wahrnehmen kann ich Finger, und denken kann ich „Zwei"; anschauen kann ich das, was dazwischen liegt, nämlich zwei Finger.

Nun behauptet Protagoras (165E–168C), jegliches Für-wahr-halten sei in gleichem Maße wahr. Wenn dem einen Zucker bitter schmeckt, dem anderen süß, so kann man nicht sagen, der „Bittere" halte etwas Falsches für wahr. Der Zucker schmeckt ihm eben bitter, und eben das hält er für wahr. Es *ist* ihm mithin so, wie es ihm zu sein *scheint*. Sein tatsächlicher Geschmack kann zwar ein Krankheitssymptom sein, und dann soll man ihm zu dem Zustand verhelfen, in dem der Zucker doch süß schmeckt. Der „süße" Zustand ist nämlich dem Menschen bekömmlicher, ist ihm „besser" (βελτία μέν ... 167B4). Der kranke Mensch ist aber nicht falscher als der gesunde Mensch, und so ist auch, meint Protagoras, die Welt-Anschauung des Kranken nicht falscher als die des Gesunden. Man kann überhaupt nichts Falsches anschauen, denn, heißt es wörtlich, man kann nicht τὰ μὴ ὄντα δοξάζειν (167A7). Falschheit gründet im Pragmatischen, dem, was daraus gemacht wird, allein.

Wie man sieht, kommt die protagoreische Lehre nach dieser Darstellung im Grunde auf dasselbe hinaus wie vormals die kratyleische. Kratylos verneinte die Möglichkeit des μὴ τὰ ὄντα λέγειν und daher die Möglichkeit etwas auszusagen, was zugleich sinnvoll und falsch sein könnte. So nun auch Protagoras: ein sinnvolles Für-wahr-halten (δόξα) ist zugleich auch wahr, sei der Inhalt, das Fürwahr-Gehaltene, sonst, wie er wolle.

Nun hat Protagoras im voraus gesagt, er wolle von „Gott" in diesem rein logisch-philosophischen Zusammenhang nichts hören; vielleicht existieren die Götter, vielleicht auch nicht: Das ist eine Frage, die, modern ausgedrückt, in „Klammern" gesetzt werden muß (162D). Platon kann sich daher nicht erlauben, seinen später in den „Nomoi" ausdrücklich formulierten Gegen-Satz gegen den protagoreischen homo-mensura-Satz zu schleudern, nämlich den Satz: „Gott ist das Maß aller Dinge" („Nomoi" 716C). Statt dessen begnügt er sich damit, Sokrates in der Episode auf den prinzipiellen Unterschied zwischen dem Gott-bezogenen Philosophen (in seinem Sinne) und dem nur Menschen zugekehrten Rhetor (im protagoreischen Sinne) hinweisen zu lassen. Die sachliche Argumentation gegen Protagoras fängt erst nach dieser Episode an. Der argumentative Höhepunkt wird erreicht mit einer endgültigen Kritik an der herakliteischen κίνησις-Lehre, die Sokrates als die seinsphilosophische Grundlage des protagoreischen Pragmatismus faßt (179Dff.). Jetzt wird eindeutig aufgezeigt, was am Ende des „Kratylos" nur vage angedeutet wurde, nämlich daß diese Lehre, konsequent durchdacht, zur Unmöglichkeit jeglicher ἐπιστήμη, auch derjenigen, die in der αἴσθησις gründet, führen muß. Denn die Lehre vom ständigen Fließen, in der die Möglichkeit der Falschheit völlig aufgehoben ist, hebt auch die Möglichkeit eines Identifizierens, eines Feststellens von *etwas als etwas und nicht als etwas anderes* auf (183AB), verzichtet also völlig auf die Prinzipien der Identität und der Kontradiktion. Wenn aber „Etwas" nicht konstituiert werden kann, so kann auch kein Für-wahr-halten dieses nicht-vorfindlichen Etwas stattfinden, woraus folgt, daß es auch keine Wahrheit geben kann.

1. Etappe: Diakrisis. B. Theaitetos

Also wo keine Falschheit, wie Protagoras behauptet, dort auch keine Wahrheit, und wo weder Falschheit noch Wahrheit, dort überhaupt keine ἐπιστήμη (179E–183C). – Nebenbei sagt Sokrates, daß diese Analyse der seinsphilosophischen Grundlage der pragmatischen Wahrheits-Problematik auch auf Parmenides, den Gegenspieler Heraklits, Rücksicht hätte nehmen sollen. Er habe, sagt er, „Gemeinschaft mit dem Manne gehabt noch ganz jung, da er schon alt war, und es offenbarte sich mir in ihm eine ganz seltene und herrliche Tiefe des Geistes" (183E), gibt also einen klaren Hinweis auf das Gespräch im Dialog „Parmenides", das ja tatsächlich zwischen dem als jung gedachten Sokrates und dem alten Parmenides stattfindet (vgl. „Sophistes" 217 C). Aus Scheu vor diesem Gewaltigen der Philosophie und auch im Bewußtsein, daß die Einheits-Problematik des Eleatismus zu weit vom gegenwärtigen Thema der ἐπιστήμη wegführen würde, läßt aber Sokrates hier Parmenides außer Acht. Er kann ja nicht wissen, daß der Gesprächspartner Theodoros schon am folgenden Tag, d. h. im folgenden Dialog „Sophistes", einen Fremden mitbringen wird, der aus Elea kommt und Sokrates durch seine tiefergehende Problematik sofort in den Schatten stellen wird. Der *Leser* der Dialoge aber freut sich, durch solche Hinweise und Personenverschiebungen bestätigt zu bekommen, wie bewußt Platon jedenfalls die Dialoge seines späten „Wegs hinauf" alle auf einmal in einer einzigen großen Konzeption zusammenhängend entworfen und sie aus dieser einen Sicht nacheinander ausgearbeitet hat.

Nach der tiefdringenden Erörterung des Standpunkts Heraklits (die Frage nach ihrer historischen „Richtigkeit" lassen wir hier außer Acht) kann Sokrates in einer abschließenden Untersuchung die ganze These ἐπιστήμη = αἴσθησις aus dem Wege räumen. Sowohl die φαντασία- wie die δόξα-Position haben nämlich gemeinsam, zeigt er, auf etwas Spezifisches ausgerichtet zu sein. Die Wahrnehmung des Gesichts ist auf den optischen Bereich, nicht auf den akustischen, das Für-wahr-halten des Kranken ist auf „seine" krankhaft angeschaute Welt, nicht auf die des Gesunden gerichtet usw. Dagegen setzt nun Sokrates durch, daß es für die Konstitution einer ἐπιστήμη auf etwas Gemeinsames (κοινόν) ankommt, das die Seele αὐτὴ δι' αὑτῆς betrachtet. Als solches κοινόν gilt primär die οὐσία; denn sowohl optisch wie akustisch usw. wahrgenommene und für-wahr-gehaltene Sinnesdaten müssen als „seiend" angesehen und angesprochen werden. Weiter sind sie alle als voneinander verschieden (ἕτερον) und als mit sich selbst identisch (ταὐτόν) zu betrachten, als ähnlich (ὅμοιον) und als unähnlich (ἀνόμοιον) usw. Der Vielfalt der spezifischen Sinneswahrnehmungen stehen mithin die alles umgreifenden Elementarbestandteile des Denkens (διάνοια) selber gegenüber, die – wie wir im „Sophistes" sehen werden – auch als Elementarbestandteile des Seins anzusehen sind.

Dieser Aufweis, reine Denkstrukturen seien notwendig vorhanden in dem, was ἐπιστήμη genannt wird, schiebt die αἴσθησις-Bestimmung als unzulänglich zur Seite. αἴσθησις bedeutet nur ein erstes Stadium des Erkenntnisvorgangs, ein Durchgangsstadium (vgl. δι'οὗ, 184C6) für das, was erst in der Verknüpfung mit den in der Seele beheimateten κοινὰ γένη des Denkens zur Kenntnis genommen werden kann. Wir gehen zum zweiten Teil der Erörterung über, in welchem sie der ἐπιστήμη als δόξα, und zwar als δόξα ἀληθής gilt.

II. ἐπιστήμη als δόξα ἀληθής

Den Aufmerksamen unter meinen Hörern wird ein augenscheinlicher Widerspruch in meiner bisherigen Darstellung der Logos-Stufen im „Theaitetos" kaum entgangen sein, daß nämlich die δόξα, die jetzt als die δόξα ἀληθής den Hauptbegriff des Teils II bilden soll, doch schon als Hauptbegriff der Abteilung I B, wo Protagoras seine Verteidigungsrede vortrug, dargestellt wurde. Tatsächlich erhält aber die Benennung δόξα im „Theaitetos" zwei verschiedene Bedeutungen, Nuancen, deren gering anmutende Differenz doch groß genug ist, um den Gedankengang völlig zu erneuern. Die erste Bedeutung ist die des schon behandelten „Für-wahr-haltens" oder der Anschauung; die zweite ist die des jetzt zu behandelnden „vorstellenden Beurteilens" oder der *Vorstellung*, „Meinung". Wenn mir als Krankem Zucker auf die Zunge kommt, entsteht sofort Wahrnehmung von Bitterem, die freilich nicht „falsch" genannt werden kann. Diese „bittere" Wahrnehmung halte ich dann für wahr, und insoweit hat sich auch keine Falschheit eingemischt. Dann stelle ich mir aber vor, daß die bittere Wahrnehmung durch die Berührung der Zunge mit dem Zucker entstand, und urteile: „Zucker ist – oder schmeckt – bitter". Sogleich ist die Falschheit oder die Möglichkeit der Falschheit da, denn diese Vorstellung knüpft sich an etwas Allgemeines, setzt eine Verknüpfung im Denken, eine διάνοια voraus. So steht die platonische δόξα mitten zwischen der reinen sinnlichen Wahrnehmung (φαντασία) und der intellektuellen Überlegung (διάνοια), und zwar so, daß sie sich verschiedenartig gestaltet je nachdem, ob sie in ihrem Verhältnis zu dem „tieferliegenden" oder zu dem „höherliegenden" Vergleichsmoment gesehen wird. Im Verhältnis zur Wahrnehmung ist sie eine Anschauung, im Verhältnis zum Denken ein vorstellendes Beurteilen. Keine Benennung, kein Begriff und keine dargebotene Idee bleibt bei Platon stehen. Was stehen bleibt, ist – vom Maß, dem μέτρον, abgesehen – immer nur die Proportion, der Verhältnisbezug, der ein sinnvolles Gespräch, ein διαλέγεσθαι trägt.

Wir werden die subtile Problemlage im Schlußteil des „Theaitetos" an zwei Beispielen erläutern:

a) Das Problem der falschen Vorstellung; Die Verwechslung (187Dff.)

Nach Protagoras bedeutet, wie wir gesehen haben, eine falsche δόξα zu haben, dasselbe wie: τὰ μὴ ὄντα δοξάζειν. Auf dieser definitorischen Grundlage verwarf er die Möglichkeit einer falschen δόξα. In der Schlußfolgerung gibt ihm jetzt Sokrates Recht. Denn das, *was gar nicht ist* (τὸ μὴ ὄν), läßt sich weder benennen noch vorstellen noch denken usw. (188D–189B). Nun ist aber das

Vorhandensein falscher Vorstellungen eine Tatsache. Ich sehe z. B. Theaitetos auf der Straße, stelle mir aber vor, daß es Theodoros sei. Oder ich stelle mir vor, daß 5 + 7 = 13 sei. Also muß die Definition der falschen δόξα, die diese Tatsache unmöglich machen würde, geändert werden. Von dieser Problemstellung ausgehend zeigt Sokrates, daß in einer falschen Vorstellung nicht etwas Nichtseiendes als Seiendes, sondern *ein* Seiendes als ein *anderes* (ἕτερον ἀνθ' ἑτέρου) verstanden wird. Die falsche δόξα ist mithin eine ἀλλοδοξία, eine Art der Verwechslung, der Täuschung. – Wie man sieht, sind wir am Ende des „Theaitetos" ins Vorzimmer des „Sophisten", des Alles-Vertauschenden vorgedrungen. So wird auch das Problem des ψεῦδος im Dialog „Sophistes" aufs neue gestellt und tiefer durchdacht werden.

b) Das Problem der Rechenschaft: Die Methode (206Cff.)

Durch die sokratischen Analysen gezwungen muß Theaitetos das Kriterium λόγος dem früher angegebenen Kriterium für eine Doxa, die auf ἐπιστήμη Anspruch erheben kann, dem ἀληθής, hinzufügen. Das Wort λόγος ist aber allzu vieldeutig, sagt Sokrates. Laß uns sehen, in welcher Bedeutung du es nimmst!

Die erste Bedeutung ist „Rede" überhaupt, also das, was durch λέγειν hervorgebracht wird. In diesem Sinne bedeutet λόγος die Verlautbarung des Gedankens (διάνοια) zu seiner Verdeutlichung: „indem man seine Meinung (δόξα), wie im Spiegel oder im Wasser, so in der Ausströmung des Mundes ausprägt" (206D). Diese Bedeutung ist zu allgemein, um hier in Erwägung gezogen zu werden.

Die zweite Bedeutung von λόγος ist „der Weg durch das Element zur Ganzheit" (ὁδός διὰ στοιχείου ἐπὶ τὸ ὅλον; vgl. 208C6). In diesem Sinne, sollte man vermuten, wäre λόγος ein hinreichendes Erkenntniskriterium. Wer z. B. hundert Bestandteile eines Wagens aufzuzählen weiß, sollte doch den Wagen genügend kennen. Aber welche Gewähr hat man dafür, fragt Sokrates, daß er die Elemente kennt? So kann einer den Namen Θεαίτητος richtig schreiben, aber immerhin doch den Namen Θεόδωρος falsch, nämlich mit Τ statt Θ. Dies bezeugt, daß er vom Element Θ in „Θεαίτητος" nur eine ad-hoc-Kenntnis hat, kein methodisch gesichertes Wissen. Er beherrscht nicht die γραμματικὴ τέχνη (vgl. 207B2).

Der *Mangel an Methode* (τέχνη vgl. 107C2) bildet wohl auch den Vorwurf gegen das λόγος-Kriterium in seiner dritten und letzten Präzisierung. Nach ihr bedeutet λόγος die Nennung des spezifischen Kennzeichens des in Frage kommenden Gegenstandes (τὸ σημεῖον ᾧ διαφέρει 208C7). Als Beispiel wird ein sinnlicher Einzelfall, ein Individuum, genommen. Wer den Theaitetos in der Weise kennt, daß er nicht nur von seiner Stumpfnasigkeit (σιμότης), sondern von seiner ganz besonderen Art der Stumpfnasigkeit Rechenschaft ablegen kann, der sollte doch den braven Theaitetos wirklich *kennen!* Aber was bringt hier der λόγος, das als ein Novum über die schon vorhandene wahre Doxa hinaus ausgesprochen werden könnte? Das einzig Mögliche wäre, daß er eine Art ἐπιστήμη brächte, die in der Doxa nicht liegt, dabei ergäbe sich aber die Zirkeldefinition, daß ἐπιστήμη wahre δόξα ist, die mit einer Art ἐπιστήμη verbunden ist! Daß hier das Novum in dem *Methodischen* des wahren Logos-Verfahrens liegt, wird nicht ausdrücklich hervorgehoben, ergibt sich aber für den, der der abschließenden Aufforderung des Sokrates, „morgen" wiederzukommen, folgt. Im „Theaitetos" ist genug gesagt, um in der αἴσθησις und/oder der δόξα das Wesen der ἐπιστήμη *nicht* erblicken zu lassen.

2. Etappe: Synkrisis

A. „Sophistes": Vom Sein des Nichtseienden

(10. Stunde)

Als wir unsere Freunde Theodoros, Theaitetos und Sokrates am Ende des „Theaitetos" verließen, waren sie ziemlich in Verlegenheit. Am Anfang ihres im Rahmen des Dialogs vorgelesenen Gesprächs hatte Sokrates die Frage nach der ἐπιστήμη aufgeworfen. Der junge und hochbegabte Mathematiker Theaitetos machte ein paar belangvolle Versuche zu antworten, und wir wissen nach den subtilen sokratischen Analysen seiner Antworten viel darüber, was ἐπιστήμη *als* αἴσθησις und was ἐπιστήμη *als* δόξα bedeutet; auch haben wir eine scharfsinnige Theorie des sensualistischen Phänomenalismus (Platons?) kennenlernen können, unser Verständnis für den Gültigkeitsbereich des protagoreischen Pragmatismus vertieft und unsere Augen für den möglichen Anti-Intellektualismus herakliteischer Seins-Philosophie geöffnet bekommen; so sind wir uns auch des Vorhandenseins gewisser Elementarbestandteile des Denkens, wie οὐσία, ταὐτόν, ἕτερον bewußt geworden und haben uns neue Nuancen im Problemkomplex von Wahrheit und Falschheit sowie präzise Bedeutungen des Begriffs λόγος zu eigen gemacht usw.: Nur wissen wir noch nicht, was ἐπιστήμη *als solche* bedeutet. Der Befragte, Theaitetos, steht am Schluß des Gesprächs leer da, und der Fragende, Sokrates, hat von sich aus nichts zur Sache beizutragen. Das Gespräch prinzipiell zu erneuern, ist vonnöten, soll es weitergehen.

Die erwünschte Erneuerung findet auch schon durch den Eröffnungssatz des folgenden Gesprächs, die Anfangsworte des Theodoros im Dialog „Sophistes", statt: „Der gestrigen Verabredung gemäß, o Sokrates, stellen wir selbst uns gebührend ein und bringen auch hier noch einen Fremdling (ξένος) mit, seiner Abkunft nach aus Elea, einen Freund (ἑταῖρος) derer, die sich zum Parmenides und Zenon halten, einen gar philosophischen Mann."

Ein ξένος, ein ἑταῖρος, ein ἀνὴρ φιλόσοφος: in dieser dreifachen Charakteristik liegt die schärfste Zäsur des ganzen Corpus Platonicum verborgen. Denn der ξένος bedeutet eine Verfremdung gegenüber der früheren athenisch-sokratischen Welt, eine Verfremdung, die sich schon in der Neugestaltung der Sprachführung Platons, in seinem jetzt anfangenden schweren, sogenannten „Altersstil" zeigt; der ἑταῖρος führt die in den nächstfolgenden drei Dialogen überwiegend parmenideische und in den darauf folgenden überwiegend pythagoreische *Schulphilosophie* ein, mit ihrer technischen, „esoterischen" Art des Umgangs mit Problemen; der ἀνὴρ φιλόσοφος bringt das tiefste philosophische

Anliegen Platons zur Sprache: zunächst die κοινωνία τῶν γενῶν („Sophistes", vgl. 254B), darauf die Frage nach der dialektischen Methode („Politikos", vgl. 285D) und endlich die Untersuchung des Einen und Anderen, die dem Meister des Fremden aus Elea, dem Parmenides selbst, in den Mund gelegt wird („Parmenides", bes. 2. Teil).

Was bedeutet diese bewußte Verfremdung der Spätphilosophie Platons? Bedeutet sie, wie es *Immanuel Kant* wahrhaben wollte, den Versuch eines Höhenflugs in die Welt der Abstraktion hinein, wo keine „Luft" mehr vorhanden, d. h. nach Kant, keine Art von Erfahrung mehr möglich ist, die den Flug unterstützen könnte? Bedeutet sie eher – wie es dem aristotelischen Thomismus *(J. Maritain)* erscheint – einen Ikaros-Flug, für den es zwar im Raum der Metaphysik „Luft" genug gab, der aber der Sonne, d. h. dem Absoluten zu nahe zu sein trachtete? Bedeutet die von Platon vorgenommene Verfremdung eine „Entfremdung", durch die – nach *Heidegger* – der abendländische Geist in die erste Stufe seiner Seinsvergessenheit geriet? Oder aber geschieht hier, wie z. B. der feinsinnige Neukantianer *Ernst Cassirer* meinte, eine Befreiung des griechischen Geistes durch ein Bewußtwerden des reinen Begriffs von Sein?[1]

Wir wollen auf solche großen, für die Beurteilung unserer heutigen philosophischen Geisteslage sogar entscheidenden Fragen nicht direkt eingehen. Wir sollen nur urteilen, welche Bedeutung die philosophische Verfremdung nach Platons eigener Intention, nach der Grundkonzeption seiner Spätphilosophie, wohl hat. Und so abgegrenzt ist die Frage gar nicht schwierig zu beantworten:

Die mit dem „Sophistes" einsetzende platonische Verfremdung bedeutet den Versuch, die Seele in den Lichtbereich der reinen εἴδη *außerhalb der „Höhle" hinaus zu versetzen* (vgl. „Sophistes" 254A).

Die Höhle war für Platon unmittelbar das alltägliche Leben und Treiben auf der athenischen Agora. Hier hat er zunächst Sokrates und die Sophisten im schönsten Zusammenspiel angetroffen, und er hat sich, von seiner eigenen Grundvision geleitet, in Gedanken von ihnen allen distanziert. Das bedeutet aber nicht, daß er sie alle unnuanciert gesehen und behandelt hätte. Was die Sophisten betrifft, so hat er zwei Grundtypen zu unterscheiden gelernt, den unphilosophischen eines Dionysodoros, und den philosophischen eines Protagoras, von denen jener dem Schattenspiel völlig anheimgegeben war, dieser das Spiel zu regulieren und irgendwie sinnvoll zu gestalten versuchte. Und was Sokrates angeht, so hat eben Platon gesehen, wie ihm der Sophist ähnelte, κυνὶ λύκος, „wie dem Hunde der Wolf, dem zahmsten Tier das wildeste" („Sophistes" 231A). Sokrates hatte nicht nur – in Platons Augen – die alles verdunkelnde Unlogik eines Dionysodoros prinzipiell durchschaut; er hatte sich auch von der die Seele an die Schatten binden wollenden Halb-Logik eines Protagoras befreit. Sokrates wies Platon den Weg hinauf, wirkte als δαίμων der Be-

---

[1] Vgl. Lit.-Verz. Nr. 6, B. I, S. 4.

2. Etappe: Synkrisis. A. Sophistes

freiung. Außerdem schärfte er durch sein gerechtes Leben und sein heroisches Sterben den Platon eingeborenen Sinn für das Vorhandensein eines unbedingten Grundes, wie er ihm auch volle Klarheit darüber verschaffte, daß er dem Denken prinzipiell unzugänglich ist. *Daß* es eine Welt der idealen Bezüge „draußen" gebe, und daß diese Welt in einer einzigen, an sich unergründlichen ἀρχή gründe, wurde Platon durch seine Begegnung mit Sokrates eine unumgängliche Tatsache. Darum ließ er seine Diotima an einer entscheidenden Stelle des Eros-Gelages zu ihm sagen: ταῦτα μὲν οὖν τὰ ἐρωτικὰ ἴσως, ὦ Σώκρατες, κἂν σὺ μυηθείης· („Symposion" 209E).

Aber zur Untersuchung des Gefüges der idealen Welt, *was* sie sei, und zur Betrachtung der tatsächlichen Unergründbarkeit der ἀρχή, *worin* sie bestehe, gab Sokrates keinen direkten Antrieb; ja die Möglichkeit einer, wie wir im Sinne Platons sagen wollen, philosophischen „Lichtwanderung" im Bereich der Ideen wurde offenkundig von Sokrates prinzipiell abgelehnt (vgl. seine berühmte Auseinandersetzung mit den vorsokratischen Philosophen, bes. Anaxagoras im „Phaidon" 96Aff.). Darum ließ Platon Diotima ihre Anrede an Sokrates in dieser Weise fortsetzen: τὰ δὲ τέλεα καὶ ἐποπτικά, ὧν ἕνεκα καὶ ταῦτα ἔστιν …, οὐκ οἶδ' εἰ οἷος τ' ἂν εἴης.

Und eben diese dem Sokrates „fremd" bleibende Lichtwanderung der reinen dialektischen Philosophie ist das, was in Platons Schriften jetzt endlich bevorsteht. Durch die Untersuchung des ὄνομα im „Kratylos" geschah der Aufbruch aus der trüben Atmosphäre der Unlogik, durch die Untersuchung der ἐπιστήμη nur als „Kenntnis" im „Theaitetos" geschah der Aufstieg über die Halblogik hinaus bis zur Öffnung der Höhle, dies alles, wie Früheres schon immer, von Sokrates geleitet, obwohl zum Schluß nur von einem Sokrates, der im Rahmen eines Buches sprach. Jetzt, im „Sophistes", zerreißt der sokratische Schleier. Wir treten aus dem Buch der Erinnerung und des Porträts, aus dem, was einmal „war", in die freie Luft des Jetzt eines συμφιλοσοφεῖν. Die Geborgenheit der Seele beim sinnlich-persönlichen Vorbild muß gestört, ihr Zuhausesein in der verschönerten Sprache der literarischen Welt gebrochen werden, damit sie „die Anstrengung des Begriffs" (Hegel) auf sich nehme und sich die zunächst fremd wirkende Welt reinen Denkens zu eigen mache.

Erlauben Sie mir, bevor wir zur eigentlichen Arbeit zurückkehren, noch eine allgemeine Bemerkung zur Erhellung dieser platonischen Zäsur. Wir haben früher Platon mit Goethe verglichen. Diese beiden großen Köpfe haben wir so verstanden, daß sie sich ein Leben lang, je in ihrer Weise, um das Offenbarmachen und Zueigenmachen einer ihnen gegebenen Vision bemühten. Jetzt soll dieser Vergleich ein wenig schärfer gefaßt werden.

Der große Einschnitt in der goetheschen Vision ist, wenn man von ihrer endgültigen Gestaltung in dem Werk „Faust I–II" ausgeht, zwischen den beiden Teilen dieses Werkes zu lokalisieren. Bis dorthin: sinnliche Dramatisierung lebendiger, liebevoll-hassender, denkend-leichtsinniger Menschen der „kleinen

Welt", ὅμοιοι ἡμῖν; von dort ab: sinnbildliche Gestaltung von Urbildern (Platon würde hier „Ideen" gesagt haben) der „großen Welt" (Platon: des „Seins"), die mit der Darstellung dreier Existenz-Typen, oder vielleicht besser: Seins-Weisen, anfängt: Mephistos, des Kaisers und Fausts („Faust" II, 1, 1). Wer sind diese drei, anders als die drei platonischen Urtypen, die uns jetzt am Anfang des „Sophistes" begegnen und das Dreierthema der restlichen Dialoge des *Wegs hinauf* bilden sollen: der Sophist, der Staatsmann und der Philosoph? Der Sophist ist der platonische Mephisto wie Mephisto der goethesche Sophist; der Staatsmann ist der platonische Kaiser wie der Kaiser der goethesche Staatsmann; der Philosoph ist der platonische Faust wie Faust der goethesche Wahrheitssucher und Wahrheitsgestalter, d. h. der goethesche Philosoph. Keine sokratische Frage nach einem Begriff, sei es dem der ἀρετή, dem des ὄνομα, dem der ἐπιστήμη oder ähnliches, sondern eine platonische Frage nach einem Typus, einer Gestalt, und zwar der Dreigestalt des σοφιστής, πολιτικός, φιλόσοφος („Sophistes" 217A3) bildet die ὁρμή, den Antrieb für die Lichtwanderung der platonischen Dialektik.

Wir beginnen auch unsere Darstellung des „Sophistes" mit einem Strukturüberblick.

Der Dialog hat äußerlich gesehen drei Teile.

Teil I (218B–236D) fragt nach dem Wesen des Sophisten und gliedert sich in zwei Abteilungen. Abteilung A (221C–231B) eruiert methodisch – an Hand eines Beispiels: des Angelfischers (218B–221C) – verschiedene Bedeutungen des Begriffs „Sophist", besonders verschiedene Arten und Klassen der Sophistik, die je eine Begriffsprägung erhalten. Abteilung B (231B–236D) stellt die Frage nach der zugrundeliegenden Identität dieses Verschiedenartigen, nach dem ἕν der πολλά, d. h. die Wesensfrage, und eine vorläufige Antwort wird gegeben.

Teil II (236D–264D) bildet den Omphalos des Dialogs. Durch die in der Abteilung I B vorläufig gegebene Antwort auf die Wesensfrage nach dem Sophisten angeregt, fragt dieser Teil nach dem Begriff μὴ ὄν, wie ihm, welcher dem Denken sinnlos erscheint, Sinn zugeschrieben werden kann. Die Frage erzwingt auch eine Untersuchung des konträren Begriffs ὄν. Die ganze Untersuchung von ὄν und μὴ ὄν gliedert sich wiederum in zwei Abteilungen. Zuerst (Abt. A: 236D–250E) werden die Begriffe μὴ ὄν und ὄν, je für sich absolut (χωρίς) betrachtet, und zwar zunächst das μὴ ὄν (237A–239C), darauf das ὄν (241D–250E); danach (Abt. B: 250E–264D) werden sie in ihrer Gemeinsamkeit (κοινωνία vgl. λόγος ἀμφοῖν ἅμα 251A) aufeinander bezogen – und zwar zunächst durch Untersuchung der κοινωνία τῶν γενῶν (1. Unterabt. 254A–259C – hier wird die berühmte platonische Lehre von τὰ μέγιστα γένη vorgetragen), darauf durch Untersuchung der συμπλοκὴ τῶν εἰδῶν im λόγος (2. Unterabt. 259E–264D), dies letztere hinsichtlich der uns jetzt geläufig gewordenen Frage nach der Möglichkeit der Falschheit und des Irrtums.

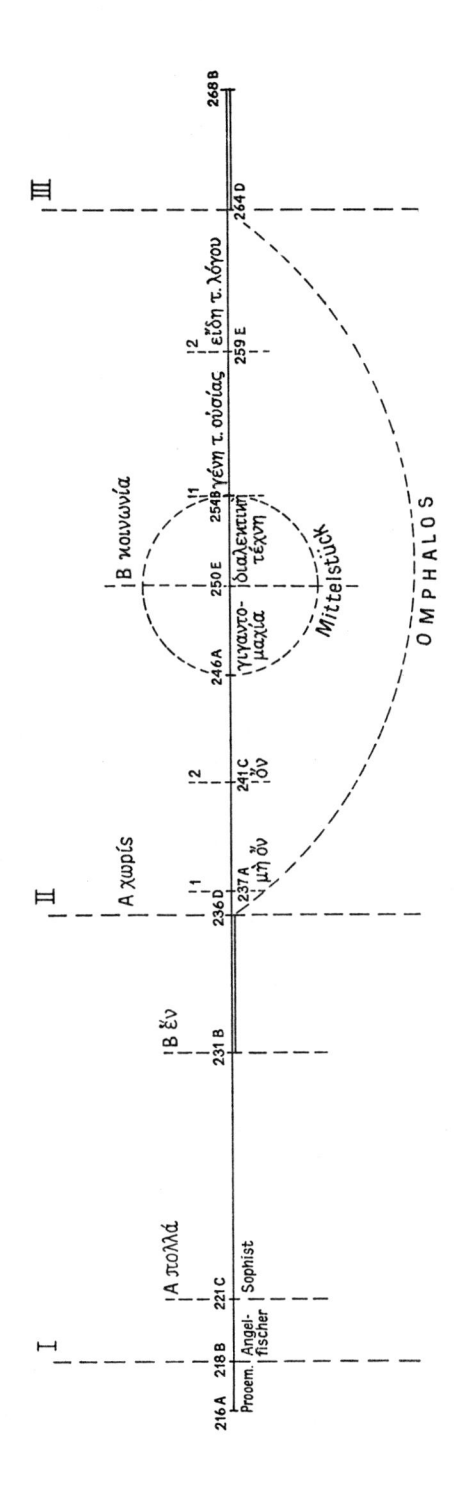

SOPHISTES

Teil III, ganz kurz (264B–268D), gibt, auf Grund der fundamentalen Untersuchung im Omphalos des Teils II, der im Teil I, besonders in I B, gestellten Frage nach dem Wesen des Sophisten ihre endgültige Antwort.

So weit ist die Struktur des Dialogs als klar, aber nicht als „schön" zu bezeichnen. Teil III ist zu unscheinbar, um den ganzen Teil I aufzuwiegen, wie es im „Kratylos" so ausgeprägt der Fall war; auch ist eine knapp umgrenzte „Mitte" des Dialogs, wie sie sich im „Theaitetos" durch die „Episode" so eindrucksvoll herausstellte, im „Sophistes", wenn man sich den Dialog als Ganzes vorstellt, nicht unmittelbar ersichtlich und aufweisbar. Sollte der „Sophistes", dieses so hochgepriesene und tiefdringende Werk, von Platon ohne proportionierte Harmonie komponiert worden sein? – Wir betrachten nochmals den dargelegten Strukturüberblick an Hand einer vorläufigen, schematischen Figur. Dann geht uns plötzlich das Licht auf: Die *eigentliche* Untersuchung des Dialogs, das Hauptgespräch, fängt mit der Abteilung I B an, nämlich mit der Wesensfrage nach dem ἕν des Sophisten! Alles was vorausgeht, die Darstellung des Angelfischers wie die Analyse der vielen verschiedenen γένη der Sophistik, ist nur als Vorbereitung, ein Vorgespräch für das anzusetzen, was an dieser entscheidenden Stelle geschieht. Hier erst wird die Frage gestellt, was der Sophist „in Wahrheit" (ὡς ἀληθῆ 231C1), d. h. was er nicht seinen verschiedenen Erscheinungsweisen, sondern seiner Idee nach sei. Dadurch wird der „Sophistes" zu einem Idee-Dialog, erhebt sich das Gespräch zu einer Lichtwanderung der dialektischen Philosophie.

So gesehen, erhält auch dieser Dialog die Schönheit eines klassischen Bauwerks. Erstens wiegt jetzt der Teil III genau die ihm gegenüberstehende Abteilung I B auf (vgl. das endgültige Strukturschema oben). Zweitens wird dann der Mittelpunkt des Omphalos auch zum Mittelpunkt der gesamten Hauptuntersuchung, und dieser ist – nach der Stephanus-Paginierung – ungefähr bei S. 250E zu lokalisieren, d. h. genau dort, wo die Frage nach der κοινωνία und mit ihr Abteilung II B einsetzt. Nun haben wir gesehen, daß die Untersuchung erst in 254B weiterläuft; etwa vier Stephanus-Seiten „rechts" von der Mitte werden dazu verwendet, den Begriff des Philosophen und der διαλεκτικὴ ἐπιστήμη zu erörtern. Also setzen wir den Zirkel in 250E an und messen etwa vier Stephanus-Seiten „links" ab – ich bitte Sie, auch so muß man Platon lesen: mit Zirkel und Lineal, denn alles was er tut, ist im besten griechischen Sinne Architektur; dann stoßen wir in 246A auf den Anfang der γιγαντομαχία περὶ τῆς οὐσίας! Die Mitte des Omphalos wie auch des Hauptgespräches im Dialog „Sophistes" dürfte also im Abschnitt 246A – 254B liegen, wo teils die γιγαντομαχία der Vorsokratiker an den Tag gebracht (die etwa vier Seiten „links") und teils die Aufgabe der platonischen διαλεκτικὴ τέχνη klargemacht wird (die vier Seiten „rechts"). Diese fast rein mechanisch gewonnene Einsicht in die innere Struktur des Dialogs wird durch die Resultate einer unvoreingenommenen Inhaltsanalyse gestützt (wenn nicht, wäre sie ohne Wert). Denn

sowohl der Form wie dem Inhalt nach ist wohl die Hauptfrage für den Interpreten dieses Dialogs folgende:
In welcher Weise soll die von Platon selber dargebotene Dialektik die in der Gigantomachie der vorsokratischen Seinsdenker unbewältigten Probleme bewältigen? Noch kürzer gefaßt: *Was geschieht eigentlich mit der Forderung eines* λόγος ἀμφοῖν ἅμα *in der Mittelpunkt-Zeile 251A3?* Die Antwort auf diese Frage bildet das Hauptziel unserer jetzt anzufangenden inhaltlichen Interpretation.

Die Erörterung soll sich auf drei Gebiete beschränken: auf das Problem der Methode am Anfang des Vorgesprächs, auf das der Einheit der Idee am Anfang des Hauptgesprächs, und auf das Problem der γιγαντομαχία und der κοινωνία im Mittelstück des Omphalos. Die Erörterung des ersten Problems soll die Rückbeziehung des „Sophistes" auf den „Theaitetos" verdeutlichen, die des zweiten zur Beleuchtung der Stufenfolge des Logos innerhalb des „Sophistes' selber dienen und die des dritten Problems die Beziehung dieses Dialogs auf den später folgenden Philosophen-Dialog „Parmenides" herausstellen. – Ein Problem aus dem „Sophistes", das in der neueren (angelsächsischen) Forschung besonders eingehend erörtert worden ist, nämlich das des λόγος als der συμπλοκὴ τῶν εἰδῶν mit der dazugehörigen Frage nach der Möglichkeit sinnvollen Irrtums („Sophistes" 259Eff.), läßt sich bei dieser Gelegenheit nicht eigens berücksichtigen.

1. Das Methodische als solches und die diairetische Methode („Sophistes" 218Aff.)

(11. Stunde)

Wie wir gesehen haben, hatte das Gespräch im „Theaitetos" die untersten Stadien des Erkenntnisvorgangs, das der bloßen Sinneswahrnehmung (αἴσθησις) und das der Anschauung und der beurteilenden Vorstellung (δόξα) herausgearbeitet, und es war auch, nachdem die κοινὰ γένη des reinen Verstandesdenkens, der διάνοια, herausgestellt worden waren, bis zur Frage nach der Eigenart des λόγος vorgedrungen, blieb aber dort stehen, und warum? Weil das Konstruktiv-Methodische, das aus analytischen Elementar-Kenntnissen bzw. aus intuitiven Kenntnissen spezifischer Kennzeichen *Wissenschaft* machen kann, außerhalb des Problemhorizonts der Gesprächsführung lag.

Eben hier fängt das Vorgespräch im „Sophistes" an (218ff.). Als der Fremdling aus Elea nach dem τί ἐστι des Sophisten gefragt wird, gibt er nicht sofort eine Antwort, sondern demonstriert eine Methode, *mit deren Hilfe* eine wissenschaftlich gesicherte Antwort erst errungen werden kann. Wir kennen schon, sagt er, den Namen, das ὄνομα, des Sophisten, wollen aber gerne seinen λόγος kennenlernen. Dazu brauchen wir eine μέθοδος, eine Weise systematischen Vorgehens (vgl. 218Cff., bes. D5). Der Fremde setzt sogar μέθοδος mit λόγος gleich (219A1). Deutlicher kann – wenn man die indirekte Mitteilungsweise der platonischen Gespräche immer vor Augen hat – der thematische Anschluß an das Schlußstück des „Theaitetos" nicht gemacht werden. Wie der Hauptschnitt im „Theaitetos" mitten zwischen zwei Nuancen der Doxa, setzt der zwischen den Dialogen „Theaitetos" und „Sophistes" mitten zwischen zwei Bedeutungen des Logos an: als analytisch-intuitivem und als konstruktiv-methodischem Denkverfahren. Dieses ist es, was nach Platon Sokrates dem Logos nicht zutraut. Das spezifisch sokratische Verfahren wird später im vorliegenden Gespräch, genau dort, wo das Vorgespräch endet und in das Hauptgespräch übergeht, als ein (nur) *diakritisches* Verfahren gekennzeichnet (226 Bff. bes. C8). Sokrates und die Sophisten haben für Platon gemeinsam, strenge Wissenschaft nicht wahrhaben zu wollen. Sonst ähneln sie sich nur, wie gesagt, κυνὶ λύκος.

Daran müssen wir festhalten: Das Methodische als solches ist das Novum, das nach Platon den λόγος begründet und dadurch die Kenntnis einer Sache zur Erkenntnis umformen kann. Im Verhältnis dazu ist die Frage: „Welche Methode?", obwohl wichtig, doch nebensächlich. Der Fremde demonstriert eine diairetische, „trennende" Methode, die in Dichotomien, Zweiteilungen besteht, und diese ist gewiß für Platon fundamental (vgl. z. B. „Sophistes" 253D1ff.). Wir werden sie im „Politikos" wiederfinden, und die dichotomische eleatische Übungsmethode, die im dialektischen Teil des „Parmenides" angewendet wird, hat mit ihr große Ähnlichkeit. Aber durch die vielen ebensogewiß teilweise spaßhaft eingeteilten Gruppen, die bei mechanischer Anwendung dieser Methode hier im „Sophistes" und später im „Politikos" entstehen, will Platon uns davor warnen, wie es scheint, eine Fundamental-Methode zugleich als Universal-Methode zu gebrauchen. Auch schlägt er im „Politikos", wie später im „Phaidros", andere Einteilungsprinzipien als das der Zweiteilung vor, z. B. das κατὰ μέλη („Politikos" 287C).

Hier nur einige Kennzeichen der so berühmten wie berüchtigten Diairesis-Methode, wie man sie hauptsächlich aus der platonischen Anwendung abstrahieren kann:

Der Ausgangspunkt ist, daß man schon im voraus eine wahre Doxa dessen hat, was methodisch untersucht werden soll (vgl. „Politikos" 278D8–E2). Man muß wissen, worüber man spricht – sei dies ein Angelfischer oder ein Sophist. Die „untere" Weise der ἐπιστήμη, die Kenntnis, die im „Theaitetos" untersucht wurde, wird mithin durch die jetzt bevorstehende „höhere" Weise, die Erkenntnis nicht als belanglos zur Seite geschoben, sondern als schon gegebene vorausgesetzt.

Die Aufgabe besteht darin, von dieser Voraussetzung methodische Rechenschaft abzulegen. Dadurch soll die Kenntnis zu Erkenntnis erhöht werden. Folgende Schritte sind dazu erforderlich:

a) Eine obere Art (γένος) muß intuiert werden, zu welcher der Einzelfall gehört, der zu untersuchen ist (*wie* hoch oben, ist von dem jeweiligen Fragehorizont aus zu bestimmen). Zum Beispiel wird die obere Art der fraglichen Angelfischerei – wie später auch die der Sophistik – als die der τέχνη bestimmt.

b) Zwischen der intuierten oberen Art und dem gegebenen Einzelfall müssen dann die natürlichen *Zwischenglieder* herausgestellt werden.

c) Dieses Herausstellen der Zwischenglieder fängt „von oben" an und geht systematisch fort durch Zweiteilung, wobei der gegebene und uns schon bekannte Einzelfall zu einer und nur einer der dadurch entstandenen Unterarten gehören muß.

d) Jede Unterart, auch diejenige, unter die der gesuchte Einzelfall nicht fällt, muß gestaltet, d. h. ein εἶδος sein (vgl. „Politikos" 262AB). Kontradiktorische Gegensätze sind somit nicht erlaubt (z. B. Wassertiere im Gegensatz zu Nicht-Wassertieren), nur konträre Gegensätze (z. B. Wassertiere im Gegensatz zu Landtieren).

e) In dieser Weise wird zum Schluß ein ἄτομον εἶδος erreicht, d. h. eine Art, die in Beziehung auf den gegebenen Einzelfall keine Zweiteilung mehr zuläßt. Und diese Art ist dann das εἶδος des gesuchten Falles[1].

Als Ergebnis dieser Methode soll folgendes hervorgehoben werden:

Das aufgezeigte ἄτομον εἶδος wird nicht isoliert, sondern *wechselseitig* mit einem Gegenbegriff erfaßt. Gleichzeitig mit dem Fall selber wird auch ein konträrer Gegenfall (ἕτερον) herausgestellt. Der Angelfischer ist so und so und dies Andere eben nicht. Der Fall und sein Gegenfall, was der Fall eben *nicht* ist, werden nämlich als Zwei-in-einem gefaßt, wobei das Eine, „in" dem sie gefaßt werden, wiederum nur wechselseitig mit einem Gegenbegriff gefaßt werden kann ... bis zum „oberen" Genos hin.

So wird auch, wie wir bald sehen werden, die ganze Untersuchung von μὴ ὄν und ὄν im Omphalos des „Sophistes" in der Herausarbeitung eines ἕτερον-Prinzips gipfeln.

2. Das ἕν der Idee (231Bff.)

Nachdem der Fremde an dem Paradigma vom Angelfischer mehrere verschiedene Begriffsdefinitionen vom Sophisten gegeben hat (der als ein intellektueller Menschenjäger, ein Wortstreiter, ein Mann, der Tugend verkauft und ähnliches bestimmt wird), will Theaitetos wissen, was der Sophist in Wahrheit (ὡς ἀληθῆ) und in Wirklichkeit (ὄντως) sei (231C1, vgl. 268D3–4), und er stellt damit eine Frage, die für den Fremden auf dasselbe hinausläuft wie, nach seinem ἕν zu fragen (232AB). Um dieses ἕν ausfindig zu machen, überblickt der

---

[1] Zur Exemplifizierung der Methode betrachte man z. B. das Schema ad loc. von *C. Ritter* (Lit.-Verz. Nr. 31b).

Fremde nicht aufs neue Einzelfälle der Sophistik, sondern die eben ausgearbeiteten Begriffs-Definitionen (231 C – E), in denen er *ein* gemeinsames Kennzeichen findet, die ἀντιλογική oder Widerspruchskunst (232B). Der Sophist ist also seinem Wesen nach ein Widerspruchskünstler, und zwar auf allen Gebieten des Seienden. Das ist ein Charakteristikum, dessen Ausarbeitung dazu führt, daß er, ein πάνσοφος, als μιμητής τῶν ὄντων (235A1), als ein „Nachahmer des Seienden" gekennzeichnet wird. Damit diese nur formal erreichte Erkenntnis zur γνῶσις erhoben werde (236D5), werden dann das μὴ ὄν und das ψεῦδος zum Thema gemacht (236E ff., bes. 237A3–4). Der Omphalos des Teils II setzt ein – worauf die endgültige Ausarbeitung des εἶδος, d. h. jetzt erst: der „Idee" des Sophisten, im Teil III folgen kann.

Bei der Untersuchung des oberen rechten Teils der gespaltenen Linie im Liniengleichnis haben wir uns schon eine Vormeinung vom Verhältnis Idee-Begriff bei Platon bilden können. Der platonische Name für beide war, haben wir gesehen, εἶδος; aber sie unterschieden sich sachlich dadurch voneinander, daß die Idee, als Objekt der νόησις, mit Grund (μετὰ ἀρχῆς), der Begriff aber, als Objekt der διάνοια, ohne Grund gedacht werden sollte. Den Begriff haben wir dementsprechend als eine der Zahl zugeordnete Größe, nämlich als den Inbegriff der allgemeinen Wissenschaftlichkeit gefaßt: Er hat die mittlere Stufe der μαθηματικά bei Platon inne. Die Idee aber gehört bei Platon ausschließlich der Philosophie an (platonisch denkend würden wir heute sagen können, daß sie wohl auch der Dogmatik der Theologie angehört), den Wissenschaften nur insoweit, als sie an der Philosophie teilhaben. – Und diese nur in der Sprache eines Gleichnisses fundierte Meinung kann nach unserer Interpretation von Platons *Anwendung* der Trennung Begriff-Idee im „Sophistes" in folgender Weise präzisiert und erhärtet werden:

Der *Begriff*, als Objekt der διάνοια, bildet eine Einheit in der Mannigfaltigkeit der sinnlich anschaubaren Dinge. Es lassen sich von einer Gruppe von Dingen *mehrere* einheitschaffende Begriffe bilden, je nach welchem „oberen Genos" – wir würden sagen: in welchem Bezugssystem – die Dinge angeschaut werden. – Die *Idee*, als Objekt der νόησις, bildet eine Einheit in der Mannigfaltigkeit der Begriffe. Es soll eine – und nur eine – Idee dieser Mannigfaltigkeit geben. Dies heißt, daß die Idee nicht nur an Hand eines „oberen", sondern eines „obersten" Genos gedacht werden muß. In der Idee werden die Begriffe und in den Idee-fixierten Begriffen die Dinge auf ein „Unbedingtes" bezogen, d. h. μετὰ ἀρχῆς gesehen.

Das die Idee bedingende Bezogensein auf die ἀρχή ist der neue Problemaspekt der spätplatonischen Philosophie, der mit dem Hauptgespräch des „Sophistes" einsetzt. Dadurch erhebt sich in diesem Dialog der Logos der Darstellung von einer, wenn auch systematisch-methodischen, so doch nur dianoetisch fundierten Spaltung von Begriffen (Vorgespräch) zu einer, obwohl nicht mehr streng methodischen, so doch noetisch fundierten Anschauung von Ideen

(Hauptgespräch). Dank der vertieften Übung methodischen Denkens im „Politikos" folgt dann endlich, als krönendes Ereignis, *das methodische noetische Verfahren reiner Dialektik* im „Parmenides".

3. Die Gigantomachie und die Koinonie (246A–254B)

a) Die engere Gigantomachie-Stelle (246A4–249D8) gehört zu den gehaltvollsten und auch meistinterpretierten Stellen des platonischen Schriftwerks (man schlage nur in Cherniss' Forschungsbericht im Lustrum 4, 1960, S. 185 nach!). Wir können bei dieser Gelegenheit nicht auf Einzelheiten eingehen, wollen aber nicht versäumen, über unsere prinzipielle Auffassung der Stelle Rechenschaft abzulegen.

Platon stellt zwei Urtypen der Philosophie, den des Materialisten und den des Idealisten, gegeneinander – den einen mit der Auffassung, daß nur Materie und Bewegung (κίνησις), den anderen mit der, daß nur immaterielle Ideen und Ruhe (στάσις) die wahre Wirklichkeit ausmachen. In diesem Kampf entscheidet sich Platon bemerkenswerter Weise *nicht* für die Seite des Idealisten. Er meint offensichtlich, daß beide nur Partial-Wahrheiten ausdrücken, und sucht daher nach etwas, was sie gemeinsam haben. Dieses Gemeinsame ist das Seiende als solches, τὸ ὄν. Sowohl der sinnliche wie der ideale Bereich *sind*, d. h. haben teil am Sein.

Nun gibt der Fremde, und das scheint das Entscheidende zu sein, dem gemeinsamen „Seienden" eine Grund-Bestimmung: τίθεμαι γὰρ ὅρον ὁρίζειν τὰ ὄντα ὡς ἔστιν οὐκ ἄλλο τι πλὴν δύναμις („Ich setze nämlich als Grenze fest, um das Seiende zu bestimmen, daß es nichts anderes ist als Vermögen, Kraft;" 247E). Von dieser Bestimmung des Seins des Seienden als δύναμις aus kann er dann gegen die Materialisten argumentieren, daß sie doch auch das Sein des Geistigen als einer wirkenden Kraft, und gegen die Idealisten, daß sie doch das Bewegtsein (κίνησις) des Geistigen, der Kraft nämlich, anerkennen müssen. Bewegtheit, κίνησις, ist eine „höchste Art", ein μέγιστον γένος (254C3), die alles, was ist, materielles wie auch ideelles Seiendes, durchwaltet und bestimmt.

Die für das gewöhnliche Platonbild erstaunliche Konsequenz der δύναμις-Definition des Seienden ist also, daß auch den Ideen eine Art der Bewegtheit zuzuschreiben ist. Auch uns muß es in Erstaunen setzen, die wir den Weg vom „Kratylos" durch den „Theaitetos" bis hierher gegangen sind. Während dieser Wanderung war uns immer Heraklit mit seiner Lehre von der Bewegtheit des Seienden als solchen der große Widersacher Platons. Jetzt, mit dem Fremden aus Elea, sollte endlich Parmenides mit seiner στάσις-Lehre zu seinem Recht kommen – worauf uns eben eine fundamentale κίνησις-Lehre vorgelegt wird! Wie läßt sich das verstehen?

Nun, es gibt Interpreten die eben dieses nicht verstehen wollen. Sie verschließen sich dem, was da steht, und räsonnieren ungefähr so: Platon ist ein großer

Philosoph; ein großer Philosoph spricht sinnvoll; von einer Bewegtheit der Ideen zu reden, ist sinnlos; also gibt es keine solche Lehre bei Platon. Wir verallgemeinern wohl kaum allzu sehr, wenn wir behaupten, daß diese Reaktion auf die fragliche Stelle besonders den Interpreten der angelsächsischen Tradition naheliegt.

Die der deutschen sind hier in freierer Lage. Durch die Erfahrung des dialektischen Denkens, die im deutschen Idealismus besonders von Fichte und Hegel gemacht wurde, steht ihnen die Möglichkeit offen, sinnvoll von einer Bewegtheit der Objekte des Denkens zu reden. In solchem Sinne kann man auch folgende berühmte Aussage Platons an dieser Stelle deuten: „daß, wenn das Erkennen ein Tun ist, notwendig folgt, daß das Erkannte leidet, daß also nach dieser Erklärung das Sein, welches von der Erkenntnis erkannt wird, inwiefern erkannt, insofern auch bewegt wird vermöge des Leidens (καθ' ὅσον γιγνώσκεται, κατὰ τοσοῦτον κινεῖσθαι διὰ τὸ πάσχειν), welches doch, wie wir sagen, dem Ruhenden nicht begegnen kann." (248DE).

Wir schließen uns hier – übrigens auch unter Hinweis auf Plotin I 3, „Über die Dialektik" – der dialektischen Tradition der deutschen Philosophie an. Nicht so, daß wir Platon zu einem idealistischen Philosophen im Sinne etwa Hegels zu machen wünschten – im Gegenteil: die platonische Dialektik scheint uns das große Gegenstück zur hegelschen Dialektik zu bilden. Man sollte nicht ganz aus dem Auge verlieren, daß der heutige Marxismus Hegel erforscht und hochschätzt, von Platon aber kaum ein Wort verarbeiten kann. Doch Platon und die deutschen Idealisten haben wohl eine Dimension oder besser: eine Erfahrung des Denkens gemeinsam, die sie miteinander vergleichbar und gegeneinander ausspielbar macht. Mehr darüber in Verbindung mit dem „Parmenides".

So wird auch von Platon selbst das sich uns stellende „Heraklit"-Problem dialektisch gelöst (249 B 8ff.). Nous, Geist, impliziert, als δύναμις, Bewegtheit (κίνησις). Zugleich impliziert aber Nous auch Stillstand, στάσις. Denn ohne στάσις keine Identität (ταὐτόν), und ohne Identität keine – wie wir auch schon im „Theaitetos" gehört haben (ob. S. 54ff.) – geistige Tätigkeit im strengen, wissenschaftlichen Sinne des Wortes. Der Fehler Heraklits ist nach Platon also nicht, daß er κίνησις als eine grundsätzliche Bestimmung des Seienden gebrauchte, sondern daß er sie als *die* Bestimmung betrachtete, die andere Bestimmungen, besonders die des konträren Gegensatzes, στάσις, ausschließt. Nein, κίνησις und στάσις sind *zugleich* da – wie Proklos später einmal sagt: „Der Geist ruht in Bewegung."

Bedingung dieser dialektischen Denkweise dürfte die Aufhebung des logischen Prinzips des „Tertium non datur" sein, nicht aber die der Prinzipien des Widerspruchs und der Identität – mehr darüber später.

Durch den Hinweis auf die Dimension einer Vernunft-Dialektik bei Platon etwa in deutschem Sinne des Wortes, wie er oben angedeutet wurde, sind aber nicht alle Schwierigkeiten der vorliegenden Textstelle beseitigt. Denn Platon geht offenbar einen Schritt weiter in seiner Bestimmung der Bewegtheit der Ideen. Dem „vollendet Seienden" (τὸ παντελῶς ὄν) kommt demnach nicht nur die passive Dynamis des Erkanntwerdens, sondern auch die aktive Dynamis des Geistes, des Lebens und der Seele (νοῦς, ζωή, ψυχή; 249A) zu. – In welchem Verhältnis steht hier der Begriff „das vollendet Seiende" zum Begriff der „Idee"? Verschiedene Versuche der Kombination sind von Platon-Interpreten vorgenommen worden, ohne daß man sagen kann, eine Erklärung habe sich durchgesetzt. Wir möchten persönlich – unter Berufung auf die allumfassende Theorie der Ideenfreunde (vgl. 246B8) – eine Identifikation zwischen ihnen in dem Sinne ansetzen, daß nichts dem einen zuerkannt werden kann, was nicht auch zugleich dem anderen zuerkannt werden muß. Dann folgt, daß die Ideen geistige Lebewesen seien („Ihr naht euch wieder, *schwankende Gestalten ...*"). Zu dieser Möglichkeit einer Geisterwelt der Ideen bei Platon verhalte ich mich aber wie ein analytischer Philosoph zur Möglichkeit einer Vernunft-Dialektik: Ich verschließe mich ihr. Zwar glaubt Platon an die Existenz geistiger Wesen; dafür werden später Dialoge des „Wegs hinab" wie der „Timaios" und die „Nomoi" hinreichende Belege liefern. Aber dafür, daß die *Ideen* solche geistigen Wesen wären, spräche wohl, wenn überhaupt, nur diese einzige Stelle, weshalb wir uns erlauben, sie, unter Berufung auf Augustinus' „nescio, quod nescio", als interpretatorische *crux* bestehen zu lassen.[1]

(12. Stunde)

Bisher haben wir die Verbindung des „Sophistes" mit dem „Theaitetos" durch das Verlangen nach einem auf der ἀληθὴς δόξα basierenden methodischen Verfahren des Logos eingesehen (1), die zwei Hauptstufen der Entwicklung seines eigenen Logos als die der διάνοια, der Begrifflichkeit (Vorgespräch) und die der νόησις, der Idealität (Hauptgespräch) kennengelernt (2), wir haben bei Betrachtung der „Gigantomachie" im Mittelstück auch die Lehre von einer Bewegtheit der Ideen zur Kenntnis genommen (3a), welche die Dialektik des „Parmenides" vorbereitet.

Was uns jetzt noch übrig bleibt, ist die Erörterung der Hauptfrage nach dem λόγος ἀμφοῖν ἅμα (250Eff.), d. h. nach der Koinonie.

b) Soeben lernten wir die Verflechtung eines idealen Gegensatzpaares: κίνησις-στάσις, kennen, und man hätte glauben können, es sei schon ein Beispiel dessen, was uns durch den λόγος ἀμφοῖν ἅμα erklärt werden soll. Das ist

---

[1] Kürzlich (1968) hat sich mein verehrter ehem. Lehrer *H. Gundert*, Freiburg/Br. zur Stelle geäußert (vgl. Lit.-Verz. Nr. 15b, S. 432). Er sucht andere Weisen der Kombination als die der Identifikation offenzuhalten, stellt aber grundsätzlich fest: „Was so unvermittelt und unerläutert in die Erörterung hineinragt, will Rätsel bleiben."

I. Der Weg hinauf

aber nicht der Fall. Der erwünschte λόγος betrifft ein ganz besonderes Gegensatzpaar, nämlich μὴ ὄν-ὄν. Die Frage nach der möglichen Verflechtung *dieses* Paares ist, wie sich zeigen wird, grundsätzlicher als die nach der Verflechtung irgendeines anderen. Das Grundsätzliche dieses Gegensatzes kommt schon darin zum Ausdruck, daß das Glied μὴ ὄν keinen eigenen Namen und auch kein eigenes εἶδος besitzt, sondern nur durch die Negation (μή) seine Gegensätzlichkeit ausdrückt.

Nun hat die bisherige Erörterung im Dialog zwei Aporien bezüglich μὴ ὄν bzw. ὄν gezeigt. α) Das μὴ ὄν ist an sich dem Denken und dem Aussagen völlig unzugänglich (237B7ff.). Es ist, heißt es, ἀδιανόητόν τε καὶ ἄρρητον καὶ ἄφθεγκτον καὶ ἄλογον (238C10), ja jeglicher Satz darüber, auch etwa „Das μὴ ὄν ist unsagbar", ist unsagbar (238E). Auch ein Name wie τὸ μηδαμῶς ὄν, das Gar-Nichts, bleibt ihm, streng genommen, versagt. β) Das ὄν seinerseits steht „höher" als jedes sonstige γένος des Denkens und des Seins. Alles, was ist, hat teil an ihm, es selbst aber nicht an irgend etwas anderem. Zwar kann das Sein *des Seienden* (τὰ ὄντα) als δύναμις angesetzt, zwar kann und muß dementsprechend allem was ist, Ruhe und Bewegung zuerkannt werden. Aber „vermöge seiner eigenen Natur wird das Sein weder ruhen noch sich bewegen" (250C6). Das Sein bekundet mithin, „außerhalb" (ἐκτὸς D2) der höchsten γένη des Seienden zu sein. Eine grundsätzliche Differenz (ἕτερόν τι C4) hat sich zwischen dem Seienden im Ganzen und dem Sein offenbart; wir würden sie heute die „ontologische" nennen. Und das erscheint dem immer vergleichenden, an den γένη des Seienden orientierten Denken als höchste Unmöglichkeit (ἀδυνατώτατον D4), weil es, selbst über diese Differenz hinaus zu gehen, sich nicht traut. Der Sinn des Seins wird also dem Denken auf seiner im „Sophistes" erreichten dialektischen Stufe streng genommen unzugänglich.

Mit dieser zweiten Aporie der ἀδύνατον-Stelle, haben wir den Höhepunkt des Omphalos-Gesprächs erreicht. Es begann damit, daß das Nichtseiende, absolut gesehen, sich als ein Gar-Nichts zeigte – und verschwand (237B bis 239C). Es fuhr fort, indem die von den Vorsokratikern nicht berücksichtigte Frage nach dem Sinn von Sein ausdrücklich zu Bewußtsein gebracht wurde (241Cff., bes. 244A5). Ihre Untersuchung führte zunächst zur Bestimmung des Seins *des Seienden* (τὰ ὄντα) als δύναμις (247 D E). Jetzt aber hat sie den Höhepunkt darin erreicht, daß *das Sein* als solches „außerhalb" des Seienden (ἐκτός), hinaus, also aus dem am Seienden orientierten Denken hinaus gebracht worden ist.

Wo kann das Denken dann Grund fassen, ausgesetzt zwischen dem Gar-Nichts und dem Sein ἐκτός, wenn nicht eben in einer „Wortlegung beider auf einmal" (λόγος ἀμφοῖν ἄμα)? So ist die Hauptfrage im „Sophistes" zu stellen – fast die grundsätzlichste, die es bei Platon gibt. Wem diese Frage in ihrer vollen Tragweite erst aufgeleuchtet ist, der ist nicht nur mit Lesen von Geschriebenem beschäftigt; er ist im Durchdenken von Gedachtem und in seinem Gedachtsein

2. Etappe: Synkrisis. A. Sophistes

uns zu denken Aufgegebenen *da*. – Unsere eigene Interpretation soll sich hier mit dieser Aufzeigung der Fragestellung begnügen.

Der Schwerpunkt der uns von Platon gegebenen Antwort auf diese Frage liegt nun meines Erachtens in einer *Gleichstellung des* μὴ ὄν *mit dem* ἕτερον *der ontologischen Differenz* (vgl. bes. 257B3–4). Dadurch werden die beiden Aporien, und zwar etwa in folgender Weise, je für sich gelöst:

Dem ὄν wird das ἕτερον-Sein als erstes grundsätzliches Prädikat zuerkannt. Denn das ὄν *ist* ja eben „verschieden" von dem Anderen (τῶν ἄλλων 257A1). Als Verschieden-Seiendem ist ihm dann auch das μὴ ὄν zuzuerkennen. Denn das aus der Differenz gedachte ὄν ist eins (ἕν) – und unbegrenzt viel „anderes" (τἄλλα) gerade nicht (A4–6). Das ὄν hat mithin, eben durch das Durchdenken seiner Differenz, seine erhabene ἐκτός-Stellung als reines, unprädizierbares Sein verloren. Es ist als eins der anderen höchsten γένη zu behandeln (vgl. 254 D4–5).

Das μὴ ὄν soll seinerseits nicht mehr als ein ἐναντίον des Seins zum Verschwinden verurteilt werden. Sein ἕτερον-Sein erhebt es vom Gar-Nichts zu einer seienden Art von Nichtsein. Dieses ist als die Verschiedenheit *da;* ihr ist ein εἶδος zuteil, das im Text ausdrücklich als ἡ θατέρου φύσις, „die Natur des Verschiedenen" gekennzeichnet wird (258D). – Weil dies so ist, ist der Sophist auch *da*. Seine Fähigkeit der ἀντιλογική, seine Widerspruchskunst, wurzelt eben in dem ἕτερον des Verschiedenseins, also in der seienden Art des Nichtseins, im Schein (264Bff.).

Was hat sich nun durch die erste Begegnung der platonischen Dialektik mit der vorsokratischen Philosophie als solcher ereignet? Wir heben einige Momente zu einer Beurteilung hervor und fangen mit dem Methodischen an.

Zunächst hat sich ein *kritisches* Denken in den Chor der früheren Seins-Verkündiger eingemischt. Insofern bleibt Platon Nach-Sokratiker und Nach-Sophist.

Kritisches Denken zu üben, setzt eine grundsätzliche Anerkennung des Sinnes der *Negativität* voraus. Im „Sophistes" wird dem Negativen prinzipielles Recht auf Sein zugeschrieben. Das ist das zweite Moment, das wir hervorheben möchten. Man soll das Werk nicht ausschließlich als eine Herabsetzung der Sophistik lesen. Man denke nur, was der Altmeister Parmenides, oder etwa Heraklit, zu diesen Halblogikern gesagt hätte! Auch Goethe hat ja – um bei dem früheren Vergleich zu bleiben – für seinen Mephisto eine gewisse Schwäche. Mephisto ist nicht Satan; der Sophist ist nicht der Tyrann. Der tyrannische Mensch allein wird von Platon verfehmt. Mit ihm allein spielt er nicht, denn ihn fürchtet und haßt er.

Drittens, und das ist hier wohl das Entscheidende, erhebt Platon in diesem Dialog das diakritische zu einem *syn*kritischen Verfahren. Die dialektische Methode der Synkrisis soll im folgenden Werk „Politikos" von Platon selber erörtert werden. Hier sieht man sie aber schon angewendet — indem zuerst die Zweiheit eines ἐναντίον scharf herausgestellt (μὴ ὄν – ὄν), danach die „Beidheit" eines ἕτερον zusammengeschaut wird (μὴ ὄν/ὄν). Zu einer neuen Einheit, im Sinne des Dritten bei Hegel, soll es bei dieser platonischen Zusammenschau nicht kommen. Der Geist soll *in der Zweiheit als der Beidheit* (ἀμφώ) Aufenthalt nehmen können. Er soll nicht in der „Aufhebung" weiterschreiten, um schließlich im Absoluten zu ruhen, sondern bei der συμπλοκή der höchsten Gegensätze immer selber tätig sein: als δύναμις, Kraft.

Zum Inhaltlichen sei folgendes bemerkt. Heideggers „Entdeckung", daß das philosophische Denken durch Platons „Sophistes" zuerst in Seinsvergessenheit geriet, ist gar nicht unsachgemäß. Wir haben ja gesehen, wie die ontologische Differenz (zwischen Seiendem und Sein), auf die es Heidegger ankommt, hier von Platon in ihrer Schärfe gemildert worden ist. Um dem Nichtsein Teil am Sein geben zu können, muß er dem Sein Teil am Seienden geben. Zwar bedeutet das kaum Seins-*Vergessenheit;* eher möchten wir von „Seins-Reduktion" sprechen. Was Platon hier sucht, ist ein Offenlegen des Sinnes der Falschheit und des Nicht-Seienden, und um dies zu erreichen, muß er die Wahrheit auf die Richtigkeit, das Sein auf das Seiende hin ansetzen, d. h. er muß die Offenheit des Seins als solchen reduzieren.

Wichtiger als diese Verschiedenheit in der Deutung ist, gegen Heidegger eine sachliche Trennung durchzuführen. Die *Frage nach dem Sein* bei Platon impliziert zwar eine Frage nach dem Grund des seienden Nicht-Seins; aber keine *Frage nach dem Grund,* der ἀρχή, *als solchem.* Das Sein (ὄν oder οὐσία), es sei verstanden und ausgelegt wie es wolle, bildet nicht den höchsten Grund bei Platon, die Frage nach dem Sinn des Seins nicht die platonische Fundamentalfrage. Erstens läßt Platon im „Sophistes", und zwar gegen Ende des Mittelstücks (253E–254D), den Fremdling ausdrücklich sagen, daß der jetzige Fragehorizont von der „Dunkelheit" (σκοτεινότης) des Objekts, d. h. der Sophistik, her angelegt worden sei. Die Schwierigkeit bei dieser Untersuchung bestehe also darin, ein fast zu dunkles Objekt in den Lichtkreis des Denkens hinaufzubringen. Eine prinzipiell andere Schwierigkeit aber – die dann zu einer prinzipiell andersartigen Fragestellung führen müßte – würde demjenigen begegnen, fährt der Fremdling fort, der statt nach dem Sophisten, nach dem Philosophen fragte. Denn dann bestünde sie darin, etwas zu Lichterfülltes in den Lichtkreis des Denkens hinunterzubringen (διὰ τὸ λαμπρὸν ... τῆς χώρας vgl. bes. 253E–254A).

Worin könnte diese Frage, „lichtvoller" als die nach dem Sinn des Seins und des Nicht-Seins, bei Platon bestehen? Bevor wir darauf zu antworten versuchen, wenden wir uns einem zweiten Argument zu.

Wir möchten auf das Sonnengleichnis mit seinen sehr prägnanten Einsichten und scharfen Trennungen hinweisen. Dort haben wir gesehen, wie im Bild die Sonne als Quellgrund jenseits des Lichts steht, während das Licht wiederum die Bedingung für die Möglichkeit der – sowohl objektiv wie subjektiv betrachteten – Sinnenwelt bildet. Man muß also nicht nur zwischen dem Licht und der beleuchteten Welt, sondern auch zwischen dem Licht und seinem Quellgrund zu differenzieren wissen. Weiter haben wir in der Übertragung des Bildes gesehen, wie *das Licht als das Sein und die Wahrheit*, die Sinnenwelt als die Welt überhaupt, sagen wir jetzt: als das Seiende im Ganzen, verstanden werden soll. – Der „Sophistes" dürfte mithin, wenn wir diese Gleichnissprache ernst nehmen, genau diejenige Differenz untersucht haben, die zwischen dem Licht und der beleuchteten Welt besteht, d. h. die ontologische zwischen dem Sein und dem Seienden im Ganzen; und seine Frage nach dem Sein dürfte, so grundsätzlich er ist, doch nur die Frage nach dem Licht als der Bedingung für die Möglichkeit der Welt ausmachen. Die Frage nach dem Grund als solchem, d. h. *nach dem Quellgrund des Lichts*, ist in diesem Werk überhaupt nicht in Angriff genommen. Eben diese ist wohl die Frage, vor deren Überfülle an Licht Platon sich scheut. Erst in dem Dialog, welcher nach dem φιλόσοφος in irgendeiner Weise fragt oder zu fragen hat, wäre demnach die wirkliche Fundamentalfrage Platons zu erwarten.

Drittens können wir schon inhaltlich etwas zur Gestaltung der vermutlich tiefsten Grundfrage bei Platon sagen. Bei der Übertragung der Sprache des Sonnengleichnisses in die Begriffssprache erhielt nicht nur das „Licht", sondern auch die „Sonne" ein begriffliches Äquivalent: das Gute, τὸ ἀγαθόν. Nach den Ausführungen der „Politeia" ist das Gute jenseits des Seins (ἐπέκεινα τῆς οὐσίας); nach der Lehre des „Sophistes" steht das Sein seinerseits außerhalb des Seienden (ἐκτός). Die beiden Transzendenz-Aussagen dieser Werke entsprechen sich also nicht; sie ergänzen einander. In einer Frage nach dem Guten, ἀγαθόν, dialektisch-systematisch gefragt, könnte mithin, vom mittleren Platon aus gesehen, die Frage des späten Platon nach dem Grunde sich bilden.

Sie muß sich aber nicht unbedingt so bilden. Aus dem „Symposion" geht hervor, daß auch eine Frage nach dem Schönen (καλόν), dialektisch gefragt, Rechtsanspruch auf die Gestaltung der tiefsten Grundfrage bei Platon machen könnte; und, was wichtiger ist: es gibt eine logisch-dialektische Begriffsprägung, die, traditionell wie auch bei dem mittleren Platon, diesen Anspruch erheben könnte: den Begriff des Einen (τὸ ἕν, vgl. z. B. „Politeia" 462B, 524DE). Wie wird nun mutmaßlich, in der Richtung des „Sophistes" gefragt, wie dieser Dialog im Problemkreis des „Theaitetos" (und „Kratylos") vorbereitet worden ist, die mögliche Grundfrage sich zeigen: als die nach dem Schönen, nach dem Guten oder nach dem Einen?

Wir möchten vermuten: als die nach dem Einen. Es würde uns wirklich zum Erstaunen bringen, wenn das Gute und / oder das Schöne, diese normativen Grundideen des mittleren Platon, beim späten *unvermittelt* als Erklärungsgrund für die Probleme auftauchten, die wir während unserer bisherigen Wanderung kennengelernt haben. Umgekehrt könnte es doch eben als sinnvolle Fortsetzung dieser Problematik verstanden werden, wenn sich die *Frage nach dem* ἕν *als solchem* (wie sie im „Parmenides" tatsächlich vorkommt) später meldete. Das ἕν ist kein γένος. Aber bildet es nicht gerade den Grund, von dem aus die Frage nach der Bezogenheit der γένη aufeinander erst Sinn erhält? Es war ja die Frage nach dem ἕν der Vielfalt der Begriffe, die uns zur Ideendialektik hinaufführte. Das ἕν ist nicht ὄν. Jedoch eben dort im „Sophistes", wo das Sein zum Seienden zurück geführt wurde (nach unserer Interpretation), geschah es mit Hilfe des ἕν – und seines Gegenbegriffs τἆλλα (vgl. „Sophistes" 257A und oben Seite 73). Auch der späte Platon hat gewiß fortwährend nach dem Guten gefragt (ebenso nach dem Schönen, wie im „Phaidros"). Die Vorlesung(sreihe?) „Über das Gute" (Περὶ τἀγαθοῦ) wie wir sie fragmentarisch in Nachschriften besitzen, ist bestimmt hochernst zu nehmen; im „Philebos" wird die Frage nach dem ἀγαθόν als der ἡδονή bzw. φρόνησις ausdrücklich gestellt; wenn jetzt dem „Sophistes" ein politisch orientiertes dialektisches Werk, der „Politikos" folgt, so geschieht es gewiß auch, damit der Leser gewarnt werde, daß er nicht allzu scharf (wie später Aristoteles) einen theoretischen Bereich (der Frage nach dem ἕν) und einen praktischen (der Frage nach dem ἀγαθόν) bei Platon trenne. Doch eben wo das Gute beim späten Platon auftritt, erscheint es als *vermittelter* Begriff. Und der, mit dessen Hilfe die Vermittlung stattfindet, ist der Begriff des ἕν.

Nein, die Vermutung liegt nahe – und keine zwingenden Gegenargumente, weder philologische noch philosophische, dürften vorgebracht werden können – daß die Frage nach dem ἕν die Grundfrage des späten Platon sei, und daß demnach der Dialog „Parmenides" entweder direkt der „Philosophos" oder wenigstens der Dialog sei, der die für den „Philosophos" zurückgehaltene Frage nach dem Grunde aufnehme und dialektisch erörtere.

Aber zunächst: der „Politikos" und seine Übung der Methode.

B. „Politikos": Die synkritische Methode

(13. Stunde)

In unserem Gang durch die Dialoge des Spätwerks Platons – in einer Reihenfolge, die sich für die Platonforschung dieses Jahrhunderts als natürlich abgezeichnet hat – versuchen wir einen roten Faden, eine innere Form der Gedankenentwicklung an den Tag zu bringen. „Platons philosophische Entwickelung", wie vor 60 Jahren ein beachtenswertes Werk hieß (Raeder), wird als Entfaltung, als systematischer Gang argumentativer Denkschritte innerhalb einer im voraus gegebenen Grundvision verstanden. Platon sucht nicht durch sein Denken etwas ihm völlig Neues und Unbekanntes zu eruieren. Er ist nicht in dem Sinne ein geistiger *homo viator*. Was er sucht, ist ihm immer schon im voraus gegeben; nur will er es festhalten, es sich gedanklich zuzeigen machen, es von andersartigen Ansichten trennen und für andere klarstellen. Seine Grundvision bleibt ihm also gegenwärtig, auch wenn er Filigran-Arbeit an phonetischen Elementarbestandteilen der Sprache oder an verschiedenen Arten des Fischfangs unternimmt. Sein Geist „ruht in Bewegung", um das Dictum des Proklos wieder zu gebrauchen.

Nun haben wir gesehen, wie die bis jetzt behandelten Dialoge einen klaren *Weg hinauf* durchlaufen: von der Frage des „Kratylos" nach dem ὄνομα, über die des „Theaitetos" nach der ἐπιστήμη als αἴσθησις und als δόξα, weiter über die Entfaltung der ἐπιστήμη als διάνοια und als νοῦς im „Sophistes" durch eine Untersuchung der Verflechtung der höchsten γένη und εἴδη („Kategorien") von Sein und Denken, stets aber mit der Voraussetzung, die Grundfrage, nämlich nach der ἀρχή, sei noch nicht gestellt. Sie sollte dann in einem Dialog, in dem das Wesen des Philosophen zum Vorschein käme, gestellt und beantwortet werden, und das ist, finden wir, was im „Parmenides" geschieht.

Wir müssen aber, bevor wir diese Zinne des Wegs hinauf zu erobern versuchen, noch einen letzten Hügel überschreiten, den Dialog „Politikos". Die innere Notwendigkeit der Existenz dieses Dialogs leuchtet vielleicht nicht ohne weiteres ein. Es ist, als schmiege er sich eben durch eine gewisse Unselbständigkeit so eng an den Nachbardialog, den „Sophistes". Zwar wird im Dialog selber ein Grund seiner Existenz angegeben. Sein Thema, der Staatsmann, werde nur, heißt es, „damit wir in allem dialektischer werden" (285D), behandelt. Aber wäre das allein sein Sinn, so hätte Platon Dialog auf Dialog folgen lassen können, die uns immer „dialektischer" machen würden, ohne daß wir dadurch je *zur Dialektik* kämen. Denn zum „dialektischer" gehört als Maßstab das „Mehr oder weniger", und „mehr oder weniger" Dialektiker sind wir ja schon durch die bisherige Wanderung geworden. Nein, um den wahren Grund der Existenz des „Politikos" innerhalb der Reihe der Spätdialoge vor Augen zu bekommen, müssen wir uns wiederum zur früheren Gleichnissprache Platons wenden. Eben die Genauigkeit Platons bei seiner Beschreibung der Welt draußen im Höhlengleichnis (vgl. oben S. 24ff.) sollte uns davor warnen, im Lichtbereich der Ideen allzu schnell vorwärts zum Grunde gehen zu wollen. Wenn uns der „Sophistes" in die Welt draußen versetzt hat, so hat er uns dort nur mit τὰ ὄντα, d. h. mit der „irdischen Welt der Dinge" (wie wir sie früher nannten) bekannt gemacht. Immer noch bleibt uns die höhere, „himmlische" Welt draußen unbekannt, die mit dem Grunde, der „Sonne" in unmittelbarem Einklang steht.

Dies ist, finden wir, was uns der „Politikos" zeigen soll – näher bestimmt: er soll uns mit *den nächtlichen Himmelskörpern, den Sternen und dem Monde* (vgl. oben S. 25, Element I A 2) vertraut machen. Erst nach der so verstandenen „Übung" wird uns erlaubt, im „Parmenides" *den* Himmelskörper des Tages: die Sonne in den Blick zu nehmen. – In den folgenden Analysen des Dialogs wird es uns hoffentlich gelingen, diese verhüllende Gleichnissprache begrifflich aufzuhellen. Ihr Angelpunkt wird sein, daß die sogenannten „Politiker" sich zum Staatsmann wie die Sterne zum Monde, der Staatsmann sich aber zum Philosophen wie der Mond zur Sonne verhält.

Platon scheint mir aber – damit spreche ich nur eine private Doxa aus – sowohl mit der Sprache wie der Thematik in diesem Dialog nicht überall gleich gelöst umzugehen. Oder wem kann ein Licht aufgehen, wenn er hört, daß die „mitwirkenden Künste" im Staat die der Bereitstellung von „Werkzeug", „Gefäßen", „Stützgeräten" (ὄχημα), „Verteidigungsmitteln" und „Spielzeug" seien (287Bff.)? Man erinnere sich, daß auch Goethe, wo er im „Faust II" sein Kaiser-Thema voll entfaltet, nämlich im 4. Akt vom Krieg, die Poesie verläßt. Es gibt vielleicht keinen Staatsmann und keinen Kaiser im idealen Bereich. Vielleicht sind die beiden großen Geister hier einer Chimäre nachgelaufen, die sie dann, dank ihrer Fähigkeit zur Gestaltung, als ein falsches εἴδωλον Teilen der Menschheit haben vorspiegeln können. Wir möchten diese skeptische Frage hier, wo wir das „wie" und das „was" des „Politikos" zu untersuchen haben, nur anschneiden, nicht verfolgen.

Der „Politikos" gehört dem äußeren Anschein nach zu den am lockersten komponierten Werken Platons. Die stilistische, thematische, „episodische" Verschlungenheit des Dialogs kann so unübersichtlich, verworren wirken, daß man gern völlig darauf verzichtet, in diesem Dickicht einen schlichten Gedankenpfad zu entdecken. – Mir persönlich ist es aber diesem Dialog gegenüber so ergangen, wie einem oft vor einem Rätselbild geschieht. Allmählich tritt für den Beschauer ein Glied hier und ein Glied dort aus der Verborgenheit hervor, bis plötzlich eine Gestalt dasteht, so überzeugend klar und eindeutig, daß man sich nur darüber wundern kann, sie selbst nicht früher entdeckt zu haben, und daß die ganze Welt sie nicht sofort erkennt.

Die *Omphalos*-Struktur ist eindeutig da. Der Omphalos beginnt 20 Stephanus-Seiten nach dem Anfang mit einem sogenannten „Erwachen" (ὕπαρ) aus einem früheren Traumzustand (ὄναρ) (277A; vgl. 278D10) und endet 20 Stephanus-Seiten vor dem Schluß mit einem „plötzlichen" (ἐξαίφνης) Rückschlag in die vor dem „Erwachen" liegende Frage nach der Konstitution des Staates, nach dem τρόπος τῆς ἀρχῆς τῆς πόλεως (291A; vgl. B 7; 275A). Platon selber läßt sogar zweimal den „Umweg" dieses Omphalos unter Hinweis auf den des „Sophistes" rechtfertigen („Politikos" 284B7–C1, 286B7–10).

Auch das *Mittelstück* des Omphalos ist klar vorhanden (283B1–287A; vgl. bes. ἴωμεν πάλιν 287B1). Hier werden, wie zu erwarten war, die rein methodologisch-theoretischen Überlegungen Platons in den Vordergrund gerückt. Das Thema betrifft vor allem die μετρητική und die διαλεκτικὴ τέχνη.

Ungefähr in der Mitte des Mittelstücks, genau in der Mitte des Omphalos und also *genau in der Mitte des ganzen Dialogs*, nämlich 27 Seiten nach dem Anfang und 27 Seiten vor dem Schluß, liegt der *Mittelpunkt* (284D), auf dessen Mittelbegriff: αὐτὸ τἀκριβές (284D2) wir besonders eingehen werden.

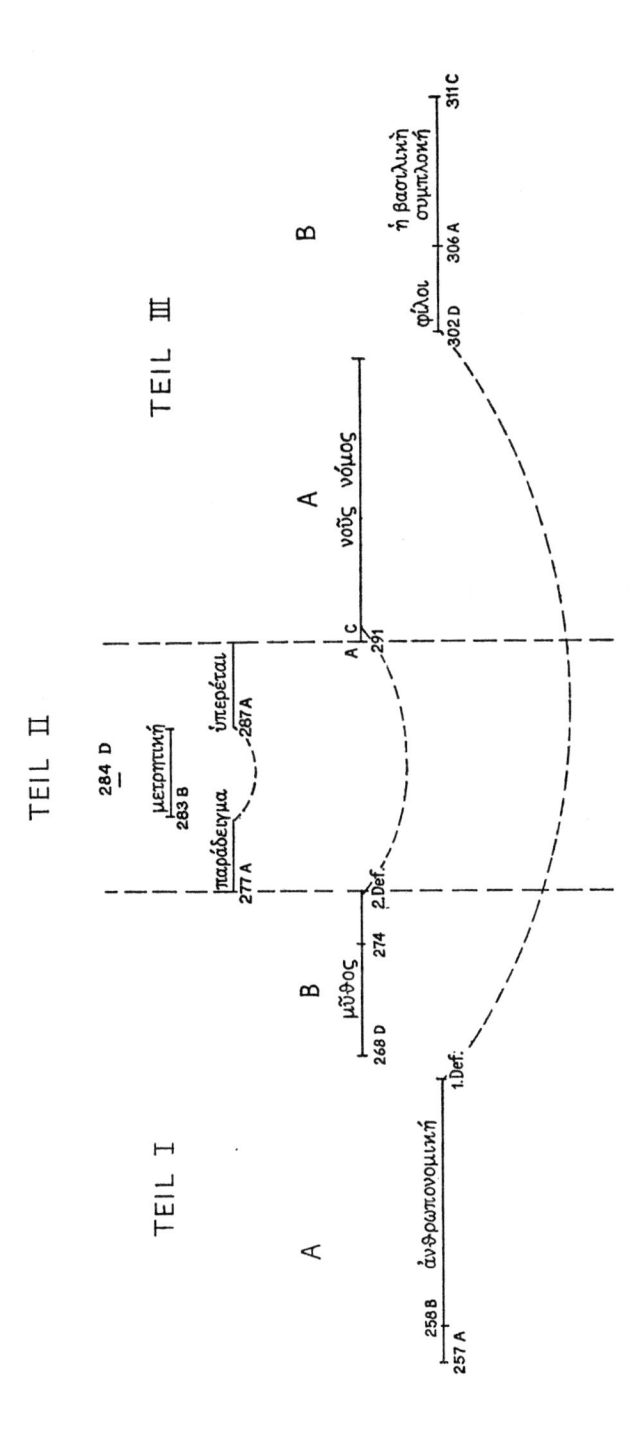

POLITIKOS

TEIL I

A ἀνθρωπονομική
257 A — 258 B .... 1.Def.

B μῦθος
268 D — 274 .... 2.Def.

TEIL II

παράδειγμα μετρητική ὑπηρέται
277 A   283 B   287 A
              284 D

A | C
291

TEIL III

A νοῦς νόμος

B φίλοι ἡ βασιλικὴ συμπλοκή
302 D   306 A   311 C

Wie man sieht, eine sehr wohlgefügte Ganzheit.

Und dazu kommt noch mehr: Der Teil I *vor* dem Omphalos und der Teil III *nach* dem Omphalos stehen in der uns jetzt bekannten Entsprechung, daß der Teil I das sucht und vorläufig umschreibt, was Teil III, auf Grund der „umwegigen" Erörterungen der Methode im Omphalos, endgültig festlegt, nämlich das εἶδος der Staatsmannskunst. Und nicht nur das: Auch die beiden Unterabteilungen dieser Teile entsprechen einander in der Weise, daß III A besondere Rücksicht auf die Problemvertiefung der „mythischen" Abteilung I B nimmt, während III B die Untersuchung zur alltäglichen Problematik der Abteilung I A zurückbringt und sie dort in der Erörterung von u. a. institutionellen Fragen des konkreten politischen Lebens enden läßt. Bei näherer Betrachtung (Figur!) findet man sogar die zwei Wege des Höhlengleichnisses im Logos des zunächst verworren anmutenden Dialogs herausgestellt. Der Weg aufwärts verläuft vom biologisch-rationalen Fragehorizont des Teils I A zum theologisch-mythischen des Teils I B und wiederum von dem ganzen als ὄναρ bezeichneten Teil I zum ὕπαρ des Omphalos, in dem er seine Steigung bis zum Mittelpunkt, dem αὐτὸ τἀκριβές, fortsetzt. Hier wendet sich der Weg abwärts und führt zurück über die dem Aufstieg entsprechenden Abteilungen bis zum Endergebnis von Teil III B.

Um eine Stichprobe zu machen: Wir haben in den bis jetzt erörterten Dialogen, im „Kratylos", „Theaitetos" und „Sophistes", gesehen, wie ein und dieselbe Frage am Anfang des Teils III, im „Sophistes" ganz am Ende des Teils II, auftauchte: die nach der sinnvollen Falschheit. Und ganz richtig: so auch hier. Die Frage nach den *falschen* Staatsmännern, den verschiedenen Weisen des Nachahmens, der μιμητική, ist eben die, welche die Untersuchung der Verfassungen in Teil III A umrahmt und leitet (vgl. 291A2–C8 und 303B8–D4).

Und dennoch bleibt der Dialog überaus vielschichtig und verschlungen. Unser Versuch einer wohl proportionierten Gliederung soll sein Rätsel nicht für „gelöst" erklären. Wenn so verstanden, ist unser früher gebrauchtes Gleichnis irreführend. Ein Gewebe ist, was der „Politikos" vor uns ausbreitet, ein Geflecht, in dem die roten, gelben, blauen und andere Fäden sich tausendfach verschlingen, in dem aber doch, und gerade in dieser Verschlungenheit, dem ein Muster vor Augen tritt, der die Einzelheiten nicht allzu nahe, auch nicht die Ganzheit allzu ferne, sondern die Einheit in der Vielheit aus rechtem Abstand zu betrachten versteht.

Wir gehen zu „stofflicher" Betrachtung dieses Geflechtes über.

2. Etappe: Synkrisis. B. Politikos

Die Wortprägung πολιτικὸς ἀνήρ bedeutet in der damaligen athenischen Umgangssprache entweder einen Mann, der der πόλις angehört, im Gegensatz zu einem ξενικὸς ἀνήρ, oder aber einen Mann, der sich mit der Öffentlichkeit abgibt, im Gegensatz zum οἰκεῖος ἀνήρ. Platon hat hier die zweite Bedeutung im Auge. Nun könnte der Name πολιτικὸς ἀνήρ in dieser Bedeutung wiederum verschieden verstanden werden. Er könnte entweder eine sich für die Sachen der Öffentlichkeit interessierende Privatperson, oder aber einen der Berufspolitiker, der „Sophisten" bezeichnen. Auch hier geht Platon von der zweiten Bedeutung aus, nämlich der des Berufspolitikers. Die Benennung ὁ πολιτικός ist aber ein von ihm selber geprägtes Substantivum. Dadurch soll offenbar schon sprachlich eine eigene Art der Berufspolitik von allen anderen abgehoben werden. Die deutsche Sprache gibt diese Art treffend mit der Benennung „Staatsmann" wieder. Für Platon stellt sich der Staatsmann als die *eine* ideale Gestalt heraus, die sich jenseits der Sphäre der vielen Politiker befindet.

Nun besitzt der Staatsmann für ihn eine τέχνη oder ἐπιστήμη. Die ganze Untersuchung des Dialogs „Politikos" gilt – wie die entsprechende des Sophisten im „Sophistes" dessen Techne – eben der πολιτικὴ oder βασιλικὴ τέχνη. Andererseits hat aber Platon früher den guten Berufspolitikern eine τέχνη abgesprochen. Die wahre politische Fähigkeit (ἀρετή), heißt es im „Menon", läßt sich nicht lernen; sie beruht auf einer höheren Eingebung, die den Politikern durch „göttliche Fügung", θείᾳ μοίρᾳ, zuteil wird. Ist dann sein spätes Idealbild des Staatsmanns toto coelo entfernt von seinem früheren des Politikers?

Kaum. Wir stehen hier eher an einem entscheidenden Punkt der ganzen späten Epistemologie Platons, wie sie sich systematisch von Dialog zu Dialog gestaltet hat: Der „Politikos" als erster soll uns das Vorhandensein einer *inspirierten Art des methodischen Verfahrens*, einer θεῖα τέχνη (vgl. „Nomoi" 747B6) zeigen. Die seit dem „Ion" für Platon immer problematisch erscheinende Verknüpfung von *Enthousiasmos* und *Logos*[1] soll in der Idee des Staatsmanns als einer Präfiguration des Philosophen Gestalt gewinnen. In ihm soll die im „Kratylos" aufgetauchte „parmenideische" Bedeutung von ἐπιστήμη als ἐπὶ ἵστημι, „über" den Dingen „stehen", in ihrer vollen Tragweite herausgestellt werden. Schon am Anfang des „Politikos" treffen wir auf die ἐπιστήμη als γνωστική, als ἐπιτακτική und ἀρχιτεκτονική, d. h. als, obwohl nicht schöpferische, so doch das Ganze regulierende Tätigkeit des frei „darüberstehenden" Geistes.

Die Untersuchung fängt (I A) mit Diairesen an, die vom oberen Begriff der ἐπιστήμη durch zum Teil biologisch orientierte Trennungen zum ἄτομον εἶδος einer ἀνθρωπονομική, einer Menschenweide, führen. Der Staatsmann tritt hervor als ein Hirt von ungehörnten, ungefiederten Zweifüßlern, im Gegensatz

---

[1] Vgl. den Aufsatz von *H. Gundert* zu diesem Thema, Lit.-Verz. Nr. 15a.

zum Schweinehirten (vgl. Apelt ad loc.), dessen Herde aus ungehörnten, ungefiederten Vierfüßlern besteht. Keiner, auch Platon nicht, kann mit solchem Resultat zufrieden sein, weshalb ein neuer Ausgangspunkt gesetzt werden muß (ἐξ ἄλλης ἀρχῆς 268D5).

Die Erneuerung, die in Abteilung I B erfolgt, ist ziemlich radikal. Statt rational dargelegter Diairesen erhalten wir einen weit ausgebreiteten Mythos, den einzigen auf dem ganzen Weg hinauf des späten Platon. Statt von einem Menschen, der andere „züchtigt", hören wir primär vom Gott, der für die Menschen Sorge, ἐπιμέλεια trägt. Früher waren sie, diesem Mythos nach, in seiner direkten Fürsorge; damals war man keiner menschlichen Führung bedürftig. Jetzt sind sie aber sich selbst und ihrer eigenen Fürsorge überlassen (274D), und von hier aus muß das Bedürfnis nach einem Staatsmann betrachtet werden. Vor diesem Hintergrund stellt sich als Kennzeichen für eine gute Herrschaft (ἀρχή) die „Freiwilligkeit" heraus (276DE – wie ja die Menschen „freiwillig" unter der Herrschaft der Götter lebten), und den Gegensatz zum Staatsmann bildet jetzt der Gewaltherrscher, der Tyrann (276E2).

Hier aber geschieht das Erwachen (ὕπαρ), mit dem der Omphalos einsetzt. Wir können alles im Traum wissen, heißt es; aber beim Erwachen entgleitet es uns (277D). Durch diese Bemerkung werden, wie wir finden, die rational-biologische (I A) und die mythisch-theologische (I B) ἀρχή unter dem Aspekt eines Noch-Nicht zusammengefaßt. Gegen beide, die Ratio *und* den Mythos, wird jetzt der Geist, Nous, ausgespielt. Aufs neue erfahren wir im Gang des Logos innerhalb eines Platon-Dialogs das Ereignis, daß der Geist aus der Höhle hinaustritt. Keine rationale Biologie und keine mythische Theologie, sondern reine Vernunftphilosophie übernimmt jetzt die führende Rolle in der Untersuchung.

Das Kennzeichen der Vernunftdimension im restlichen Teil des „Politikos" finden wir in der Idee des Unbedingten (ἀνυπόθετον, vgl. oben S. 20) und der Freiheit. Im Omphalos-Gespräch gipfelt – wie wir bald ausführlich sehen werden – die Untersuchung im Verlangen nach einem μέτρον zur Begründung einer nicht nur relativ bedingten, sondern absolut unbedingten Meßkunst, μετρητική. Von diesem Blickpunkt aus (im „Politikos" wird uns freilich kein μέτρον gegeben) wird dann der Staatsmann nicht mehr als ein Herrscher, sondern als ein Dienstmann (ὑπηρέτης) zu suchen sein, wie ein ägyptischer Priester Diener Gottes ist (290D). Und vom selben Blickpunkt des Unbedingten aus wird in der Abteilung III A, wo die Fragestellung von I B in Form der Frage nach dem τρόπος τῆς ἀρχῆς τῆς πόλεως (vgl. 275A) wieder aufgenommen wird, der wahre Staatsmann in einer Sphäre unbedingter Freiheit „über" die Gesetze (νόμοι) des Staates erhoben gesehen. Wie in der Urzeit des Mythos auf den Gott, so ist die menschliche Gesellschaft jetzt auf den „Führer Geist" (ὁ ἡγεμὼν νοῦς; das ist ein Ausdruck aus den „Nomoi", 631D5) angewiesen, und sein möglicher Vertreter auf dieser Erde ist der ideal gedachte Staatsmann. Er wird hier als ein so erhabener Geist betrachtet, daß er wie ein θεὸς ἐξ ἀνθρώπων (303B4) hervortritt. Es ist zu bemerken, daß Platon mit νόμοι hier nicht nur geschriebene (συγγράμματα,, 299E4), sondern auch ungeschriebene Gesetze der allgemeinen Menschlichkeit vor Augen haben muß; er gesteht dem Staatsmann um des Besten der Ganzheit willen jedes Mittel zu, z. B. auch Tötung und Landesverweisung (293D). Der Staatsmann, der die unbedingt wahre τέχνη besitzt, ist unfehlbar. Ihm gebührt demnach, wie einem guten Arzt, auch Gewaltmittel zu benutzen (vgl. über die βία 296Bff.). – Aufs neue eine Stelle bei Platon, zu der man mit Mephisto sagen muß: „Der Teufel war dabei". So sind ja im „Faust" (II, 4) die „Drei Gewaltigen" als Kaisershelfer am Werk. – Von den Politikern, die nicht in der Freiheit des Geistes, sondern „unter dem Gesetz" leben, sind diejenigen gut, die ihm gehorchen, schlecht, die es nicht tun (vgl. 301A4–5).

In der letzten Abteilung III B kommt dann die Untersuchung auf den praktischen Fragebereich vom Anfang des Gesprächs zurück. In III A wurden die falschen „Nachahmer" des Staatsmannes durch die Trennung: νοῦς-νόμος ausgeschieden; denn die Nachahmer sind ja ohne νοῦς. Jetzt werden zuerst seine „Freunde" abgetrennt, nämlich der Rhetor, der Heerführer und der Richter, die nicht wie die Politiker nur die Interessen der Fraktionen, sondern die Interessen aller vertreten. Diese „Freunde" haben eine ausübende Funktion, während er nichts ausübt, sondern nur alles leitet (οὐκ αὐτὴν τὴν βασιλικὴν δεῖ πράττειν, ἀλλ' ἄρχειν 305D1). Mit ihrer Hilfe soll (306A1ff.) der Staatsmann sein großes Geflecht weben, die Gesellschaft, in der die menschlichen Gegensätze nicht aufzuheben, sondern aufeinander abzustimmen sind, so daß die Ganzheit Harmonie erlange und „musterhaft" werde.

(14. Stunde)
Hoffentlich ist es mir durch die Strukturschemata und den raschen Inhaltsüberblick einigermaßen gelungen, die Einheit in der Vielfalt, das Muster im Geflecht des „Politikos" klarzustellen. Eben ein *Muster* sollte dadurch an den Tag gebracht werden, wie ein platonischer Logos nach der Lehre im „Phaidros" gestaltet werden soll: mit den ἄκρα der Teile I und III (in denen die Definition der Kunst des Staatsmanns zunächst vorläufig, dann endgültig ausgearbeitet wird) und dem μέσον des Teils II oder, wie wir ihn genannt haben, des Omphalos (in dem besonders methodologische Fragen erörtert werden). Es wird, wie früher gesagt, im Mittelstück des Omphalos ausdrücklich hervorgehoben, der Sinn der ganzen Sache sei, uns „in allem dialektischer" zu machen, d. h. uns methodologisch zu schulen. Der methodologischen Mittelpartie des Dialogs müssen wir also besondere Aufmerksamkeit widmen. Doch sei sogleich hinzugefügt, daß die Methode bei Platon nicht formal, sondern immer sachbezogen ist. Vom konkreten Thema, dem Staatsmann und seiner Kunst, läßt sich in der Erörterung der uns hier dargelegten Methode nicht absehen. Dieses Thema bildet

kein zufälliges Beispiel, an dem die Methode zu üben wäre; eher exemplifiziert es als vorläufiges Bild, was auch durch die methodologischen Erörterungen zur Kenntnis gebracht werden soll: das Wesen der Philosophie.

Und eben die Frage nach der Funktion eines *Exemplum* (παράδειγμα) in dem Prozeß des Lernens ist, was uns am Anfang des jetzt zu behandelnden Omphalos-Gesprächs begegnet.

1. Das παράδειγμα als solches und das der ὑφαντική im besonderen (277A–283B)

a) Was ist ein παράδειγμα – was bedeutet dieser von Platon selbst so oft gebrauchte und für seine Ideenlehre und sein methodisches Verfahren so bezeichnende Begriff? Es ist – nach den vorliegenden Analysen Platons – formelhaft als ταὐτὸν ἐν ἑτέρῳ zu bezeichnen, als das Selbe in Verschiedenem (278C4). Wir kennen ein Objekt P in einer Situation A (z. B. den Staatsmann in der Traum-Sphäre der rationalen Alltäglichkeit); in einer anderen Situation B aber kennen wir das Objekt nicht (z. B. den Staatsmann in der Erwachens-Sphäre der idealen Vernunftdialektik). Wie kann hier eine Ähnlichkeit zustande gebracht werden, die ein Wiedererkennen von P auch in der Situation B möglich macht? Sie ergibt sich durch den Gebrauch eines Paradeigma. Man entnimmt der Situation A ein dem Objekt P ähnelndes Strukturmoment, „zeigt" dieses „daneben" in der Situation B (παρὰ δείκνυμι vgl. 258B4), erblickt dann das Moment in B, das jenem entspricht; dabei kann eine Zusammenschau der „Beidheit" (συνάμφω) entstehen, die zu einer wahren Doxa von P auch in der Situation B führt (278BC). Von der in dieser Weise erreichten wahren Doxa aus kann dann die volle Einsicht von P in der Situation B systematisch gewonnen werden, wie es im Mittelstück des Omphalos näher beschrieben wird. Von einer falschen Doxa aus läßt sich aber, heißt es, keine wahre Einsicht erwerben (278DE).

Dies ist die Weise des Vorgehens, meint der Fremde, wenn Kinder das Lesen lernen. Die kleinen, intuitiv erkannten Silben dienen ihnen als Paradeigmata für das Zusammenfügen der größeren Worte und Satzgefüge. Aber so verhält sich auch, fährt der Fremde fort, die Seele des Erwachsenen „den Buchstaben (oder Elementen) des Alls" gegenüber (περὶ τὰ τῶν πάντων στοιχεῖα 278D1): Man versteht einzelne Silben, wird aber, wenn man die größeren Zusammenhänge zu erkennen sucht, im „unbegrenzten Meer der Unähnlichkeit" (vgl. 273D6) „herumgetrieben" (φέρεται 278D3) – wenn nicht ein Paradeigma immer vor Augen schwebt, „daneben gezeigt" wird.

b) Im vorliegenden Fall soll also der Staatsmann von einem nicht mehr „träumenden", sondern „wachen" Bewußtsein seiner Idee nach erkannt werden. Als Paradeigma aus dem Traumbewußtsein der Alltäglichkeit nimmt der Fremde, ohne nähere Begründung, die Webkunst (ὑφαντική 279B2). Von der Voraussetzung aus, es bestehe eine Entsprechung zwischen der Art, wie ein

Weber, und der Art, wie ein Staatsmann seine Kunst ausübt, wird die Webkunst begrifflich gegliedert (279B7ff.); insoweit sind wir immer noch im rationalen, dianoetischen Bereich. In der später folgenden Anwendung dieses Paradeigma auf die Staatskunst werden aber nicht nur begriffliche, sondern ideale Strukturmomente des Staatsmanns offengelegt – wie z. B. seine am Schluß genannte Fähigkeit, die σωφροσύνη und die ἀνδρεία seiner Bürger zusammenzuflechten. Das Paradeigma hat uns zum Erfassen der Idee geweckt.

Bei der begrifflichen Gliederung der Webkunst, die Platon an Hand einer sehr genauen Analyse der verschiedenen Stufen im Prozeß des Spinnens und Webens durchführt, werden u. a. zwei Begriffsspaltungen hervorgehoben, die sowohl für die folgende Wesensuntersuchung des Staatsmanns wie auch für unser Verständnis vom Wesen der platonischen Dialektik besonders wichtig sind:

α) In der Kategorie der Ursache trennt Platon scharf – wie früher im „Phaidon" (99B) und später im „Timaios" (46C) – zwischen dem „Verursachenden" im eigentlichen Sinne (welches, wenn nichts dazwischentritt, das Resultat zustande bringt) und dem sogenannten „Mitverursachenden", dem *sine quo non* des Verursachten (289Cff.). Für das Fertigstellen eines Webstücks ist ja der Weber der Verursachende. Aber er braucht ganz bestimmte Werkzeuge, ohne die er nichts herstellen könnte. Diese gehören zur Klasse des „Mitverursachenden".

So ist es auch im Staat. Viele „Mitverursachende" müssen da sein, um die Besitztümer einer Gesellschaft überhaupt hervorzubringen. Allerlei „Zeug", wie Werkzeug, Fahrzeug, Spielzeug etc. muß unabhängig von dem Staatsmann zustandegebracht werden, soll er überhaupt seinen Dienst ausüben können. Der Staatsmann selber aber hat, als der „Verursachende", eine qualitativ andere Rolle auszufüllen als irgendein sonstiger „Mitverursachender": die Rolle des ἄρχειν, Erster zu sein (z. B. 305D2).

In ähnlicher Weise sind sämtliche anderen platonischen Spätdialoge, auch die des Wegs hinab, als nur „mitverursachende" zu betrachten im Verhältnis zu dem einen, zu dem ἀρχή-Dialog „Parmenides", in dem der Dialektiker die durch jene Untersuchungen dargestellten Elemente zu einem einheitlichen Geflecht zusammenwebt.

β) Was das methodische Verfahren betrifft, so unterscheidet Platon zwischen den uns aus dem „Sophistes" schon bekannten Begriffen „Trennungskunst" (διακριτική) und „Verknüpfungskunst" (συγκριτική). Die συμπλοκή, die, wie wir das vorige Mal sahen, am Ende der Untersuchung dem Staatsmann in eminentem Grade zuerkannt wird, gehört der συγκριτική an. Nun haben wir im „Sophistes" gesehen, wie die συμπλοκή eben die Art und Weise bezeichnet, auf der der Dialektiker mit den Ideen Umgang pflegt. Die συμπλοκή der platonischen Dialektik ist mithin eine auf Diakrisis sich gründende synkritische Kunst; und was das bedeutet, läßt sich eben aus dem Webkunst-Beispiel herauslesen.

Lassen Sie uns in dieser Absicht all die platonischen Einzeldarstellungen der verschiedenen Strukturelemente der Webkunst zur Seite schieben – sie sind doch zu mühselig, sowohl im Griechischen wie im Deutschen (man muß mindestens ein Jahr in einer Weberei verbringen, um das alles von innen her verstehen zu können) – und lieber das Phänomen der Webkunst selber direkt ins Auge fassen! (Es interessiert uns um so mehr, als das, was wir im Hinblick auf Platon so intensiv studieren: der Text, eben ein „textum", Webstück ist.) Uns springt dann unmittelbar als ein Wesenmerkmal in die Augen, daß der Weber nicht, wie etwa der Maler, frei gestalten kann. Er kann nämlich keine Mischung durchführen und dadurch über die Elementareinheiten nach eigener Willkür verfügen. Die gefärbten Stoff-Elemente liegen vor ihm, hier ein Knäuel roter Fäden, dort ein Knäuel gelber. Was er zu tun hat, ist – nach der diakritisch durchgeführten Auswahl – diese Bestandteile sinnvoll zusammenzuflechten, und zwar so, daß die Elemente *an sich* rein bleiben, im gegenseitigen Zusammenspiel aber bald heller, bald dunkler, bald wärmer, bald kälter etc. hervorleuchten, je nach dem vom Webmeister gebildeten Maßverhältnis, entsprechend dem sie zur Ganzheit gestaltenden Muster.

2. Die Meßkunst ($\mu\varepsilon\tau\rho\eta\tau\iota\kappa\dot{\eta}$) und die Dialektik (283B–287A)

Im Mittelstück des Omphalos werden zwei λόγοι nacheinander vorgebracht, die beide, je in ihrer Weise, sich auf das Problem des Normativen, des rechten Maßes, beziehen, veranlaßt durch den naheliegenden Verdacht zu großer Umständlichkeit, eines „Zu-viel" im gegenwärtigen Gespräch und dem des „Sophistes". Wonach soll sich ein Werturteil, das „Zu" des „Zu-viel" oder des „Zu-wenig" richten können? Der erste λόγος (vgl. 283B8) beantwortet die Frage prinzipiell, und hierdurch wird der Höhepunkt des Dialogs erreicht (a); der zweite (vgl. 285C4) nimmt auf die bestehende Situation besondere Rücksicht (b).

a) *Die bedingte und die unbedingte Meßkunst (283Bff.)*. Ohne auf Einzelheiten eingehen zu wollen (vgl. μόνον 285B8), macht Platon einen fundamentalen Unterschied zwischen zwei Arten von Meßkunst, einer bedingten quantitativen und einer unbedingten qualitativen. Beide beziehen sich auf Größen-Verhältnisse (283C11–D2). Die bedingte Kunst mißt aber nur die Größen in ihrem Verhältnis zueinander (πρὸς ἄλληλον), die andere verrichtet ihr Messen an einem unbedingten Maßstabe. Worin dieses Maß bestehe, wird nicht ausdrücklich erörtert (obwohl die Anspielung auf den Gott im Mythos immer „traumhaft" mitklingt). Im Gegenteil wird ausdrücklich darauf hingewiesen, das Thema gehöre zur Darlegung der „unbedingten Strenge", der „Spitzfindigkeit" (im positiven Sinne!) als solcher: περὶ αὐτὸ τἀκριβές; gemeint ist offenbar: zur Darlegung über den Philosophen. Hier im Mittelpunkt des Dialogs wird uns nämlich die Dreiheit des vorangegangenen „Sophistes",

2. Etappe: Synkrisis. B. Politikos

des jetzigen „Staatsmann", und des bevorstehenden „Philosophen"-Gesprächs wieder einmal vergegenwärtigt (284BD, vgl. νῦν B9, D2, ποτε D1). Im praktischen Horizont des jetzigen Gesprächs wird das unbedingte μέτρον nur mit gängigen Begriffen des griechischen Wertempfindens als τὸ μέτριον (das Maßgebliche), τὸ πρέπον (das Schickliche), ὁ καιρός (das Gelegene), τὸ δέον (das Gebührliche) etc. bestimmt (284E6–7). Kurz: die unbedingte Meßkunst mißt „Zahlen, Längen, Breiten, Tiefen und Geschwindigkeiten" nicht an ihren Gegensätzen, sondern an „allem, was in der Mitte zwischen zwei äußersten Enden seinen Sitz hat". Das unbedingte Maß ist in einem μέσον τῶν ἐσχάτων zu finden (284E). In diesem Sinne, sagt der Fremdling, haben die Pythagoreer den Begriff μετρητική verstanden, wenn sie ihn zu einem allgemein-gültigen Prinzip erhoben.

Dieses Wertprinzip bei Platon (und den Pythagoreern) ist in der modernen Literatur, die von seiner Lehrtätigkeit in der Akademie ausgeht, besonders eingehend erörtert worden. Die in unserer Textstelle angeschnittenen Grundbegriffe wie μέγα καὶ σμικρόν (283 E), πλέον καὶ ἔλαττον, ὑπερβολή (ὑπεροχή) und ἔλλειψις (283C–E) bilden aller Wahrscheinlichkeit nach die maßgeblichen Begriffe der Vorlesung Περὶ τἀγαθοῦ und stehen mit der Ausprägung des sogenannten zweiten platonischen Prinzips als der ἀοριστὸς δυάς in engster Verbindung. *H. J. Krämer* sieht in dem μέσον τῶν ἐσχάτων das Hauptprinzip des ἀρετή-Denkens des späten Platon und zeigt überzeugend, wie es über die Vorlesung Περὶ τἀγαθοῦ bis zu Aristoteles hin nachgewirkt hat (z. B. Lit.-Verz. 23a, S. 351). *K. Gaiser* hat, obwohl nicht direkt, so doch durch seine Untersuchungen zum Proportionsdenken Platons, besonders zur Verbindung zwischen geometrischen Vorstellungen und der „Wertstruktur" (Lit.-Verz. 14a, S. 76), erhellendes Material zusammengestellt und erörtert (bes. S. 125ff.).

Auch die schwierigen, noch nicht genügend geklärten Stellen in der 2. Hypothese des „Parmenides" über das ἴσον/ἄνισον (149D8–151E2) sollten auf die vorliegende „Politikos"-Stelle hin, wie auch diese von ihr aus eigens interpretiert werden.

Wir wollen uns hier mit den gegebenen Hinweisen begnügen, nur noch die Problematik an folgendem modern geschriebenen Beispiel andeuten: Die Zahl 6 bildet kein wahres μέσον zwischen den Zahlen 8 und 2. Denn mit $8 > 6 > 2$ und umgekehrt mit $2 < 6 < 8$ bleibt man bei der relativen und bedingten Meßkunst. Dagegen bildet die Zahl 4 ein wahres μέσον, denn:
$$8:4 = 4:2.$$
Das Zwischenproportionalglied 4 hebt das (nur) Groß-Klein-Verhältnis von 8 und 2 (ἄνισα) in das ἴσον einer Gleichung empor, setzt das unbedingte μέτρον des Zeichens „=" ein.

b) *Die dialektische Kunst (285C4ff.)*. Die Meßkunst bleibt an den Bereich der μαθηματικά gebunden (vgl. 284E4–7), obwohl sie als „qualitative" sich nach einem jenseits-liegenden, unbedingten Maßstab zu richten hat. Die Dialektik, heißt es, ist in dieser Hinsicht freier und umfassender. Sie ist erstens nicht auf ästhetisches Wohlgefallen (ἡδονή) aus, darin ähnelt sie der Meßkunst. Sie ist aber auch nicht damit zufrieden, sofort zur Lösung eines ihr vorgesetzten Problems hin zu steuern, wie es doch die Meßkunst und – nach Platons Ansicht im Liniengleichnis – die mathematischen Wissenschaften überhaupt zu tun geneigt sind. Die Dialektik kümmert sich in erster Linie um die Methode selber, die hier wiederum als ein κατ' εἴδη διαιρεῖν bezeichnet wird (286D; vgl. „Sophistes" 253C). Sie ist eine selbst-reflektierte Geistesentfaltung, die nicht nur über alles „andere", sondern auch, das muß gefolgert werden, über sich selbst Rechenschaft gibt (vgl. λόγον ἑκάστου 286A4–7). Im höchsten, nicht-sinnlichen Bereich des Seins und des Geistes ist es ihre Aufgabe, durch das Wort allein (λόγῳ μόνον 286A6) das Seiende offenzulegen (δήλωσις 287A3). Wenn sie über die Sinnlichkeit spricht, wie z. B. jetzt über die Weberei, geschieht das nie um der Sinnlichkeit selbst, sondern um ihrer Ähnlichkeitsstruktur willen. Die sinnliche Webkunst ähnelt, haben wir gesehen, der unsinnlichen Staatskunst in paradigmatischem Sinne. Von den „höchsten und ehrwürdigsten" Dingen der reinen Dialektik gibt es aber, heißt es ausdrücklich, keine solchen sinnlichen Ähnlichkeiten, die deutlich genug sein könnten, um eine suchende Seele zufriedenzustellen (285Eff.). Wir verstehen das als einen Hinweis darauf, daß man das *Wesen* der Dialektik nicht an etwas anderem, ihr fremdem ablesen kann. Die im „Politikos" angewendete paradigmatische Methode, mit deren Hilfe der Staatsmann herausgestellt wurde, kann nicht auch zur Herausstellung des dialektischen *Philosophen* gebraucht werden. Hier muß der Geist, will er das Wesen der Philosophie erkennen, in die Dialektik selber eintreten, um durch ihre Ausübung Einsicht zu *erfahren*.

Und das eben ist, was im „Parmenides" geschieht. Am Anfang des „Politikos" hat Sokrates Theodoros zurechtgewiesen, er habe, obwohl Mathematiker vom Fach, die drei Themen des Sophisten, des Staatsmannes und des Philosophen als drei kommensurable Größen verstanden und sie entsprechend nacheinander reihen wollen. Es zeige, ließ Sokrates ihn hören, daß er den Stand des Philosophen sui generis wie auch die Grenze seiner eigenen mathematischen Techne nicht klar eingesehen habe. Das wahre Verständnis für die Andersartigkeit jeglicher Techne der reinen philosophischen Dialektik gegenüber ist uns dann im Omphalos desselben Werks gegeben worden. Zwar haben die Dialoge des Wegs hinauf immer zum Philosophen hingeleitet, und innerhalb der Trilogie der Themen ist zuerst sein Nachahmer, der Sophist, danach sein Helfer, der Staatsmann, unterschieden worden (wie es dem methodischen Vorgehen im ὕπαρ-Teil des „Politikos" entspricht). Aber vom Wesen des Philosophen, was er als solcher *ist*, wissen wir nach den Worten über die Dialektik im Mittelstück des „Politikos" erst wenig, wenn überhaupt etwas. Denn immer noch sind wir an der Sinnlichkeit hängengeblieben, an Paradigmen, nicht an der „Sache selbst" orientiert.

Hier müßte wohl neu angesetzt werden. Hier, wenn irgendwo, wäre ein „plötzlicher" Sprung in der platonischen Darstellungsweise sinnvoll zu erwarten. Als Philosoph kann Platon sich erlauben, „über" die Sophistik und „über" die Kunst des Staatsmannes zu reden. Als Philosoph kann er sich aber nicht erlauben, wenn er wesenhaft reden will, „über" die Philosophie zu reden. So etwas hat er schon in der „Politeia" versucht, und wenn es ihm dort ganz ernst wurde, ging er zur Gleichnissprache über.

Nein, es gibt nur eine Möglichkeit, wie ein Philosoph das wahre Wesen des Philosophen λόγῳ μόνον zur Darstellung bringen kann: daß er im eigenen Vollzug des Philosophierens dieses Wesen *zeigt* – wie es eben im „Parmenides" geschieht[1].

---

[1] Genau so sagt es auch *Stallbaum* (vgl. oben Note S. 8). Seine Erörterung des Verhältnisses „Sophistes"-„Politikos"-„Parmenides" mündet in die Feststellung, daß Platon im „Parmenides" „non quidem describit" (wie im „Sophistes" und „Politikos") „sed ob oculos ponit". – Die Trennung *zeigen* (= Hervorzeigen von etwas) – *sagen* (= Aussagen machen über etwas) entnehme ich der Philosophie Wittgensteins.

II. DER PHILOSOPH

„Parmenides": Das Eine und das Andere

A. Die Frage nach der ἀρχή und die zwei ἀρχαί

(15. Stunde)
Endlich sind wir bei der Zinne (θριγκός Politeia 534E) der platonischen Dialektik angelangt: dem „Parmenides". „Philosophos" oder nicht, das ist letzten Endes nicht das Entscheidende. Entscheidend für das Verständnis dieses Rätselwerks, ja des späten Platon überhaupt ist, den „Parmenides" nicht als eine Vorübung, ein Prolegomenon zu den übrigen und „eigentlichen" dialektischen Werken der Spätzeit, sondern als das Schlußstück, das Telos und Worumwillen der anderen anzusetzen, mithin eben am Ort des „Philosophos". Augenscheinlich kann die Deutung als Prolegomenon etwas Bestechendes für sich ins Feld führen: Der große zweite Teil des „Parmenides" mutet ja wie eine rein formale Übung im methodischen Umgang mit abstrakten Begriffen wie πολλά, ἕν, τἆλλα, ὄν, ὅμοιον, ταὐτόν etc. an, während die übrigen Dialoge des späten Platon alle, seien sie auch ziemlich abstrakt, doch ein konkretes Thema untersuchen, ein Etwas haben, worauf die eingeübte Methode Anwendung findet und dadurch *Sinn* erhält. Methode um ihrer selbst willen sei eine Mühle, die sich drehe, ohne zu mahlen, sagt Wilamowitz treffend in anderem Zusammenhang. So „dreht" sich das Mühlrad im „Parmenides", möchte man sagen, aber es „mahlt" erst, wenn Themen wie ὄνομα, λόγος, „Sophist" und „Staatsmann" hinzukommen. Deshalb hoben wir auch hervor, daß z. B. das des „Staatsmannes" nicht als zufälliger Zusatz zur Übung der Methode im „Politikos" anzusehen ist, sondern daß die Behandlung dieses Themas in ihrer Weise die selbe Sache zum Ausdruck bringen soll wie die Erörterung der Methode in der ihrigen.

Was wäre dann die „Sache" des Dialogs „Parmenides"?

Bevor wir auf diese Frage direkt zu antworten versuchen, wollen wir auf gewisse Entsprechungen zwischen dem dialektischen Teil des „Parmenides" und den übrigen Spätdialogen Platons hinweisen. Das Gerüst der Dialektik des zweiten Teiles wird aus folgender Reihe entgegengesetzter „Prädikate", platonisch ausgedrückt: πάθη („Widerfahrnisse") gebildet:

τὰ ἐναντία πάθη

α) ὅλον / μέρος
    ἀριθμός (2. Hyp.)
    πέρας / ἄπειρον (σχῆμα)
    ἔν τινι εἶναι
    κίνησις / στάσις

β) ταὐτόν / ἕτερον
    ὅμοιον / ἀνόμοιον
    ἅψις (2. Hyp.)
    ἴσον / ἄνισον
    ἡλικία

γ) χρόνος
    οὐσία
    ἐπιστήμη (δόξα, αἴσθησις)
    ὄνομα, λόγος

Diese Ideen und Ideen-Paare (denn hier, wenn irgendwo, haben wir es mit platonischen „Ideen" zu tun) sind uns ja fast alle schon vertraut. Die Idee der κίνησις z. B. kennen wir zur Genüge aus dem herakliteischen „Kratylos" (und dem „Theaitetos"), auch die des ὅμοιον (aus dem Aufweis, daß die Sprache als Bild nicht danach strebt, ἴσον zu werden, sondern danach, ὅμοιον zu sein; oben S. 42). Im „Theaitetos" wird außer im ἐπιστήμη-Komplex auch an einer Stelle, die wir leider nicht haben behandeln können, die Idee des ὅλον an Hand der Wechselbegriffe μέρος und πᾶν ausführlich erörtert (Theait. 203Aff.). Im „Sophistes" trat, durch die eleatische Vermittlung, die der στάσις zur Idee der κίνησις hinzu, wie auch die Paare μὴ ὄν – ὄν und ταὐτόν – ἕτερον dazukamen, während im „Politikos" das ἴσον – ἄνισον, obwohl nicht den Worten, so doch der Sache nach mit der μέγα – σμικρόν-Problematik der μετρητική behandelt wurde. Einige pythagoreische Ideen im „Parmenides", die des πέρας – ἄπειρον, des χρόνος und des ἀριθμός, fehlen zwar auf dem „Weg hinauf" (wenn auch der Mythos des „Politikos" eine eigentümliche χρόνος-Idee „traumhaft" andeutet); sie werden aber in den folgenden Dialogen des „Wegs hinab" eingehend erörtert, besonders im „Philebos", im „Timaios" und in der „Epinomis". Wir werden, wenn wir so weit sind, sehen, daß diese Ideen dort nicht, wie bis jetzt, um ihrer selbst willen, sondern bezeichnenderweise zur „Rettung der Phänomene" auftauchen. – Nur die Ideen des In-Seins oder der Immanenz (das ἐν εἶναι) und der Berührung (ἅψις) scheinen in den übrigen platonischen Schriften als geprägte Begriffe zu fehlen; man vergleiche jedoch z. B. „Symposion" 211AB, wo beide zugleich in der Anwendung da sind: ἐν εἶναι A8, ἅπτοιτο B7; für ἐν εἶναι auch „Timaios" 33B, 49Eff.

Schon aus dieser Entsprechung können wir eine Schlußfolgerung zur Kennzeichnung der Ideen-Reihe im „Parmenides" ziehen: Die Ideen, die im zweiten Teil dialektisch gegeneinander ausgespielt werden, bilden eine *systematische Zusammenfassung* der in den sonstigen Dialogen des späten Platon verstreut liegenden *höchsten* γένη. Vielleicht, ja sehr wahrscheinlich sind diese, jedenfalls diejenige „Tafel", aus der Platon seine systematische Auswahl vornahm, ihm von der eleatischen Schule als Erbe zugekommen, wie später etwa Kant seine Kategorientafel größtenteils aus der Schullogik des scholastischen Aristotelismus gewann. Platon hat sich aber um so mehr Mühe gegeben, jene „Tafel" zu reduzieren und zu verifizieren, teils im „Parmenides" selbst an Hand eines allerhöchsten Prinzips (auf das wir bald zu sprechen kommen), teils in den übrigen Spätdialogen an Hand der Probleme seiner allgemeinen philosophischen Erfahrung.

Eine derartige Entsprechung besagt noch nichts für die Prioritätsfrage. Wir haben aber während unserer bisherigen Wanderung nicht nur gesehen, *daß*, sondern auch verstanden, *wie* die Fundamental-Ideen aufgetaucht sind: als *die Elemente der Sprache des Alls* (Polit. 278D1). Darin sollte die wahre platonische Übung bestehen: im sinnlichen Bereich der Sophisten und Staatsmänner die unsinnlichen Elemente zu sehen, die dort wie isolierte Buchstaben und Silben vorkommen. Dadurch soll man – Platon selbst mit eingeschlossen – allmählich dahin kommen, die unsinnliche Elementarsprache als solche lesen zu können. Eine größere Textprobe aus dieser reinen Elementarsprache ist, was uns der „Parmenides", und nur dieser Dialog, bietet. Es wäre dann sowohl unpädagogisch wie unplatonisch gewesen, uns Schülern zuerst den größeren Text und danach erst die Buchstaben und Silben anzubieten. Nein, die „Übung" ist das, was wir bis jetzt durchgemacht haben. Im „Parmenides" stehen wir bei der Sache selbst. Und jetzt müssen wir auf die Frage „welche Sache?" unsere Antwort geben.

Die „Sache" des „Parmenides" ist die aller faustischen Philosophie von Pherekydes und Thales bis Heidegger und Wittgenstein: zu wissen, „was die Welt im Innersten zusammenhält" (Faust I, 1. Monolog); sie betrifft die Frage nach dem Ursprung, nach dem Grund (ἀρχή). Diese Frage wird während des Dialogs nicht ausdrücklich als solche gestellt. Sie wird aber durch die Fundamentalität der besprochenen Ideen wie auch der während des Ganges der Untersuchung in Angriff genommenen Probleme im Denken erfahren, und mit dieser Erfahrung zugleich gelöst. Die Grundfrage des Dialogs wird mithin – ganz, wie man es in einem Platondialog wert des Namens „Philosophos" erwarten möchte – nicht als Thema betrachtet, „über" welches Aussagen gemacht werden: Sie „zeigt" sich nur, so wie in der großen Kunst das eigentliche Anliegen sich dem „zeigt", der „mit der Sache selber" verwandt ist.

Nun steht die Reihe von ἐναντία πάθη nicht isoliert da. Es muß ja etwas da sein, dem sie „widerfahren". Dies ist das Paar, das mit den Namen ἕν und τἆλλα benannt wird, und das wir im Textzusammenhang weder als Begriffs- noch als Ideen-, sondern als ein platonisches Prinzipien-Paar „jenseits" der Welt der Ideen betrachten werden. Die ganze Dialektik geht nach dieser unserer Auffassung darauf hinaus zu zeigen, wie die Prinzipien durch die idealen Grundbezüge der Welt modifiziert und umgekehrt die idealen Grundbezüge der Welt durch die Prinzipien konstituiert werden. – Wie kommt es aber bei Platon zu die Ideen transzendierenden Prinzipien (ἀρχαί)?

Von seiner früheren Philosophie her kommt uns das Auftauchen eines Prinzips jenseits der Welt der Ideen nicht ganz unerwartet. Die „Idee" des Schönen bzw. des Guten sollte in ihrer Unbedingtheit (αὐτὸ καθ' αὑτό), durch welche sie das „große Meer" der sonstigen Ideen begründet, streng genommen jenseits der Ideenwelt stehen und deshalb eben als Prinzip, nicht als Idee, anzusetzen sein (wenn sie denn überhaupt „ansetzbar" sei). Auf *zwei* Prinzipien sind wir jedoch nicht vorbereitet, im Gegenteil: der ganze „Weg hinauf" hat uns von der Vielfalt stufenweise empor zu einer einzigen ἀρχή, zu dem möglichen *Einen* hin geführt, das – im αὐτὸ τἀκριβές des „Politikos" verhüllt zum Ausdruck gebracht – alles von sich aus begründen und allem als μέτρον dienen soll. An das Prinzip des Einen fügt sich aber im „Parmenides" schon nach dem formalen Aufbau seiner Dialektik auch ein, zwar scheinbar untergeordnetes, doch selbständiges neues Prinzip, das des Anderen, τἆλλα. Woher denn und warum dieses zweite Prinzip?

Wir könnten zurückblickend Spuren vom Vorhandensein eines zweiten Prinzips bei Platon auch in den früheren Dialogen ausfindig machen und auch Stellen aufzeigen, wo gerade die Benennung τἆλλα die Sinnfülle eines Prinzips zu erhalten scheint. Zum Beispiel haben wir schon im „Sophistes" gesehen, wie ἕν und τἆλλα zusammen für die Durchführung der Reduktion des Seins zu einem höchsten Seienden notwendig waren (Sophistes 257A; vgl. oben S. 76, auch Sophistes 252C3); und wir können folgende Textproben aus den Höhepunkten der Untersuchung von Schönem und Gutem in „Symposion" und „Politeia" vorlegen:

Symposion: αὐτὸ καθ' αὑτὸ μεθ' αὑτοῦ μονοειδὲς ἀεὶ ὄν,
τὰ δὲ ἄλλα πάντα καλὰ ἐκείνου μετέχοντα ...
τῶν ἄλλων ... ἐκεῖνο ... (211B)

Politeia: ἡ τοῦ ἀγαθοῦ ἰδέα μέγιστον μάθημα ...,
ἄνευ δὲ ταύτης εἰ ὅτι μάλιστα τἆλλα
ἐπισταίμεθα. (505A)

Wir können uns aber die Mühe sparen, auf Einzelheiten darin einzugehen. Durch die Lektüre des „Parmenides" selbst wird uns ganz deutlich werden, warum sich ein zweites Prinzip, und zwar eben τἆλλα, dem ersten beigesellen muß. Denn erstens zeigt sich, daß die Frage nach dem Ursprung als dem ἕν sinnvoll scheitert (1. Hyp.); aus dem Sinn dieses Scheiterns entsteht die Notwendigkeit, zum ἕν einen Gegensatz zu denken, wie es τἆλλα ist (2. Hyp.). Und zweitens gibt es innerhalb des Logos dieses Dialogs selbst einen Umschlag, der nicht nur ihn, sondern Platons ganze Philosophie und besonders die späte charakterisiert: den Umschlag vom Gegensatz ἕν – πολλά zum Gegensatz ἕν – τἆλλα. Während der Gegensatz ἕν – πολλά innerhalb der Kategorie der Quantität (ἴσον) besteht, bedeutet der Gegensatz ἕν – τἆλλα ein dialektisches Bezogensein aufeinander von so fundamentalem Charakter, daß es keiner Kategorie zuzurechnen ist, daß es im Gegenteil allen zugrundeliegt und sie in ihrer (platonischen) Gegensätzlichkeit konstituiert.

Vom „Sophistes" her können wir diese Postulate präziser fassen: Wie dort die Verflechtung der ausgewählten höchsten Paare gegensätzlicher γένη erst durch einen λόγος ἀμφοῖν ἅμα von μὴ ὄν *und* ὄν, wird im „Parmenides" das πάθος-Drama der ἐναντία πάθη erst durch einen λόγος von ἕν *und* τἆλλα ermöglicht. Der Dialog „Parmenides" wiederholt mithin die Weise des Vorgehens im „Sophistes" – und zwar auf einer höheren Stufe, weil erstens nicht nur wie dort nach dem Licht („Sein"), sondern nach seinem Ursprung („Einheit") gefragt wird, und zweitens, weil in der Ausarbeitung und Beantwortung dieser Frage das synkritische Verfahren nicht nur wie im „Sophistes" intuitiv, sondern methodisch an Hand eines Paradeigmas, eines Musters angewendet wird: der eleatischen Dialektik.

Alle Postulate sollen während unserer jetzt folgenden Text-Analyse näher belegt und erläutert werden.

Äußerlich gesehen zerfällt der Dialog „Parmenides" nicht, wie wir es bisher gewohnt sind, in drei, sondern in zwei Teile – in ein Vorgespräch und das eigentliche dialektische Gespräch – mit einem Prooemium und einem Zwischenspiel. Vorgespräch (127D–135B) und Zwischenspiel (135B–137C) bestehen aus einem indirekt wiedergegebenen Gespräch zwischen Parmenides, Zenon und dem ganz jungen Sokrates. Das dialektische Gespräch (137C ad fin.) besteht nicht aus einem Gespräch im eigentlichen Sinne, sondern aus logischem Exerzieren des Parmenides mit dem Jüngsten der Versammlung namens Aristoteles. – Im Vorgespräch werden zwei Themen nacheinander abgehandelt. Zunächst übt Zenon Kritik an einer Auffassung der ὄντα als πολλά, worauf Sokrates diese Kritik kritisiert (Abt. A); danach stellt Sokrates eine Ideenlehre auf, die dann Parmenides der Kritik unterzieht (Abt. B). Das dialektische Gespräch enthält eine Anzahl von Argumentationseinheiten – wir zählen neun –, die gerne „Hypothesen" genannt werden, weil sie sich jeweils auf einer hypothetischen Formulierung in Form eines „εἰ"-Satzes aufbauen. Diese bezieht sich jedesmal auf ein und dieselbe Benennung „ἕν"; und was über das „ἕν" gesetzt wird, ist ganz einfach, ob es ist (εἰ ἔστιν) oder nicht ist (εἰ μή ἔστιν). Nach dieser Setzung lassen sich die Hypothesen in zwei große Gruppen einteilen: die fünf ersten setzen das Eine irgendwie als seiend, die vier letzten irgendwie als

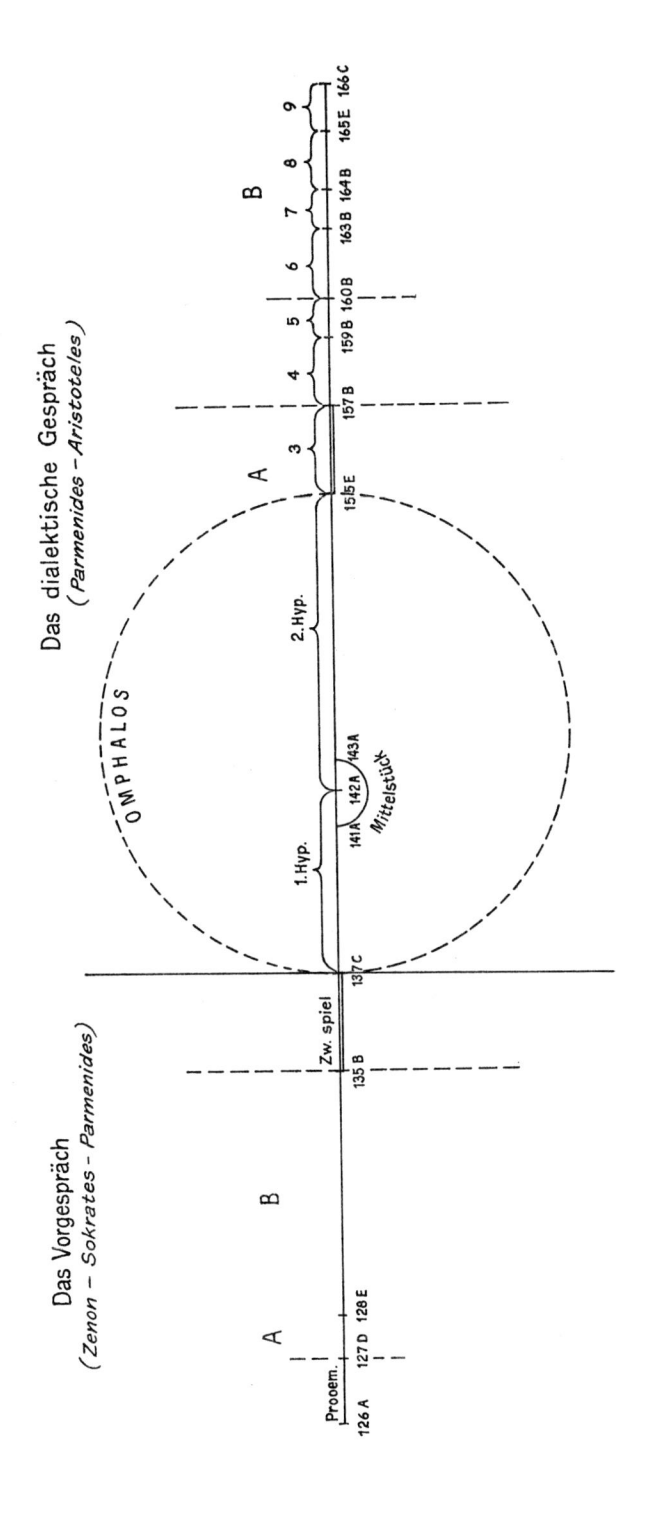

PARMENIDES

Das Vorgespräch
(Zenon – Sokrates – Parmenides)

Das dialektische Gespräch
(Parmenides – Aristoteles)

nicht-seiend. Auf Grund dieser Voraussetzungen werden das Eine und sein Gegensatz, das Andere, nach bestimmten Regeln der Reihe der πάθη nach untersucht.

Wir haben also bis jetzt, durch rein äußerliche Einteilung, folgende Strukturelemente herausgestellt: Prooemium; das Vorgespräch Abt. A und B; Zwischenspiel; das dialektische Gespräch Abt. A und B. Machen wir schon hier unsere Stichprobe und fragen: Wo taucht die zu erwartende Frage nach der Falschheit bzw. nach der Illusion und dem Schein auf, so ergibt sich die Antwort schon aus dieser Gliederung: in der letzten Abteilung des dialektischen Gesprächs (ab 6. Hyp.), in der es dem Nicht-seienden Einen gilt, also ziemlich genau dort, wo sie in allen bisher untersuchten Dialogen aufgetaucht ist.

Wir dürfen uns aber mit dieser Zweiteilung des Dialogs nicht zufrieden geben. Erstens gibt es die Schwierigkeit dabei, daß es nach dieser Einteilung kaum jemandem gelungen ist, seine Ganzheit herauszustellen. Die Einteilung teilt nicht ein, sondern zersplittert. Zweitens ist da ein Element, das sich so nicht ohne weiteres einfügen läßt nämlich die von Platon ausdrücklich als „dritte" (τὸ τρίτον 155E4) genannte Hypothese. Sie allein untersucht das Eine (und Andere) nicht der Reihe der πάθη nach und ist überhaupt sowohl in Struktur wie Thematik einzigartig, so daß man sich fragen muß inwieweit nicht doch eine *innere Zäsur* vorliege, die sich erst dem öffnet, der den Gedankengang mitdenkend nachvollzieht. Und wirklich: bei näherer Untersuchung stellt sich die obige Zäsur zwischen dem als seiend und dem als nicht-seiend angesetzten Einen (160B) zwar als wesentlich, aber im Verhältnis zu einer anderen doch nebensächlich heraus, nämlich im Verhältnis zu sachlichen Zäsur zwischen den beiden ersten Hypothesen einerseits, und den sechs abschließenden andererseits. Die problematische dritte Hypothese bildet, wenn man es literarisch sagen darf, ein „Zwischenspiel" dieser großen Abteilungen.

In der neuen Sicht zeigt der Dialog die Möglichkeit einer inneren Form, die mit der im „Sophistes" und „Politikos" aufgewiesenen übereinstimmt und sich durch eingehende Interpretation des Gedankengangs als tatsächlich vorhanden erweisen wird. Die zwei ersten, großen Hypothesen stellen sich nicht nur als eine erste Abteilung des dialektischen Gesprächs, sondern *als Omphalos des ganzen Dialogs* heraus. Ihm voraus gehen 11 und ihm folgen wiederum 11 Stephanus-Seiten. Der äußeren Form nach gehören beide Hypothesen zwar völlig dem dialektischen Gesprächsteil an, ihrem sachlichen Inhalt nach aber sind sie zugleich vorwärts und rückwärts gerichtet, stehen sie, um einen antiken Stilbegriff zu verwenden, ἀπὸ κοινοῦ: Das Thema der ersten Hypothese, das der reinen Einheit, stellt eine Verlängerung des Themas aus dem Vorgespräch, nämlich der πολλά und der εἴδη dar; das Thema der zweiten Hypothese, das des seienden Einen, erfährt in den folgenden Hypothesen eine natürliche Ausweitung. So stellt sich *die innere Form* auch dieses Dialogs als dreigliedrig heraus, und zwar folgendermaßen:

Teil I: Vorgespräch über τὰ πολλά (Zenon) und τὰ εἴδη (Sokrates)
Zwischenspiel (über die eleatische Methode)
Teil II: Omphalos aus 1. und 2. Hypothese
Zwischenspiel: 3. Hypothese (τὸ ἐξαίφνης)
Teil III: 4. bis 9. Hypothese.

Im Omphalos steht wiederum – obwohl nicht mehr der Seitenzahl, so doch dem Sinn nach – *ein Mittelstück*, nämlich die Textstelle von 141A (dem χρόνος-Argument der ersten Hypothese) bis 143A (dem ὅλον-Argument der zweiten Hypothese einschließlich), das auch einen Mittelpunkt hat, nämlich das ἀδύνατον am Ende der ersten Hypothese (142A7). Dies Mittelstück, und besonders sein Mittelpunkt, dürfte die entscheidende Textstelle sein zur Beantwortung unserer Frage nach der Zweiheit der Prinzipien.

Wenn wir das nächste Mal zur allgemeinen Darstellung des Gedankengangs in diesem Werke übergehen, werden wir sehen, daß aus der vorläufig angedeuteten inneren Strukturierung ein Schema entsteht, das den augenscheinlich so unproportionierten „Parmenides" zum wohlgefügtesten Kunstwerk der platonischen Spätdialoge, wenn nicht der Dialoge Platons überhaupt, macht.

B. Das Eine (Anfang bis 1. Hypothese)

> τὰ γὰρ εἴδη τοῦ τί ἐστιν αἴτια τοῖς ἄλλοις,
> τοῖς δ' εἴδεσι τὸ ἕν. (Arist. Met. A, 6, 988a11)
> „Denn die Ideen sind Wesensursache der Anderen,
> das Eine aber ist Wesensursache der Ideen."

(16. Stunde)
Nach unseren bisherigen Behauptungen soll das Rätselwerk „Parmenides" die „Zinne" der dialektischen Gedankenentwicklung in den platonischen Spätdialogen bilden, und zwar so, daß sie, in einer (impliziten) Frage nach der ἀρχή als solcher, zwei ἀρχαί ausfindig macht, das Eine und das Andere, deren Verknüpfung mit den obersten γένη der gedanklich zu erfassenden Wirklichkeit durchgesprochen wird. Die äußere Form des Dialogs ist zweigliedrig, die innere aber dreigliedrig, denn die großen Hypothesen 1 und 2 bilden einen vor- und rückwärts gerichteten Omphalos, dessen Mittelpunkt die Stelle des Übergangs zwischen beiden ist. – Heute werden wir an Hand des vorläufigen Strukturüberblicks den Gedankengang des Dialogs mit besonderer Rücksicht auf die Frage nach dem ἕν (1. Hyp.) zu umreißen beginnen. Der Versuch einer ganzheitlichen Interpretation soll das nächste Mal besonders der Frage nach dem τἆλλα (ab 2. Hyp.) gelten und zum Abschluß gebracht werden. Das Ziel unserer Interpretationen ist zu zeigen, daß und wie die Grundstruktur des

Logos im „Parmenides" die Struktur des intelligiblen Universums Platons, seine gesamte Grundvision, „logisch" wiedergibt.

Daß wir es hier mit interpretatorisch besonders umstrittenen Fragen zu tun haben – fast jedes Wort im „Parmenides" ist im Laufe der Jahrhunderte und Jahrtausende seit seinem Entstehen verschieden gedeutet worden – soll uns nicht davon abhalten, unsere eigene, durch gewissenhaftes Studium des Textes und der Sekundärliteratur gewonnene Auffassung konstruktiv darzustellen. In einer eigenen Arbeit habe ich sie näher begründet[1].

Teil I: Das Vorgespräch

Vom ionischen Lande der sinnlichen Vielfalt im Osten (Anaxagoras' Stadt Klazomenai) kommt eine Gesellschaft philosophisch Interessierter, geführt von einem gewissen Kephalos, nach Athen, dem Mittelpunkt der griechischen gebildeten Welt, um zu hören, worüber die Häupter der eleatischen Schule aus dem italischen Lande der intelligiblen Einheit im Westen mit Sokrates seinerzeit dort gesprochen haben. – Durch dies *Prooemium* ist schon die geistige Situation des Dialogs vorgezeichnet. Platon will als Vertreter der Mitte die (seit dem „Sophistes" andauernde) „Gigantomachie" zwischen Ost und West, zwischen etwa pluralistischem „Materialismus" und monistischem „Idealismus", in dialektischer Synopsis auszugleichen suchen.

Die πολλά-These und Zenon

In diesem Sinne fängt das wiedergegebene Gespräch an. Ein Grundsatz wird erörtert: das Seiende sei vielfältig, πολλὰ τὰ ὄντα, der *expressis verbis* den Gegen-Satz zum eleatischen Grundsatz: ἓν τὸ πᾶν, Alles sei Eines, bildet. – Zenon hat in seiner Jugend den pluralistischen Grundsatz durch eine Serie von Argumenten (λόγοι) kritisiert, von denen jetzt Sokrates, nach dem Vorlesen der zenonischen Schrift, ein typisches auswählt: daß das Seiende dann sowohl

---

[1] Vgl. im Lit.-Verz. Nr. 42a meine „Parmenides"-Schrift. Gleichzeitig sind andere „Parmenides"-Forscher zu konvergierenden Ergebnissen gekommen; vgl. Lit.-Verz. Nr. 5 und Nr. 12. Kritiker meiner „Parmenides"-Schrift haben den *methodus demonstrandi* in diesem Werk mit einem *methodus inveniendi* verwechselt und geglaubt, ich sei mit einem im voraus konzipierten Schema an den „Parmenides" gelangt. Mein wissenschaftlicher Weg zum „Parmenides" kommt aber von den „Nomoi" her (vgl. unten S. 147), wo gar kein solches Schema vorzufinden ist. Später habe ich erfahren, daß ein entsprechendes Schema bei den Gelehrten unter den Namen „das alexandrinische Weltschema" bekannt ist (vgl. z. B. Lit.-Verz. Nr. 17, S. 6 ff., 243 ff.). Davon hatte ich damals keine Ahnung. – Man hat aber mit einem gewissen Recht eine Überspitzung des subjektiv idealistischen Moments (Fichte) in dieser Schrift angegriffen (vgl. Lit.-Verz. Nr. 26). So würde ich heute einen Satz wie „Das Denken wendet sich um, um der Welt ihre Teilhaftigkeit am Urgrund beizubringen" wie folgt formulieren: „..., um der Teilhaftigkeit der Welt am Urgrund innezuwerden und sie offenzulegen".

ὅμοιον und ἀνόμοιον sein muß. In der Idee absoluter Vielheit (πολλά) liegt, so scheint Zenon argumentiert zu haben, die Idee absoluter Ungleichartigkeit (ἀνόμοιον), während in der Idee des „Seienden" (τὰ ὄντα) die Idee einer Gleichartigkeit (ὅμοιον) liegt. Darum kann nichts als absolut vielfältig *seiend* gesetzt werden, ohne daß man in inneren Widerspruch gerät. Eine mögliche Intuition fundamental chaotischer Vielfalt läßt sich gedanklich nicht festhalten und im Satz (λόγος) nicht vortragen. Zenon hat sich auf diese negative Demonstration beschränkt.

Die εἴδη-These und Sokrates

Der junge Sokrates glaubt, er könne die Position der Vielfalt gegen Angriffe von der Art Zenons verteidigen. Man braucht ihr nur die Absolutheitsforderung zu nehmen. Die Welt der Vielfalt bildet eine Welt-Schicht, die der sensuellen Phänomene (ἐν τοῖς ὁρωμένοις). Über ihr ist eine andere Welt-Schicht anzusetzen, die durch den λόγος allein begriffen werden kann (vgl. 130A2): die der Ideen (ἐν τοῖς εἴδεσιν). Eine Idee bildet die Einheit der ihr zugehörigen vielen Phänomene (ein ἕν ἐπὶ πολλῶν; vgl. 132A3, C7); sie *ist* das, was diese nur durch Teilhabe an ihr *haben*. Die Phänomene können an mehreren Ideen teilhaben; sie können z. B. zugleich als ὅμοια (in einer Hinsicht) und als ἀνόμοια (in einer anderen) angesprochen werden. Eine Idee aber (z. B. ὅμοιον) kann nicht mit einer anderen verflochten werden, geschweige denn mit ihrem konträren Gegensatz (ἀνόμοιον). – Durch diese idealistische Zwei-Welten-Theorie, wie wir sie ja schon aus der Vorbereitung des Sonnen-Gleichnisses kennen (oben S. 12), will der junge Sokrates Zenon überbieten.

Der im Denken der Gegensätze geschulte „Palamedes" („Phaidros" 261D) fühlt sich aber wenig getroffen. Er wechselt einen lächelnden Blick mit seinem Meister Parmenides, und dieser beginnt eine systematische Kritik der von Sokrates dargelegten Zwei-Welten-Theorie. Die Kritik gehört zu den meist diskutierten Ausführungen im platonischen Schriftwerk. Denn es muß ja Aufsehen erregen, daß man in einem Dialog Platons eine radikale „Destruktion" einer Lehre findet, die man allgemein seine „Ideenlehre" nennt. Doch sollten wir uns, um unser Staunen etwas zu mildern, daran erinnern, daß Platon sich auch im „Sophistes" von den sogenannten „Ideenfreunden" distanziert hat. Weder dort noch hier bedeutet die Kritik, daß Platon seine Lehre von den intelligiblen Einheiten, den „Ideen" aufgibt, Sie bedeutet wohl nur, daß er auf Grund der viel präziser entwickelten logisch-ontologischen Problematik der Spätdialoge seine frühere teils metaphorisch-populäre Weise, die Ideenlehre darzustellen, umgestaltet, und zwar so, daß er hinter ihr eine Prinzipienlehre aufzeigt.

Wir können hier nicht auf die einzelnen kritischen Argumente des eleatischen Meisters eingehen. Sie konzentrieren sich hauptsächlich auf die Frage der möglichen Verknüpfung zwischen den beiden Schichten dieses Weltbildes, besonders auf das Problem möglicher Teilhabe (μέθεξις) der Dinge an Ideen. Es zeigt sich, daß Sokrates keine zufriedenstellende Rechenschaft darüber ablegen kann.

II. Der Philosoph

Die fundamentale Schwäche seiner „jugendlichen" Darstellung besteht darin, die obere Schicht der εἴδη nicht *als solche* verstanden und beschrieben zu haben. Sie hat die ideale Weltschicht als einheitlich gefaßt nur *im Gegensatz zu* der vielheitlichen Welt „hier unten", hat sie als dauerhaft gedacht nur *im Gegensatz zu* unserer Welt der ephemeren εἴδωλα, als intelligibel nur *im Gegensatz zu* der uns unmittelbar gegebenen Sinnenwelt ... Kurz und schulphilosophisch gesagt: Die Idee ist nur als durch Induktion zustandegebrachter und abstrahierter Allgemeinbegriff verstanden, der als objektives Korrelat zum subjektiven Denken und als vorbildliches Muster zu den abbildlichen Dingen in die extramentale Wirklichkeit (φύσις) hinausprojiziert worden ist. Dieser ganze metaphysische Abstraktionsprozeß, das gibt die Kritik des Parmenides zu verstehen, ist als solcher nur eine leere Spekulation. Denn so gesehen und verstanden wird die ideale Welt, die doch den Grund für die materiale bilden sollte, nur ein freischwebenes, unverbindliches „Anderes" im Verhältnis zur maßgeblichen Tatsachenwelt der Sinne. An der Existenz einer etwaigen „Ideen-Welt" zweifelt der Eleate nicht. Denn wie wäre sonst die Philosophia möglich (135C)? Aber diese Welt muß irgendwie begründet sein. Selbst kann sie sich nicht begründen; ein Versuch führt zur absurden Konsequenz, daß die Ideenwelt in absoluter Isolation ohne jegliche Verbindung mit der Welt der Phänomene bestünde (das Herr-Knecht-Argument, 133Cff.!). Also muß ein Prinzip gefunden werden, auf Grund dessen sowohl die Ideenwelt selbst in ihrem inneren Gefüge sich konstituieren, wie auch die Verbindung zwischen der Ideenwelt und der Welt der Sinne gesichert werden kann.

Dies Prinzip wird im *Zwischenspiel* versuchsweise als das eleatische Eine (ἕν) hervorgehoben. Nicht in den rein sinnlichen πολλά der Gegner Zenons, auch nicht in dem idealen *und* sinnlichen ἓν ἐπὶ πολλῶν eines „sokratischen" εἶδος, sondern in dem reinen ἕν des Eleaten Parmenides könnte sowohl das sinnliche als auch das ideale Seiende (τὰ ὄντα) seinen wahren Grund (ἀρχή) haben.

Zur Untersuchung dieser These (im Text selber wird alles spielerisch verschleiert, so sehr, daß Platon in 137B2 ausdrücklich so tut, als ob er nur spiele!) greift Platon zu einer Methode, die er gerade von der logischen Schule des Eleatismus übernimmt. Ein beliebiger Begriff X soll danach teils als seiend und teils als nicht-seiend gesetzt werden, heißt es. Dann soll teils das X selber in Verhältnis zu sich selbst und zu seinem Gegensatz, teils sein Gegensatz in Verhältnis zu sich selber und zum X untersucht werden. Im Äußeren hat dies zweigliedrige Verfahren zwar eine gewisse Ähnlichkeit mit dem uns schon bekannten diairetischen Verfahren Platons. Während aber, wie wir gesehen haben, die Diairesis-Methode sachbezogen ist, ist die eleatische Methode rein formal und kann in derselben Weise auf jedes beliebige Objekt angewendet werden. Hierin liegt: während die diairetische Methode von einem oberen Genos ausgeht, dessen einander konträr entgegengesetzte Unterarten sie dann durch dichotomische oder andersartige Spaltung herausstellt, operiert die eleatische Methode mit der Möglichkeit auch *kontradiktorischer* Gegensätze, für welche kein Oberbegriff gebildet werden kann. So soll in diesem Falle die Methode am X = ἕν „geübt" werden. Dann könnte nach dem Schema der Konträr-Begriff πολλά als Gegensatz zum ἕν aufgestellt werden. Die „Übung" würde dann, wie voriges Mal erwähnt, innerhalb der Kategorie der Quantität stattfinden. Tatsächlich taucht aber später, durch gewisse Ergebnisse der Untersuchung erzwungen, τἆλλα als Gegenbegriff auf (146B1). Und τἆλλα bildet einen zum ἕν *kontradiktorischen* Gegensatz (= τὰ μὴ ἕν 146D4–5). Nichts kann ἕν und τἆλλα in ihrer Reinheit umgreifen, keine Kategorie, kein γένος und auch, wie sich zeigen wird, das ἐκτός-stehende „Sein" nicht.

Darin sehe ich eben die Kühnheit – und, wenn es wirklich gelingt: die Großartigkeit – des platonischen Logos im dialektischen Gesprächsteil des „Parmenides": daß er einen λόγος ἀμφοῖν ἅμα des alles umfassenden, kontradiktorischen Gegensatzpaares ἕν – τἆλλα in seiner Notwendigkeit begründet und in seiner Möglichkeit durchführt.

Warum sollte aber gerade diese Art des Gegensatzdenkens hier notwendig – und nicht nur zufällig sein, und wie wäre ihre Durchführung möglich? Die Antwort auf diese Fragen wird später folgen. Bei der jetzt weiterzuführenden Inhaltsdarstellung sollen sie uns aber in ihrer Frag-würdigkeit vorschweben.

Teil II: Der Omphalos (1. und 2. Hypothese)

Die negative Henologie der 1. Hypothese

Der eleatische Grundsatz lautet: ἕν τὸ πᾶν, „alles geht im Einen auf" (vgl. 128A8). Jetzt soll das ἕν dieses Grundsatzes (vgl. 137B3) als solches untersucht werden. Was bedeutet ἕν als ἕν?

Bloß negativ kann man in diesem Zusammenhang ohne weiteres feststellen: ἕν bedeutet nicht πολλά. Alles, was in irgendeiner Weise mit Vielheit (oder Vielem) zusammenhängt, muß vom ἕν als reinem ἕν ferngehalten werden. Aber bei näherer Betrachtung zeigt sich, daß jegliches πάθος („Prädikat"), das sich der Doxa nach als dem ἕν natürlich zugehöriges meldet, mit der Vielheit doch zusammenhängt und ihm daher abzusprechen ist.

a) Zuerst meldet sich das πάθος „Ganzes" (ὅλον) sowie einzelne andere, die mit ihm zusammenhängen (man erinnere sich an die oben S. 91 dargestellte Reihe der ἐναντία πάθη!). Wer das All (πᾶν) als Eines (ἕν) fassen will, faßt es wohl, sollte man glauben, als Ganzes (ὅλον). Es mag sein. Aber dann faßt er es eben *nicht* als Eines. Denn, so wird gezeigt, der Begriff „Ganzes" impliziert den Begriff „Teil" (μέρος), und „Teil" wiederum impliziert „Vieles", weshalb das ἕν als ἕν doch nicht „Ganzes" genannt werden kann. – Wenn das Eine aber nicht ein Ganzes (und zugleich nicht ein Teil) ist, hat es, wird weiter gezeigt, keine Ausdehnung, keine örtliche Bestimmung oder „In-Sein" (ἐν εἶναι), keine Bewegung oder Ruhe. – Der Eleate Parmenides hatte sich sein πᾶν in Form einer σφαῖρα εὐκύκλη vorgestellt. Nach der ersten Darlegung im „Omphalos" des „Parmenides" ist diese Vorstellung, ja, überhaupt jede räumlich-modellhafte Vorstellung dem ἕν fernzuhalten.

b) Das unvorstellbare ἕν muß dann versuchsweise als reiner Begriff betrachtet werden. Was impliziert der Begriff der Einheit selber? Man möchte vermuten: Identität oder Selbigkeit, wie es sich im fast pleonastischen Ausdruck „Eins und dasselbe", ἕν καὶ ταὐτόν (vgl. 131B1, 132A3) kundzugeben scheint. Aber nein. Ebensowenig wie der Begriff ἕν von Verschiedenheit (ἕτερον) spricht – denn die Verschiedenheit setzt doch notwendigerweise eine Zweiheit voraus – spricht er von Selbigkeit. Denn, so heißt es, auch der Vielheit kann Selbigkeit zukommen, also sind Einheit und Selbigkeit wesenhaft verschieden. Wir würden vielleicht, mit Hegel, diese Argumentation anders gestaltet haben und von der Duplizität, und dadurch Vermittlung, im Begriff der Selbigkeit ausgegangen sein. Aber der Sache nach dürfte doch Platon eben die hegelsche „Entdeckung" gemacht, und der Priorität nach der „Parmenides"-Kenner Hegel seine „Entdeckung" von Platon übernommen haben; er hat sie nur in ganz anderer Weise, als es Platon tut, verwendet. Denn Hegel blieb, wie einst auch Aristoteles, ein Denker der Identität, wie es Heidegger in seinen Spuren bleibt, während Platon im „Parmenides" das Identitätsdenken ein für allemal durch sein Einheitsdenken zu überwinden sucht. – Um das Folgenreiche der von Platon durchgeführten Trennungen zu illustrieren: Für den mittelalterlichen christlichen Aristotelismus war das sogenannte „Exodus"-Prinzip maßgeblich: *sum, qui sum*, Ich bin, der ich bin. In diesem Gottes-Namen fand man Sein und Identität zugleich gesichert. Dagegen hielten die Platoniker das „Eine" als höchsten Gottesnamen (vgl. εἷς ἐστιν ὁ ἀγαθός. Matth 19,17); in der Identität sah man schon Verschiedenheit und Vielfalt. Der Streit kam, kann man sagen, durch Bonaventura zu dem schönen Ausgleich, daß Gott nach seiner Offenbarung im Alten Testament Sein und Identität, nach seiner (höheren) Offenbarung im Neuen Testament Gutheit und Einheit zuzuschreiben seien (Itinerarium, cap. 5–6).

c) In ähnlicher Weise setzt Platon seinen negativen Weg fort, über Ähnlichkeit-Unähnlichkeit, Gleichheit-Ungleichheit, Alters-Gleichheit und -Ungleichheit bis zur Zeit (χρόνος) hin. Das ausführliche Zeit-Argument operiert mit gewissen „Sophismen" (z. B. daß älter werden heißt jünger werden), die, richtig verstanden, eine tiefergehende Zeit-Idee als die bei Platon sonst gewöhnliche voraussetzen und aufzeigen. Denn dieser Zeit-Idee steht nicht – wie im berühmten Zeit-Abschnitt des „Timaios" – eine „Ewigkeits"-Idee (αἰών) gegenüber, im Gegenteil: die Zeit selber wird hier als eine Wechseldauer (vgl. ἀεὶ γιγνόμενον 143A) verstanden, d. h. als ein griechisch gedachter αἰών. Ich möchte diese Zeit-Idee mit einem von Schelling entlehnten Wort die „Ewigkeitszeit" nennen und werde darauf bald ausführlicher zu sprechen kommen[1]. – Nun kann das Eine nicht „in" der Ewigkeitszeit sein. Daraus folgt, daß es nicht von den temporalen Kategorien der Sprache umfaßt werden kann, folglich auch nicht von „Sein". Folglich kann vom Einen nicht gesagt werden, daß es ist oder etwas ist, folglich auch nicht, daß es „eins" ist.

Die ganze Hypothese endet in der Paradoxie: wenn das Eine eins ist (Prämisse), dann ist es nicht eins (Konklusion).

Hier stehen wir bei dem ἀδύνατον im Mittelpunkt des Dialogs. Unseres Erachtens sind wir hier, wie es vormals besonders Proklos zu zeigen versuchte, auf dem Höhepunkt des platonischen Denkens. „Denn das Paradox ist die Leidenschaft des Denkens" (Kierkegaard). Als ich in der ersten Vorlesungsstunde von einer Stelle bei Platon sprach, wo der diskursive Verstand (διάνοια) nicht ausreiche, um zum Sachverständnis zu gelangen" (oben S. 4), so war eben diese Stelle gemeint. Im „Symposion" zeigte sich die ἀρχή lyrisch-rhetorisch umschrieben, als das den erotischen Erkenntnistrieb anziehende Schöne: αὐτὸ καθ᾿ αὑτὸ μεθ᾿ αὑτοῦ μονοειδὲς ἀεὶ ὄν. In der „Politeia" zeigte sich die ἀρχή nüchterner als das die gerechte menschliche Gesellschaft begründende Gute, das, wenn an sich betrachtet, gleichnishaft als ἐπέκεινα τῆς οὐσίας angesetzt werden müßte. Im „Parmenides", wo Platon „eigentlich" spricht und sein Wesen als Dialektiker zeigt, erweist sich die ἀρχή zunächst als *nicht* πολλά und als *nicht* ein ἓν ἐπὶ πολλῶν der Idee, sondern als reines ἕν, das aber, streng befragt, sowohl seine Vorstellbarkeit, Begreiflichkeit, Idealität, sein Sein, ja auch seinen Namen einbüßen muß, um eine Offenheit für das, was „über" jeder Benennung liegt, freizulegen. Und was ist das? Es ist die platonische „Sache selber", mit der man, dem 7. Brief zufolge, eben verwandt sein muß. Als solche gestaltet sie sich weder für das Denken, noch läßt sie sich in der Sprache aussagen. Der platonische Denkweg „hinauf" mündet – wie es schon Proklos ad loc. eingesehen hat – in ein sinnvolles Schweigen: „silentio conclusit...".

Dem *Glauben* aber gestaltet sich die platonische ἀρχή in einer höchst präzisen und substantiellen Weise. Es ist nämlich möglich, auf sie die paulinische Areopag-Rede vom „unbekannten Gott" zu beziehen und Platon so zu deuten, daß er hier in seinem Geist die Offenbarung Gott-Vaters „unbekannterweise" vorwegnimmt. Wenn wir dies annehmen[2], so folgt, nicht daß Platon hier einfach

---

[1] Da das Zeit-Argument besonders schwierig ist, und da meine Deutung desselben einen Angelpunkt meiner ganzen „Parmenides"-Interpretation bildet, muß der Leser auf meine ausführliche Erörterung dieser Stelle in meiner „Parmenides"-Schrift (Lit.-Verz. Nr. 42a, S. 90ff.) hingewiesen werden.

[2] Weitere Konsequenzen dieser Annahme werden in meinem jüngsten, norwegisch verfassten Buch (Lit.-Verz. Nr. 42i) gezogen. Dort wird das Thema vom verborgenen Gott als ein Ort der Begegnung zwischen Denken und Glauben gefasst und in seiner Entfaltung von „Orpheus" und Pythagoras, Sokrates und Platon durch den sowohl profanen (Plotin,

von „Gott" nicht redet, wie es Protagoras verlangte (denn hier gibt es – vom Glauben aus gesehen – noch nicht *Gott*, „von„ dem gesprochen oder nicht gesprochen werden kann), sondern daß er „vor" Gott schweigt. *Schweigen vor Gott* dürfte demnach das Höchste sein, was uns der Philosoph zeigt, wenn er sich als solcher zeigen soll.

Von diesem Höhepunkt des Schweigens aus werden wir das nächste Mal sehen, warum das „Andere" sich als zweites Prinzip dem „Einen" mit Notwendigkeit beigesellen muß, und wie dann Platon mit diesen beiden Prinzipien seine positive Henologie durchführen und seinen „Weg hinab" anfangen kann.

C. Das Andere (2. Hypothese bis Schluß)

(17. Stunde)

Nachdem wir das vorige Mal den „Weg hinauf" innerhalb des „Parmenides" selber von der πολλά-Position der sinnlichen Höhle über die ἓν ἐπὶ πολλῶν-Position des sinnlich-idealen Zwielichts bis zum ἕν des rein idealen Lichts und weiter hinauf bis zum „Schweigen vor Gott" als vor dem Ursprung jenseits des Lichts gegangen sind, in welchem Aufstieg der ganze „Weg hinauf" des späten Platon kulminiert, werden wir jetzt den „Weg hinab" anfangen, zunächst innerhalb des „Parmenides" selber, zugleich aber in weiterer Perspektive denjenigen Weg hinab, der erst in den „Nomoi" endet. Besonders viel Stoff ist heute zu bewältigen. Die χρόνος-Idee der 1. Hypothese soll expliziert (1), das zweite Prinzip, die Andersheit, in seiner Notwendigkeit eingeführt (2), die prinzipielle Möglichkeit sinnvollen Denkens in kontradiktorischen Gegensätzen (ἕν – τἆλλα) soll aufgezeigt werden (3). Ferner ist noch die Auswahl der ἐναντία πάθη-Tafel näher zu begründen und zugleich die ständige Sinnänderung dessen zu erklären, was mit denselben ὀνόματα doch festgehalten wird (4). Endlich muß auch der Gedankenweg von der 2. bis zur 9. Hypothese kurz umrissen werden (5). Fangen wir an!

1. Χρόνος als die Ewigkeitszeit (Parm. 141A5–D6)

Auf dem Höhepunkt der negativen Henologie oder des Logos vom Einen (1. Hyp.) werden diesem nacheinander Zeit und Sein abgesprochen. Hier bedeutet das Absprechen des Seins nicht ein Zusprechen von Nicht-Sein; es bedeutet nach unserer Auffassung, daß das Eine jenseits des Seins und auch des Nicht-Seins, d. h. im Schweigen, anzusetzen ist. In ähnlich radikaler Weise ist, finden wir, die voraufgehende Aberkennung von Zeit zu verstehen. Sie bedeutet nicht, daß das Eine in die Sphäre beständiger Dauer eines ἀεὶ ὄν, also als über

---

Proklos) wie auch christlichen (bes. Ps. Dionysos Areopagita) Neuplatonismus bis auf Nicolaus Cusanus hin versuchsweise verfolgt.

die Sinnlichkeit erhabene Idee zu setzen wäre, sondern daß es jenseits der pythagoreisch sogenannten „Sphäre des Umgreifenden" (σφαῖρα τοῦ περιέχοντος, Frgm. 45 B 33, Diels), d. h. jenseits einer sowohl „Ewigkeit" als auch Zeit umfassenden „Ewigkeitszeit" steht.

In diesem Sinne muß die umfassende Χρόνος-Idee in der 1. Hypothese des „Parmenides" von der χρόνος-Idee des „Timaios", die ja gerade im Gegensatz zur Idee eines αἰών gedacht ist, getrennt werden (während die χρόνος-Idee der 2. Hypothese zwischen diesen beiden Ideen vermittelt). Die beiden χρόνος-Ideen bei Platon verhalten sich zueinander wie etwa die „Durée" Bergsons zu seiner „Raum-Zeit", die „Weltzeit" Heideggers zu seiner Zeit der „Jetztfolge", das Phänomen Husserls „inneren" Zeitbewußtseins zu dem des „äußeren", die sogenannte „psychische" Zeit eines Augustin zur „physikalischen" Zeit eines Aristoteles oder Epikur. Wir müssen aber achtgeben, nicht den Haupteinschnitt in der Geschichte der abendländischen Zeiterfahrung zu überspringen, den die Offenbarung Christi darstellt. Erst dadurch eröffnete sich dem abendländischen Geist die Möglichkeit, wahre Ewigkeit zu erfahren: im Glauben. Auf diesem Grund kam Augustin zu seiner Disjunktion von Ewigkeit und Zeit und zugleich zu ihrer Verknüpfung im ‚nunc stans' des Glaubens (Conf. XI). Aber vor Christus wurzelt alles Zeitdenken und alle sogenannte „Ewigkeits"-Erfahrung – wie heute noch oft – im „Es war einmal" des Mythos, d. h. in der umgreifenden Ewigkeitszeit. Sogar bei dem größten Logiker der Epoche, Aristoteles, ist wohl dies absolute „War" wiederzufinden, nämlich in seiner sonst schwer erklärbaren Prägung der Essenz als „τὸ τὶ ἦν εἶναι": Das Wesen des Dinges ist nicht in dem, was es ist, sondern in dem, was es *war*, zu finden. Ein Wort Christi wie: πρὶν 'Ἀβραὰμ γενέσθαι ἐγώ εἰμί. „Bevor Abraham ward, bin ich" (Joh. 8,58) ist und bleibt dem Denken der Ewigkeitszeit, d. h. dem „natürlichen" Denken, bis zum heutigen Tag eine Unmöglichkeit (warum auch kürzlich in einer norwegischen „Jugend"-Ausgabe der Bibel die Worte geändert worden sind in: „Bevor Abraham ward, war ich").

Von der ihn bestimmenden Grunderfahrung des Mythos aus hat Platon im Χρόνος-Argument der 1. Hypothese seines „Parmenides" einen konsequenten Versuch gemacht, den Mythos logisch zu durchdringen. Er geht von der Idee der Selbigkeit und des Werdens (γίγνεσθαι) aus (wobei dem Werden kein Vergehen, dem γίγνεσθαι kein ἀπόλλυσθαι entgegenzusetzen ist) und zeigt, daß auf Grund der Zweiheit der Idee der Selbigkeit das Werden *zugleich rückwärts und vorwärts* geschieht. Wer dabei ist, älter zu werden, ist zugleich dabei, jünger zu werden, vorausgesetzt, er bleibt derselbe. Ebenso, von dem Begriff der Selbigkeit und des Werdens ausgehend, gelangte Henri Bergson zu seiner Intuition der Durée (vgl. „Essai sur les données immediates sur la conscience"). Wenn Platon dem Einen diese „umgreifende" Zeit-Idee abspricht, bedeutet es einen Versuch, über die Grenzen des natürlichen Denkens hinauszugehen, wie sich im folgenden Punkt zeigen wird.

2. τἄλλα und die henologische Differenz

Die Prägung „τἄλλα" taucht innerhalb des dialektischen Gesprächsteils zum ersten Mal bei der Erörterung von ταὐτόν/ἕτερον in der 2. Hypothese auf, wo die Relation, das πρός τι, des Einen zum „Anderen" herausgestellt werden soll. Nach dem eleatischen Übungsprogramm hätte die Frage nach der Relation des X zu seinem Gegenbegriff den Ansatz einer neuen Hypothese bedeutet. Wenn dies in der Durchführung nicht geschieht, hat es einen sachlichen Grund. Denn wir arbeiten ja hier nicht formal mit einem X, sondern real mit dem Einen. Und dank der Herausstellung der äußersten Transzendenz des Einen in der negativen Henologie, durch welche man in Schweigen endet, leuchtet ein, daß *die Andersheit schon die Bedingung dafür ist, von dem Einen überhaupt etwas aussagen zu können*. Man könnte sich zwar nach der Erfahrung des Denkens, die uns am Ende des negativen Wegs begegnet, jeder verbindlichen, ἀρχή-bezogenen Aussage, enthalten, d. h. sich aus der Philosophia zurückziehen (wie es vielleicht von Platon selber dargestellt worden ist in der Gestalt des *Antiphon*; vgl. Parm. 127A). Wer aber in der Philosophia bleibt, muß die Konsequenz seiner Grund-Erfahrung ziehen, daß alles, was er denkt, erkennt und sagt, etwas „anderes" ist als das, was er zu denken, zu erkennen und zu sagen wünscht, und mithin in der „Andersheit" wurzelt.

In diesem Sinne wollen wir das Wort ἄλλο, das schon am Anfang der 2. Hypothese auftaucht, verstehen: ἄλλο τι (sic!) σημαῖνον τὸ ἔστι τοῦ ἕν (142C4). Die (henologische) Differenz zwischen ἔστι und ἕν, die hier ausgedrückt wird, ist nicht eine des ἕτερον, der Ver-schiedenheit, wie die (ontologische) zwischen ὄν und höchsten γένη im „Sophistes" (oben S. 72). Hier haben wir nicht ἔστι „auf der einen Seite" und ἕν „auf der anderen Seite". Die Differenzierung geschieht nicht analytisch zwischen zwei Ideen, sondern ergibt sich aus der Erfahrung des Scheiterns des Denkens an der Schluß-Paradoxie der 1. Hypothese. Gegenüber der unbedingten ἀρχή, die sich der Aussage entzieht, ist das Sein, das doch aussagbar bleibt, etwas prinzipiell „Anderes". *Der Sinn des Seins ist das „Andere" zur ἀρχή*. Wenn die ἀρχή dann ständig als das ἕν wiedergegeben wird, und wir dadurch vom „Prinzip" ἕν bei Platon sprechen können, geschieht dies schon *in der Sprache der fundamentalen Andersheit*[1].

Die positive Henologie muß also mit zwei Prinzipien anfangen: der als ἕν erfaßten ἀρχή und dem als ἄλλο (τἄλλα) gefaßten Sein. Am Anfang der 2. Hypothese wird versucht, durch die νόησις diese beiden Prinzipien zusammenzuschauen. Eine „unreine" Idee des „Seins-Einen" (ἕν ὄν) entsteht, bei dem ständiges Werden und Wachsen in Form ständiger Entzweiung stattfindet: δυ' ἀεὶ

---

[1] Klarer als irgendein anderer hat, scheint mir, *Nicolaus Cusanus* die Idee der „henologischen Differenz" bei Platon erfaßt. Sein höchster Begriff „Nicht-Andersheit" (non aliud) ist ein Versuch, das Eine (Gott) von der Andersheit her „in unbegreiflicher Weise" zu begreifen; vgl. dazu Lit.-Verz. Nr. 42f.

γιγνόμενον μηδέποτε ἓν εἶναι („Immer dabei, zwei zu werden, ist es niemals eins" 143A1). Wir halten diesen Satz für einen Grundsatz der positiven Henologie und sehen in ihm u. a. folgende platonische Grundgedanken fixiert:

a) Das methodische Diairesis-Verfahren, besonders das dichotomische, entspricht der eigenen Konstitution des *zwei*-werdenden Seins-Einen.

b) Die im „Sophistes" nur postulierte Definition vom Sein des Seienden als δύναμις (vgl. oben S. 69) entspricht der Konstitution des zwei-*werdenden* Seins-Einen.

c) Das Phänomen der Ewigkeitszeit ist im ἀεὶ γιγνόμενον enthalten.

d) Die henologische Differenz spricht sich im μηδέποτε aus.

e) Nicht Zweiheit (wie in der Zwei-Welten-Theorie des jungen Sokrates), sondern „Beidheit" (vgl. oben S. 74) wird durch das δυ' ... γιγνόμενον zum Ausdruck gebracht.

Fürwahr, das platonische Sagen von den höchsten Dingen kann kurz gefaßt sein (vgl. Ep. 7; 341E3).

3. Das Denken in Gegensätzen und das ἐξαίφνης

Den größten Stein des Anstoßes im dialektischen Gesprächsteil des „Parmenides" bietet dem unbefangenen Leser die Widersprüchlichkeit der Aussagen. Die Reihe von πάθη, die in der 2. Hypothese dem Einen zuerkannt werden, ist ja eine Reihe von ἐναντία πάθη, also von einander ausschließenden Gegensätzen. Wie ist das „logisch" möglich? Darüber hinaus wird in der 1. Hypothese dieselbe Reihe – den ὀνόματα nach – dem Einen aberkannt. Es heißt z. B. in der 2. Hypothese, daß das Eine ruht und sich auch bewegt, während es in der 1. heißt, weder ruhe es noch bewege es sich. Zugespitzt kommt die Widersprüchlichkeit zum Vorschein in der ebenso berühmten wie berüchtigten „Konklusion", die das ganze Werk beendet. Hier werden Aussagen aus sämtlichen Hypothesen über das Eine zusammengefaßt und in einem Satz vorgebracht:

„So sei demnach dieses gesagt, und auch, daß, wie es scheint, ob Eins nun ist oder nicht ist, es selbst und die Anderen, und zwar für sich sowohl als in Beziehung aufeinander, alles auf alle Weise ist und nicht ist und scheint sowohl als nicht scheint. – Vollkommen wahr."

Man könnte die ganze eigenartige philosophische Wissenschaft, die vor dem Bild des staunenden Lesers im „Parmenides" entfaltet wird, eine „Paradoxologie" nennen. Es ist gar nicht erstaunlich, daß man das Werk als eine neue Sophistenparodie, wie es früher der „Euthydemos" war, verstanden hat.

Nehmen wir diesen letzten Vergleich: „Parmenides" – „Euthydemos", zum Ausgangspunkt. Wiederum dürften wir einem „κυνὶ λύκος" gegenüberstehen: Der die Sophisten parodierende „Euthydemos" ähnelt dem paradoxalen „Parmenides" wie dem Hund der Wolf. Beide haben nämlich gemeinsam, daß sie die Grenzen der Verstandeslogik sprengen. Der „Euthydemos" sprengt sie aber in Richtung der Un-Logik des Unverstandes, der „Parmenides" in Richtung einer Meta-Logik der reinen Vernunft. Dies heißt nicht, daß man einem Widerspruchsdenken im Sinne des „Parmenides" nur unkritisch gegenüberstehen kann und muß. Im Gegenteil, hier mehr als irgendwo sonst gilt die Forderung: distinguendum est. In unserem Zusammenhang werden wir uns aber damit begnügen müssen, den, wie es scheint, systematisch gedachten Entwicklungsgang Platons in den Dialogen des „Weges hinauf", hinsichtlich der Prinzipien der dianoetischen Logik zu umreißen.

a) Im „Euthydemos" bekämpft Platon die Un-Logik auf Grund des Widerspruchsprinzips (das er übrigens am Anfang der 3. Hypothese des „Parmenides" in seiner Weise formuliert).

b) Ihre seinsphilosophische Grundlage – auch die der Halb-Logik eines Protagoras – versucht er im „Kratylos" und im „Theaitetos" als die Flußlehre des Heraklit aufzudecken. Nach dieser Lehre kann – wie Platon sie versteht – nichts als solches identifiziert werden; d. h. das Identitätsprinzip wird völlig ungültig (vgl. bes. „Theaitetos" 183AB und oben S. 54).

c) Auf Grund der Möglichkeit einer Identifikation findet Platon diakritisch die an sich widerspruchslosen eidetischen „Buchstaben"-Elemente (στοιχεῖα) der Wirklichkeit, die er schließlich in der Tafel der ἐναντία πάθη seines „Parmenides" synkritisch zusammenfügt, wie es schon im „Sophistes" paradigmatisch geschehen ist.

d) Dabei wird das Prinzip des ausgeschlossenen Dritten außer Kraft gesetzt. Denn das Negative, das μή, wird nicht als ἐναντίον, sondern, auf Grund der ontologischen Differenz, als ἕτερον gefaßt („Sophistes" 256Dff.; vgl. oben S. 70ff.).

e) Auf dieser Grundlage kann Platon im „Parmenides" einen letzten Schritt tun und – nicht allgemein und irgendwo, sondern an einer ganz bestimmten Stelle – auch das Identitätsprinzip und das Widerspruchsprinzip außer Kraft setzen. Die Stelle betrifft den fundamentalen Übergang der 1. zur 2. Hypothese. Wegen der henologischen Differenz gibt es hier keine Möglichkeit, das Eine als das Eine festzuhalten und zu identifizieren. Das Eine als solches steht ja nach der Lehre der negativen Henologie „über" der Idee der Identität. Ohne Identifikation keine Widerspruchsmöglichkeit, aber trotzdem, an dieser Stelle, ein sinnvolles Denken.

All das zur negativen Charakteristik der platonischen Denkweise im „Parmenides". Welches positive Prinzip könnte aber nun, in der postulierten Sphäre der reinen Vernunft, anstelle der drei Grundprinzipien der formalen Logik (die übrigens alle aus der Ontologie des Eleaten Parmenides stammen) formuliert werden? Denn ein formulierbares Prinzip muß da sein, soll nicht alles auf bloße Willkür hinauslaufen. Platon scheint es uns in der 3. Hypothese geben zu wollen, wo er wie in einem Zwischenspiel vom Strom des Denkens für einen Augenblick Abstand nimmt und nach der Bedingung seiner Möglichkeit fragt. Das Prinzip, das er findet, ist das schon im Höhlengleichnis aufgedeckte und während unserer

Darstellung mehrmals gebrauchte *Prinzip der sinnvollen Plötzlichkeit* (τὸ ἐξαίφνης; vgl. oben S. 26). Das Eine kann all jene Gegensätze dulden, weil die Gegensätze in der Zeit sind, das Eine sich aber aus einer Sphäre absoluter Freiheit jenseits der Zeit „plötzlich" ereignen kann.

Wer die Mühe der ganzen Dialektik im „Parmenides" scheut, sei eindringlich auf die 3. Hypothese (die übrigens auch Kierkegaard besonders lieb hatte) als Probestück hingewiesen. In ihrer Klarheit, Knappheit und Fundamentalität möchte man sie schon auf dem humanistischen Gymnasium gelesen sehen.

4. Die Tafel der ἐναντία πάθη und ihre Sinnänderung

Es sollte jetzt möglich geworden sein, sich eine Vorstellung davon zu bilden, wie Platon zu seiner Kategorientafel der reinen Vernunft gekommen ist. Durch kritische Sichtung der Elementarbestandteile der Welt sinnlich-rationaler Erfahrung – an Hand der vorgegebenen eleatischen Logik – hat er sich zuerst einen bunten Haufen metallener „Buchstaben", aber noch kein Wort und keine Sprache verschafft. Dann ist er mit dem Prinzip des Einen, wie mit einem Magneten, an diesen Haufen herangegangen und hat diejenigen „Buchstaben", die am Einen haften, herausgezogen (das Element der „Kausalität", das im „Politikos" da war, gehört bemerkenswerter Weise nicht dazu; es wird erst auf dem „Rückweg" im „Philebos" den ihm bestimmten Platz finden). Die herausgezogenen Elemente hat er dann, in der 1. Hypothese des „Parmenides", vom Einen wieder abgelöst, im Prooemium der 2. Hypothese auf ihre Andersheit hingewiesen und sie endlich (142C7ff.) als durch Einheit *und* Andersheit zugleich konstituierte Elemente der Meta-Logik der Vernunft in ihren verschiedenen Bedeutungsnuancen verwendet.

Auf Grund der prinzipiellen Horizontverschiebung von der (negativen) 1. Hypothese zu den (positiven) folgenden Hypothesen (wo es auch eine positive Art der Negativität gibt, vgl. 6. Hypothese, bes. 162AB), ändern die ἐναντία πάθη ihren Sinn radikal. Nehmen wir das ὅλον. Es ist in der 1. Hypothese räumlich zu fassen (in mathematisch-abstraktem Sinne), am Anfang der 2. Hypothese rein ideal (wie z. B. in Hegels Satz: „Das Wahre ist das Ganze.") Kurz kann man sagen, daß die Reihe der πάθη in der 1. Hypothese von „unten" (der Welt als den πολλά) nach „oben" (dem ἕν), in den darauf folgenden Hypothesen von „oben" nach „unten", d. h. jetzt: nach der Welt als τἆλλα, betrachtet und verstanden wird. In diesem prinzipiellen Doppelsinn eines jeglichen ὄνομα je nach der Sicht „von unten nach oben" oder „von oben nach unten" gründet, wie es scheint, die früher dargelegte platonische Theorie von der *Amphibolie der Sprache* (oben S. 39).

5. Der „Weg hinab" (2. bis 9. Hypothese)

Über den „Weg hinab" innerhalb des „Parmenides" sei folgendes stichwortartig angegeben – zunächst zur *2. Hypothese:*
Wir haben gesehen, daß in der negativen Henologie der 1. Hypothese ὅλον etc., ταὐτόν etc. und χρόνος etc. dem Einen als Einen abgesprochen wurden. Durch Einsatz des neuen Prinzips der Andersheit können in der 2. Hypothese dieselben πάθη (obwohl in anderem Sinne) dem seienden Einen zugesprochen werden. Denn zwar ist das streng gefaßte Eine selber nicht ganzheitlich, identisch, zeitlich etc.; das Ganze, das Identische, das Zeitliche etc. ist jedoch einheitlich. Die πάθη treten jetzt dadurch in Funktion, und eine allgemeine συμπλοκή zwischen ihnen wird dadurch etabliert, daß sie alle als „andere" an dem seienden Einen teilhaben (da ja die Andersheit schon im Sein des seienden Einen steckt). Die 2. Hypothese „rettet" in dieser Weise die Ideenwelt „von oben" her. Auch die rein eidetischen Wissenschaften, die Dialektik (ὅλον) und die Mathematik (πᾶν), erhalten hier ihre henologische Begründung.

3. bis 5. Hypothese. So weit der Omphalos, in dem die 1. und die 2. Hypothese einander spiegeln. Durch das ἐξαίφνης der *3. Hypothese* geschieht, wie in einem Zwischenspiel, der „plötzliche" Umschlag zur Frage nach der Teilhabe der Sinnenwelt an der etablierten Ideenwelt *(4. Hypothese)*. An der entsprechenden Stelle während des Aufstiegs wurde die Ideenwelt als das nur „Andere" zur unmittelbar gegebenen Sinnenwelt postuliert und verstanden. Hier ist das Umgekehrte der Fall: Die Sinnenwelt zeigt sich sinnvoll als das Andere (τἆλλα) zur schon gesicherten Ideenwelt. Ihre Teilhabe, die als ein Teilnehmen verstanden werden muß (μεταλαμβάνειν 158B7), wird von der Dialektik des ὅλον – πᾶν her betrachtet. Die Idee (ἰδέα) ist in dieser Sicht als die Einheit, die eine Allheit zu einer Ganzheit macht, zu bestimmen, kurz und modern: als „Struktur". Das, was Struktur vermittelt, ist besonders die Zahl. Hier wird mithin die Möglichkeit einer mathematischen Naturwissenschaft begründet. (Mehr zur 4. Hyp. unten S. 138 ff.) – Gegenüber diesem formalen Einheitsprinzip der Struktur tritt die reine Materialität als das „Andere" auf. Wie steht es damit (5. Hypothese)?

6. bis 9. Hypothese. Um das herausstellen zu können, setzt Platon das Eine als nicht-seiend (6. Hyp.). Als solches *ist* es doch irgendwie, nämlich solange man sinnvoll sagen kann: das *Eine* ist nicht, wobei das „Eine" als etwas Selbstidentisches vom Bewußtsein festgehalten wird. Ein seiendes nicht-seiendes Eines entsteht (wie früher im „Sophistes" das seiende Nichtseiende), bei dessen Untersuchung Platon, wie mir scheint, die intelligiblen Strukturen einer Welt des Scheins (δόξα) herausstellt. – Auf die Dauer läßt sich aber das nichtseiende Eine nicht sinnvoll im Blick behalten; es verschwindet völlig (7. Hyp.). Dann blüht zunächst das „Andere" auf, von jeglichem „Joch der Idee" befreit (8. Hyp.). Alles läßt sich jetzt mit allem kombinieren in einem Rausch der (falschen) Freiheit von Form (ἐξαίφνης 164D3); wir sind in die Welt der φαντασία gelangt. Das Sein erhält

Sinn in einem „Einander anders"-Sein (ἄλλα ἀλλήλων; vgl. „Theaitetos" 159Eff.). – Ohne das Eine kann das Andere aber auf die Dauer seinen grundsätzlich vorgeschriebenen Sinn der „Andersheit" nicht bewahren. Die Frage muß auftauchen, was denn das Andere *an sich* sei (9. Hyp.). Die Antwort erfolgt sogleich: gar nichts. Und mit diesem sanften morendo endet die ganze Komposition.

PARMENIDES

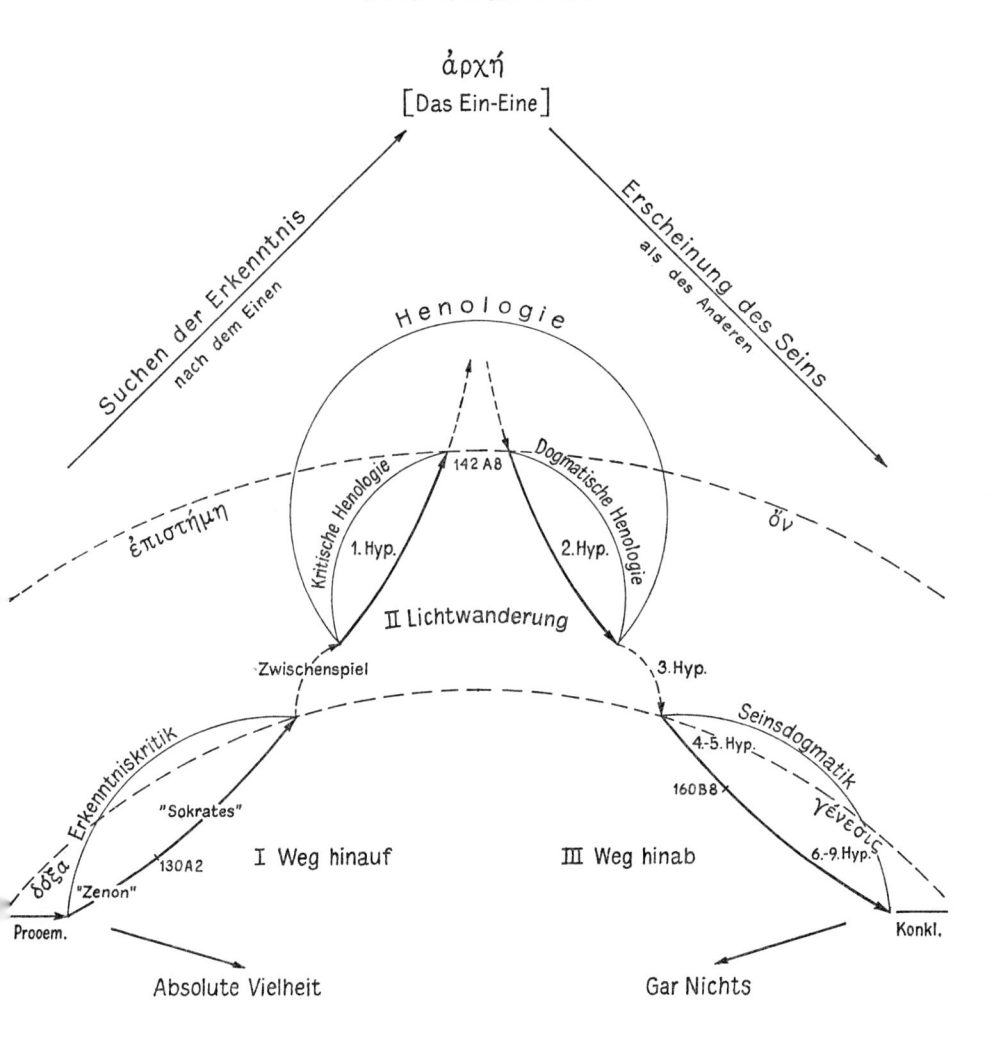

ἀρχή
[Das Ein-Eine]

Suchen der Erkenntnis nach dem Einen

Erscheinung des Seins als des Anderen

Henologie

ἐπιστήμη

Kritische Henologie

142 A8

Dogmatische Henologie

1. Hyp.

2. Hyp.

ὄν

II Lichtwanderung

Zwischenspiel

3. Hyp.

Seinsdogmatik

Erkenntniskritik

4.-5. Hyp.

"Sokrates"

160 B8

γένεσις

δόξα

130 A2

I Weg hinauf

III Weg hinab

6.-9. Hyp.

"Zenon"

Prooem.

Konkl.

Absolute Vielheit

Gar Nichts

Vom transzendenten Grund jenseits des Lichts (1. Hyp., Schluß) sind wir durch den Lichtbereich der Ideenwelt in der 2. Hypothese gegangen, haben dann nach „plötzlichem" Umschlag (3. Hyp.) die Höhle der sinnlichen Andersheit betreten (4. Hyp. ff.), wo wir Phänomen für Phänomen strukturiert, d. h. Teil an der Idee nehmen lassen, und sie dadurch „gerettet" haben, bis wir endlich zur tiefsten Höhlenwand selbst vorgedrungen sind, die sich im Verschwinden des letzten Schimmers Licht als gar nichts erweist.

Von πολλά über ἕν ἐπὶ πολλῶν zum ἕν: der Weg hinauf. Vom ἕν über ἕν – τἆλλα zu τἆλλα: der Weg hinab. – Wenn dieser Entwurf einer Universalphilosophie nicht von Platon stammt, stammt er von mir. Meine Bescheidenheit verbietet mir, das letztere anzunehmen.

III. DER WEG HINAB

1. Etappe: Seele

A. „Philebos": Vom Lustgefühl

'Αναγκαῖον γάρ, εἰ μέλλει τις ἡμῶν καὶ τὴν ὁδὸν ἑκάστοτε ἐξευρήσειν οἴκαδε. (Philebos 62B)
„Notwendig doch, wenn einer von uns auch nur jedesmal den Weg nach Hause finden will."

(18. Stunde)
Der platonische „Weg hinauf", der als Ganzes schon mit dem „Kratylos" beginnt, fängt – nach dem Gesetz der superponierten Formen – innerhalb des „Parmenides" mit der πολλά-Position der Gegner Zenons an, sucht auf dem Höhepunkt die Arche als das Eine zu eruieren und endet in dem Adynaton des „Schweigens vor Gott" der 1. Hypothese. Der dann einsetzende „Weg hinab" führt im engeren Rahmen des „Parmenides" von der am Anfang der 2. Hypothese angesetzten „Andersheit" über die folgenden Hypothesen bis zum Gar-Nichts der 9. Hypothese. Als Ganzes führt er über die Dialoge „Philebos", „Phaidros", „Timaios", „Kritias" bis zu den „Nomoi" („Epinomis") mit ihrer Aufforderung zur Gründung eines Akademie-Staates.

Dieser „Weg hinab", in der „kleinen" wie auch in der „großen Form", wird gegangen, kann man vom „Parmenides" her sagen, *um der Andersheit (τἆλλα) willen*. Dies bedeutet nicht, daß das Denken das Andere (das Sein) als ihm gegenübergestelltes Fremdes betrachtet, um dessen willen es seine „Selbigkeit" opfert. Durch die Grunderfahrung seines eigenen Scheiterns an der henologischen Differenz ist dem Denken *die Andersheit seines Selbst* aufgegangen. Wie der „Weg hinauf" eine Analyse der Bedingungen des Denkens gibt, die, weil im Ursprung des Einen gegründet, auch die Bedingungen des Seins sind, stellt der „Weg hinab" die Strukturen des Seins in der Weise dar, wie sie auch die Strukturen des Denkens sind. Platon ist überall *ganz* da. Aber trotzdem: die Momente verschieben sich: δυ' ἀεὶ γιγνόμενον. Platon ist nirgends als *Einer* da. Was jetzt bevorsteht, ist also ein „Weg hinab" innerhalb einer Ganzheit, in der wir uns schon während des „Wegs hinauf" befunden haben. Das Wort Heraklits gilt auch für diese beiden Wege Platons: ὁδὸς ἄνω κάτω μία καὶ ὡὐτή.

Die zwei Wege sagen also das Selbe – aber doch nicht das-selbe (um eine Trennung Heideggers zu benutzen). Der „Weg hinauf" sucht Begründung. Die φαντασία wird durch die δόξα, die δόξα durch die διάνοια, die διάνοια durch die νόησις und die νόησις wird endlich durch die ἀρχή als das ἕν begründet.

III. Der Weg hinab

Der jetzt bevorstehende „Weg hinab" sucht Beschreibung. Lust, Liebe, der Geist, die Seele, der Sternenhimmel, die Pflanzen, die Geschichte, die Gesellschaft, das Göttliche ... alles soll so beschrieben und dadurch eidetisch herausgestellt werden, wie es eben *ist*. Der „Weg hinauf" fragt nach der ἐπιστήμη von ihrem Grund her; modern ausgedrückt: er liefert eine transzendentale Erkenntniskritik. Auch der „Sophistes", dessen Thema das Nichtseiende ist, und der „Politikos", dessen Thema das Methodische als solches ist, stellen ihre Fragen im Horizont der τέχνη und der ἐπιστήμη: welche Art von Wissen wohl hier im Spiel sei, und wie sie in ihrer Sachbezogenheit begründet werden könne. Dieser Weg endet im „Parmenides" bezeichnenderweise mit einem erkenntniskritischen Aufstieg durch die Welt der Ideen bis zur endgültigen Grund-Beziehung der Erkenntnis zum Einen in der henologischen Differenz. Auf diesem Weg sind Platon die ἀρχή-Denker aus Elea (wie auch Heraklit) maßgeblich. Der „Weg hinab" aber, der innerhalb des „Parmenides" nach dem Sein als dem Anderen fragt, fragt in weiterer Perspektive nach der φύσις als natura naturans und der οὐσία als „Substanz". Modern ausgedrückt: er liefert eine transzendental begründete, spekulative „Naturphilosophie". Auf diesem Weg sind Platon die Denker der Zahl, die Pythagoreer, maßgeblich.

So werden wir finden, daß die drei großen Themenkreise der spekulativen Naturphilosophie: die *Psychologie* oder Lehre von der Seele, die *Kosmologie* oder Lehre von dem sinnlichen Weltall und die *Theologie* oder natürliche Lehre von Gott, alle eben an dieser Stelle im späten Schriftwerk Platons behandelt werden – zum Teil ineinander verschlungen, zum Teil je an ihrem Ort. In den folgenden letzten Stufen unserer Wanderung durch die Spätdialoge werden wir besonders Gewicht darauf legen, die *Systematik der Themen* in den Dialogen nach dem „Parmenides" herauszustellen.

Wir nehmen diese Dialog-Reihe zuerst so, wie sie sich ihrer wahrscheinlichen Entstehung nach dem Blick der δόξα darbietet. Zunächst begegnet hier der „*Philebos*", der sowohl nach seiner Sprache wie nach seinem Thema und seiner Methodik in unmittelbarer Nähe der bis jetzt behandelten abstrakten Spätdialoge anzusetzen ist. Dann der „*Phaidros*" (dessen Einordnung an dieser Stelle wir später näher begründen werden). Sein zweiter Teil gibt immer noch Rechenschaft über die dialektische Methode, sein erster Teil führt aber etwas ganz Neues ein: einen groß angelegten Mythos von der Liebe und der Seele, der unmittelbar an den Eros-Mythos des „Symposion" erinnert. Weiter der „*Timaios*" und der „*Kritias*", wo die mythische Darstellungsweise völlig die Oberhand bekommen hat; jetzt spricht Platon von der sinnlichen Welt. Und endlich die 12 Bücher der „*Nomoi*" mit dem angehängten „Buch XIII" der „*Epinomis*" (das vielleicht doch nicht von Platons eigener Hand stammt): hier tritt Platon hervor als der „Athener", der die sinnliche Welt nicht nur betrachtet, sondern in sie eingreift, um sie zu gestalten. Ein Weg „hinab", sogar ein stufenweiser Weg hinab, von der Sphäre reiner Idealität im „Philebos" bis zu der konkreten

Sinnlichkeit in den „Nomoi" fällt schon nach diesen ganz äußerlichen Eindrücken auf.

Weiter zeigt sich, daß die sechs Dialoge sich in drei Zweiergruppen ordnen: die „Nomoi"/„Epinomis"- und die „Timaios"/„Kritias"-Gruppe ohnehin; aber auch die zwei ersten Werke, der „Philebos" und der „Phaidros", schmiegen sich faktisch so eng aneinander, daß man auch hier, wie sich erweisen wird, von einer Gruppierung sprechen darf. Und aus dieser Sicht heraus kommt die entscheidende Beobachtung, die unsere folgende Argumentation verdeutlichen soll, daß nämlich die drei Gruppen von Dialogen jeweils ihren Themenkreis aus der spekulativen Naturphilosophie aufnehmen und erörtern:

1. „Philebos" und „Phaidros" legen in Form einer spekulativen *Psychologie* das Phänomen der Seele dar.

2. „Timaios" und „Kritias" legen in Form einer spekulativen *Kosmologie* das Phänomen der sinnlichen Welt, Mensch und Geschichte dar.

3. „Nomoi" und „Epinomis" entwerfen eine menschliche Gesellschaft auf Grund von Gesetzen, die wiederum ihren Grund in einer Lehre von „Gott" haben: sie gründen in einer spekulativen *Theologie*.

Unter diesem Gesichtspunkt werden wir die letzten großen Werke Platons in ihrer jeweiligen Eigenart zu umreißen suchen.

Nebenbei nur ein paar Worte zu dem umstrittenen Thema von Περὶ τἀγαθοῦ („Über das Gute"). Daß Platon eine mündliche Lehrtätigkeit ausgeübt hat, und daß Περὶ τἀγαθοῦ, durch mehrere Quellen bezeugt, ein zentrales Lehrstück gewesen ist, scheint mir nach den Forschungen von *Robin* (zum ersten Mal), dann von *Stenzel, Wilpert* und – jüngst – von *Krämer* und *Gaiser* evident zu sein. Platon hat den Berichten nach seine fundierende Idee des Guten aus der „Politeia" bis zu höchster Abstraktion durchdacht und von ganz einfachen Prinzipien abzuleiten versucht; und dies kann zwar auf denjenigen, der nur vom mittleren Platon aus urteilt, schockartig wirken (wie damals auf den unvorbereiteten Hörer!), wird aber dem, der den platonischen „Weg hinauf" bis zum „Parmenides" gegangen ist, ganz natürlich und konsequent vorkommen. Wir haben ja schon darauf aufmerksam gemacht, daß gewisse Grundideen in Περὶ τἀγαθοῦ auch als Grundideen im „Politikos" erscheinen; und diese wie auch andere, verwandte Grundideen sind ja im „Parmenides" systematisch zusammengebracht. Nicht das Vorhandensein dieser mündlichen Lehre, wohl aber ihre behauptete Fundamentalität kann bestritten werden. Und dazu möchten wir kurz folgendes sagen:

Im „Parmenides" wird das Eine in sich selber begründet. In „Über das Gute" wird das Gute in dem Einen begründet und aus dem Einen versuchsweise hergeleitet. Ergo ist das Schriftwerk über das Eine, der „Parmenides", prinzipiell von größerer Tragweite als das mündlich vorgetragene Lehrstück „Über das Gute".

Zwar bleibt in der platonischen Philosophie ein „esoterischer" Zug. Denn das ἕν als ἕν ist nach der 1. Hypothese im „Parmenides" in keiner Weise aussagbar

III. Der Weg hinab

(vgl. οὐδαμῶς ῥητόν 7. Brief 341C). Volle Klarheit über das Wesen seiner Philosophie erreicht nach Platons eigener Auffassung nur, wer „mit der Sache selber" verwandt ist. Auf Grund dieser unmittelbaren Verwandtschaft, nicht nur durch schriftliche oder mündliche Vermittlung anderer, geht einem „plötzlich", wie es heißt, ein „Licht" auf, vorausgesetzt, man pflege mit der Sache selber „andauernden Umgang" (loc. cit.). Dieses „esoterische" Licht ist jedoch für Platon nicht, wie für Plotin, mystisch-ekstatischen Charakters. Die Sache der Philosophie ist ihm ein *offenes* Geheimnis, das als solches in Wort und Schrift dargelegt werden kann und muß.

Wohin gehört dann die sogenannte „Universalontologie" der Vorlesung(sreihe) „Über das Gute" innerhalb der von uns postulierten Grundvision des späten Platon? Vermutlich eben dorthin, wo wir sie jetzt aufgegriffen haben: als *eine allererste, allerhöchste Stufe in Platons „Weg hinab"*. Ihre Durchführung einer μεσότης-Lehre greift zurück auf deren Ansätze im Omphalos des „Politikos" (vgl. oben S. 87). Ihr Versuch einer Begründung des Guten im Einen setzt die Henologie im „Parmenides" als Höchstes, sich selbst Begründendes, voraus. Ihr Versuch, vom Einen her zum Guten (und zur ἀρετή) eine Brücke zu schlagen, setzt sie umgekehrt selber als Prinzipielleres der ganzen folgenden „Naturphilosophie" voraus.

Bezeichnend für die „Kehre" der platonischen Problematik in diesem großen Entwurf (der doch vielleicht seinem Urheber nicht ganz gelungen ist und darum nicht schriftlich fixiert wurde) ist seine Neuprägung des Prinzipienpaars. Statt eleatisch-dialektisch von ἕν – τἆλλα wie im „Parmenides" wird hier pythagoreisch-mathematisch von ἕν – ἀόριστος δυάς bzw. ἕν – ἄπειρον gesprochen. Gerade die *Unabgegrenztheit* der Andersheit oder der „Materie" ist, was der ganze folgende „Weg hinab" für uns herausstellen soll. So hat man schon in der Antike die Vorlesung „Über das Gute" mit dem Dialog „Philebos" in Verbindung gebracht, mit seiner Frage nach dem ἄπειρον der Gefühle[1]. – Wir gehen zu diesem Dialog über.

Der „Philebos" gibt schon im Prooemium (11A–12B) eine präzise Problemstellung, an der er später unentwegt festhält: Welche seelische Verfassung (ἕξις καὶ διάθεσις ψυχῆς) führt zum glückseligen Leben – die der Lust (ἡδονή), die des Erkennens (φρόνησις) oder noch eine andere (ἄλλη τις 11D11)? Es wird nach dem Guten (ἀγαθόν) für die Lebewesen gefragt, nach dem „Besten der menschlichen Besitztümer" (19C6). Bei dieser Fragestellung ist es nicht er-

---

[1] Nach Simplikios, In Arist. Phys. 454, 17ff. (Diels) (= Testimonia Platonica Nr. 23 B bei Gaiser, S. 482ff. Vgl. dazu Lit.-Verz. Nr. 23 a, S. 187, Anm. 84) hat *Porphyrios* in seinem „Philebos"- Kommentar auf die Übereinstimmung (συμφωνία) zwischen „Über das Gute" und diesem Dialog hingewiesen.

staunlich, daß Sokrates hier wieder als Leiter des Gesprächs auftritt; man erinnert sich sofort an die Streitgespräche über die Glückseligkeit zwischen ihm und den Sophisten in Platons Früh-Dialogen, besonders im „Protagoras". Während die mit dem „Sophistes" anfangende eleatische Fragestellung in Richtung auf die ἀρχή Sokrates in den Hintergrund drängte, tritt er jetzt als Wegweiser der ὁδὸς οἴκαδε wieder hervor. Doch wird sich erweisen, daß die „Heimat", in die Platon mit den „Nomoi" endlich zurückkehrt, der sokratisch-athenischen so fern steht, daß Sokrates schließlich ganz ausscheiden muß.

Nach der einleitenden Fragestellung des Dialogs ist die Versuchung groß, den „Philebos" als moralphilosophische Schrift zu lesen. So hat ihn auch Aristoteles in der „Nikomachischen Ethik" ausführlich berücksichtigt (Buch 7), und auf die andauernden moralphilosophischen Auseinandersetzungen der hellenistischen Philosophen soll der „Philebos" entscheidenden Einfluß ausgeübt haben. In der weiteren Untersuchung wird besonders das Phänomen der Lust, ἡδονή, abgehandelt. Der Omphalos (31B–56C) im Hauptgespräch (20C–66D) des Dialogs ist fast völlig einer genauen Analyse dieses Phänomens gewidmet. Der „Philebos" wäre demnach als Dialog einzuordnen, welcher der Moraltheorie des „Hedonismus" vor allem gilt, wie ja auch gerade sie mit dem Namen Sokrates verbunden ist.

Hier müssen wir uns aber vor zu fachlich-moderner Betrachtungsweise hüten. Im Laufe der Untersuchung geschieht eine Verschiebung der Problematik, welche die engeren Grenzen einer „Moraltheorie" sprengt. Schon im Vorgespräch (12B–20C) stellt Sokrates fest, daß ein „reines" Leben in der Lust ohne jegliches Erkennen und umgekehrt ein „reines" Leben im Erkennen ohne jegliche Lust, beide gleich wenig erstrebenswert, gleich wenig „gut" sind. Das „Gute" muß in einer Mischung, μεῖξις (nicht συμπλοκή!) beider Momente bestehen. Dies vorausgesetzt, müssen wir untersuchen, (1) welche Formen von Lust und von Erkennen als Ingredienzien dieser Mischung dienen sollen, und (2) in welchem Verhältnis (wie beim Rezept eines Kochbuchs!). Nun zeigt sich im Laufe der Untersuchung, daß die erste Frage von dem *Wahrheitsgrad* der Ingredienzien aus zu lösen ist (denn nur „wahre" Lust und „wahres" Erkennen dürfen in die Mischung aufgenommen werden), die zweite aber von dem *Schönheitsgrad* der Mischung aus; und besonders dies letzte: die Frage nach der Schönheit (καλόν) ist bestimmend für die ganze Untersuchung (vgl. 64E).

Daher könnte der „Philebos" als Dialog betrachtet werden, der nach Lust und Unlust in Beziehung auf das Schöne bzw. Häßliche fragt; er wäre als „ästhetisch" einzureihen. So gibt dieser Dialog eine grundsätzliche Darlegung und Schätzung des rein intellektuellen Lustgefühls, das bei der Betrachtung reiner Formen (σχήματα) entsteht (61BC), erörtert auch eindringlich die Natur des Lächerlichen (τὸ γέλοιον) in der Komödie, bei der Platon das Lustgefühl des Zuschauers als „unreine" Mischung der „Schadenfreude" (φθόνος) charakterisiert (48Aff.) ... kurz: die „schöne "Seele wird am Ende als die wahrhaft glückselige und gute Seele herausgestellt (vgl. 64E5–6). Nun wissen wir, daß im platonischen Frühwerk, wie im athenischen Fragebereich überhaupt, das Gute und das Schöne im Phänomen der καλοκἀγαθία zusammengeschaut wurden. Von daher wäre denn, entgegen jeder fachlich-modernen Einseitigkeit, der „Philebos" wahrhaft griechisch und wahrhaft platonisch zu verstehen.

Wahrhaft „griechisch" ja, aber vielleicht noch nicht wahrhaft „platonisch". Es könnte ja sein, daß eben der späte Platon nicht mehr wahrhaft „griechisch" denkt. Zwar setzt der „Philebos" die allgemeine ἀρετή-Sphäre der griechischen καλοκἀγαθία voraus; aber er setzt auch Dialoge wie „Politikos" und „Parmenides" voraus. Wir brauchen nicht weit in den Dialog einzudringen, bis uns die Ideenpaare ἕν – πολλά, πέρας – ἄπειρον begegnen. Faktisch werden sie im Vorgespräch (bes. 14Cff.) des Dialogs in einer Ausdrücklichkeit hervorgehoben, wie es bei Platon schriftlich sonst nur im „Parmenides" geschieht. Und im ersten (20C–31B) wie auch im dritten Teil (55C–66D) des Hauptgesprächs werden die Grundideen vom Höhepunkt des „Politikos" eingeführt und angewendet (oben S. 86ff.), so μᾶλλον–ἧττον (als Bestimmung des ἄπειρον 24E) und μέτρον (als Bestimmung des πέρας 25B1; vgl. 66A).

Gerade der Unterschied in der Ähnlichkeit zwischen „Philebos" und den ihm vorausgehenden Spätdialogen dürfte für uns seinen wahrhaft „platonischen" Fragehorizont freilegen. Dieser Unterschied wird uns schon darin deutlich, daß „Philebos" in seinem Vorgespräch und in den ἔσχατα seines Hauptgesprächs das abhandelt, was in den beiden anderen Dialogen ihrem Omphalos vorbehalten ist. Der „Philebos" soll uns nicht in der Methode „üben" wie der „Politikos"; er soll uns auch nicht die reine Dialektik vor Augen stellen, wie es im „Parmenides", und nur dort, geschehen ist (vgl. Phil.57Eff.; bes. 59C), sondern er soll diese Methode auf eine naturgegebene Sache, *um dieser Sache selber willen,* anwenden.

Platon hat eingesehen und auch, wie es scheint, erfahren, daß seine vom ἕν zum ἄπειρον sich bewegende Einheitsdialektik durch ihre Aufhebung der Grundgesetze der Verstandeslogik zu einer Ausartung bei der „Jugend" führen kann, die aus der Dialektik Eristik mache (15D8ff.). Darum schärft er im *Vorgespräch* ein, unter welchen Bedingungen diese Denkweise für die Erforschung der immer werdenden Natur (φύσις = γένεσις εἰς οὐσίαν 26D8) gebraucht werden kann, wobei er eine Lehre aus der 4. Hypothese des „Parmenides" hervorhebt, nämlich daß zwischen ἕν und ἄπειρον ein „So-und-so-vieles" (ὁπόσα) in Form der grenzesetzenden Zahl hinzukommen muß (16Cff.; vgl. Parm. 158B1–D8). Und im *Teil I* des Hauptgesprächs übernimmt er aus dem „Politikos" u. a. auch die Kategorie der αἰτία (23D7, 26E3), die er zu den Prinzipien der Konstitution einer natürlichen Substanz (vgl. 27B) rechnet. Durch diese grundsätzlichen Analysen im „Philebos" (vorweggenommen viel-

1. Etappe: Seele. A. Philebos

leicht nur in Περὶ τἀγαθοῦ) wird, wie mir scheint, der theoretische Grund gelegt für die jetzt bei Platon sich meldende Naturphilosophie überhaupt.

Aber das Worumwillen des Dialogs ist doch in seinem *Omphalos* zu finden, bleibt mithin die Untersuchung von ἡδονή bzw. λύπη. Für welche natürliche Substanz ist dann das Phänomen ἡδονή - λύπη konstitutiv? Ich meine: Für das *Gefühlsleben* im allgemeinen, vom primitivsten Tastgefühl der Körper bis zum höchsten seelischen „Gefühl des Schönen und Erhabenen". Jede lustbetonte Empfindung zieht uns an, wie uns jede schmerzbetonte Empfindung abstößt. Wir überlegen vor unserem Entschluß zu handeln, inwieweit ein hoher Grad an Lust mit einem entsprechend hohen Grad an Schmerz einem neutralen Zustand von weder Lust noch Schmerz vorzuziehen ist. Furcht ist ein seelischer Zustand des Schmerzes, Hoffnung einer der Lust in Richtung auf die Zukunft; umgekehrt ist Wehmut ein Verweilen bei schmerzhaftem Verlust, während die glückliche Erinnerung sich an vergangenes Lustgefühl knüpft; Angst ist Schmerz und plötzliche Freude Lust im Nu: Das ganze Gefühlsregister unserer Seele scheint in Lust und Schmerz polarisiert zu sein. Es ist dieses Register, auf dem Platon im Omphalos des „Philebos" mit souveräner Meisterschaft spielt.

Als Ganzes zeigt also der Logos dieses Dialogs eine Spiegelkurve im Verhältnis zu den immer aufwärts strebenden Kurven der vorhergehenden „Omphalos-Dialoge; denn die maßgebende Untersuchung in der Mitte ist „nach unten" gerichtet. Von der rein eidetischen ἕν-ἄπειρον-Erörterung des Vorgesprächs steigt der ganze Logos schon durch den Ansatz des Hauptgesprächs in der Frage nach den vier Bedingungen des natürlichen Werdens zur Substanzialität eine Stufe „hinab" und taucht innerhalb des Hauptgesprächs im „Omphalos" bis zum reinen ἄπειρον der Gefühle hinunter, woher er im Schlußstück mit seiner Beute wieder zum Meeresspiegel auftauchen kann.

In dieser Weise plötzlichen Umbruchs seiner geistigen Orientierung fängt Platon die ὁδὸς οἴκαδε an.

PHILEBOS

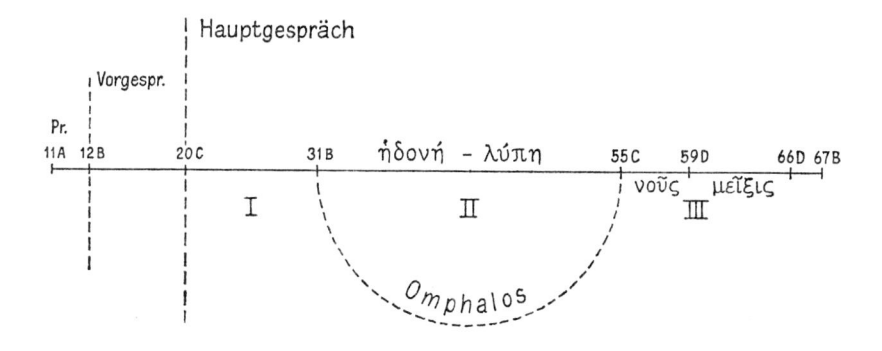

(19. Stunde)

Als erster Dialog auf dem „Wege hinab" von der „Zinne" der Dialektik ist uns der „Philebos" begegnet. Sein Thema gehört augenscheinlich in den Fragenkreis der Kalokagathie von Platons Früh- und Mittel-Stufe: es wird nach der Konstitution der glückseligen, d. h. der schön-und-guten Seele gefragt. Der Schwerpunkt des „Philebos" muß aber von seiner Zugehörigkeit zur dialektischen Altersgruppe her gefunden und interpretiert werden. Nun zeigt sich, daß die an sich sehr tiefgreifenden methodologischen und anderen theoretisch-prinzipiellen Untersuchungen des Werks zu seinen ἔσχατα gehören, sein μέσον aber in eingehender Untersuchung des Lustgefühls besteht (dessen Vertreter die Titelfigur, der Lebensgenießer Philebos ist). Hierin werden wir das Hauptthema des „Philebos" sehen, dann aber Lust (und Schmerz) nicht als mehr oder weniger exemplarisch für die Gefühle, sondern als konstitutiv für das Gefühlsleben überhaupt. Der „Philebos" wäre also nach dieser vorläufigen Charakteristik ein platonischer „Traité des passions de l'âme" (παθήματα τῆς ψυχῆς). – Hieran anknüpfend werden wir jetzt einen Schritt weiter in derselben Richtung gehen.

Ziemlich am Anfang der ἡδονή-Erörterung im Omphalos (34Dff.) wird die Frage nach dem Ort der Begierde (ἐπιθυμία), ob er ein körperlicher oder ein seelischer sei, aufgeworfen. Ich empfinde z. B. den Schmerz Durst und fühle Begierde, ihn zu löschen. Ein „leerer" Zustand, sagt Platon, strebt hier nach seinem Gegensatz: der Füllung. Woher diese Idee von dem sich selbst Gegensätzlichen? Sie muß von etwas herstammen, das die Gegensätze (Leere und Fülle) zugleich umgreift. Das ist die Seele. Die Begierde als das auf einen Gegensatz Hinauswollende ist in diesem Umgreifenden zu lokalisieren; sie wohnt in der Seele. Der Körper an sich spürt keine Begierde (35C6). – Wir erinnern uns der entsprechenden Analyse des Ortes der Wahrnehmungs-Erkenntnis im „Theaitetos". Auch dort wurde hervorgehoben, daß der Körper an sich keine Art der Erkenntnis besitzt, auch keine Wahrnehmungserkenntnis. Er bildet nur einen Ort des Durchgangs für das, was erst durch die Kategorien der Seele zu Kenntnis verarbeitet wird (vgl. oben S. 55).

Auf Grund der *seelischen* Behausung sogar der Begierde ergibt sich im „Philebos" die Möglichkeit, nach Wahrheit und Falschheit auch im Bereich der Gefühle zu fragen (36Cff.). ἡδονή und δόξα lassen sich nämlich verbinden (37A). Unsere Hoffnung oder unsere Furcht etc. sind Lust- und Schmerz-Zustände, die auf gewissen Vorstellungen (δόξαι) beruhen. Sind diese falsch, so ist auch unsere Hoffnung bzw. Furcht als illusorisch und falsch anzusehen. Auch unser Gefühlsleben ist also einer Wahrheits-Norm untergeordnet.

Die hier auftauchende Parallele zur Thematik des „Theaitetos" ermöglicht uns, die Eigenart des „Philebos" in folgender Weise zu charakterisieren: Der „Theaitetos" fragt nach der Erkenntnis und fängt die Beantwortung dieser Frage grundsätzlich mit einer Analyse der αἴσθησις *als Wahrnehmung* an. Von diesem Beginn im seelischen Bereich führt die Untersuchung über die Seele hinaus zu höheren, auch rein geistigen Stufen der Erkenntnis. Der „Philebos" fragt nach der ἕξις καὶ διάθεσις τῆς ψυχῆς und konzentriert die Beantwortung auf die αἴσθησις *als Empfindung* (vgl. 33E-34A). Nur an einem Punkt führt diese Fragestellung, wie wir sogleich sehen werden, über sich hinaus; sonst bleibt sie in sich selbst abgerundet. Denn während die Intellektualität über die Seele hinausgeht, wohnt die Emotionalität, sei es als Leidenschaft (πάθημα), als Begierde (ἐπιθυμία) oder als Empfindung (αἴσθησις) in der Seele und macht ihr Wesen aus.

Eine moderne Illustration: In der heutigen Kybernetik fragt man sich, ob Roboter, die ja ausgezeichnet rechnen und berechnen können, überhaupt intellektuelle Eigenschaften haben, auch Lust und Schmerz fühlen können. Wenn ja, dann erst wäre auch einem Roboter „Seele" zuzuschreiben.

Die erste Stufe in der rückläufigen Applikation der Einheitsphilosophie der reinen Vernunft auf die uns gegebene „Natur" im Ganzen besteht mithin in einer *Untersuchung der Substanz „Seele" (ψυχή) als Träger des Gefühlslebens*.

Wenn die grobe Darstellung des Hauptzieles der Untersuchung im „Philebos" ihre Richtigkeit haben sollte[1], stellt sich ihm in beachtenswerter Weise ein anderer Dialog zur Seite, nämlich der sonst so schwer fixierbare Spät-Dialog *„Phaidros"*. Denn auch dieser zweite Sokrates-Dialog der Spät-Reihe untersucht ja „les passions de l'âme", und zwar von der spezifischen Passion der Liebe, dem ἔρως her. Durch eine eindringliche Untersuchung der „Phaidros"-Frage von *Otto Regenbogen* (1950; Lit. Verz. Nr. 28) dürfte die Spätdatierung dieses Dialogs endgültig gesichert sein. Außerdem gibt Regenbogen wesentliche Argumente für das Zusammenschauen des „Philebos" und „Phaidros", die er als „zwei aufeinander bezogene Gegenstücke" ansieht. Vom „Philebos" aus läßt sich die Argumentation Regenbogens durch folgende Beobachtung stützen:

An zwei Stellen wird auf die Notwendigkeit eines folgenden, ergänzenden Gesprächs hingewiesen. 1) Bei der Behandlung der unreinen Gefühle im „Omphalos" hebt Sokrates hervor, daß nicht alle derartigen Gefühle hier behandelt werden können, z. B. nicht solche wie Sehnsucht (πόθος), Schrecken (φόβος) und Liebe (ἔρως). Von diesen Gefühlen insgesamt, sagt er, „will ich Dir morgen (αὔριον) Rechenschaft ablegen" (50DE). Eben der ἔρως-Dialog „Phaidros", der wie der „Philebos" von der ἐπιθυμία ausgeht, breitet besonders durch die „Lysias"-Rede und die erste Sokrates-Rede das Register „unreiner" Gefühle

---

[1] Ich bin mir der allzu groben Züge dieser „Philebos"-Darstellung bewußt. Es hat mir bis jetzt an wahrem geistigen Hunger diesem Dialog gegenüber gefehlt. Hoffentlich gelingt es mir ein anderes Mal, diese Skizze auszuführen, und zwar an Hand einer zueignenden Auseinandersetzung mit dem (neu aufgelegten) Werk zum „Philebos" von *H. G. Gadamer* (vgl. Lit.-Verz. Nr. 13).

vor uns aus (vgl. im Prinzip 238 AB; z. B. πόθος vgl. 255CD). 2) Ganz am Ende des Gesprächs wird hervorgehoben, daß „ein weniges noch übrig sei" (σμικρὸν ἔτι τὸ λοιπόν 67B11), das bald erörtert werden solle. Darüber, was dies Übrigbleibende wohl sei, wird nichts Bestimmtes gesagt. In den vorausgehenden Worten wird aber dasselbe Thema, das früher in das αὔριον-Gespräch verwiesen wurde, wieder angeschnitten: ἔρως. Nachdem die Untersuchung zu dem Ergebnis gekommen ist, daß das Seelen-Ingredienz Lust an die unterste Stelle, die fünfte von oben zu setzen sei, werden als besondere Befürworter und „Zeugen" der Lust die „Eros-Triebe der Tiere" (τοὺς θηρίων ἔρωτας 67B5) erwähnt. Diese mögen gegen die niedrige Einstufung so heftig rebellieren wie sie wollen, heißt es, die „philosophische Muse" hat jetzt geweissagt, wie es sich in Wahrheit verhalte (ἐν μούσῃ φιλοσόφῳ μεμαντευμένων 67B6). ἔρως wird also im „Philebos" abschließend als Inbegriff sinnlichen Lustgefühls verstanden. Daß dies Verständnis nicht ausreicht, um dem Phänomen gerecht zu werden, ist iedem Platon-Kenner schon vom „Symposion" her klar. Das Wiedergutmachen dieser „Kleinigkeit" wird aber im Dialog „Phaidros" zu einer radikalen Neubetrachtung der παθήματα τῆς ψυχῆς führen.

B. „Phaidros": Eros und Psyche

Die meisten von uns haben hoffentlich an einem „glücklichen Sommertag" (Wilamowitz) dies bezaubernde, zugleich hymnisch-visionäre und logisch-reflektierte Gespräch zwischen Sokrates und dem jungen Phaidros unter der Platane am Ilissos miterlebt. Unsere Analyse soll von den trockeneren Fragen nach dem formalen Aufbau des Gesprächs (a) und seiner thematischen Einheit (b) ausgehen.

Wie der „Parmenides" ist auch der „Phaidros" dem äußeren Anschein nach ein zwei-geteilter Dialog. Der erste Teil umfaßt drei Reden über das Thema „Eros" – wie einst im „Symposion"; der zweite Teil ist ein Gespräch über die Rhetorik – wie einst der „Gorgias". Man muß sich nach dem Grundthema des Dialogs fragen – ob es die Liebe sei, die Rhetorik oder beide zugleich. Jedenfalls muß man sich wundern, was wohl das Thema „Liebe" mit dem Thema „Rhetorik" zu tun haben kann. Einzelne Forscher finden den Knoten dermaßen unlösbar, daß sie den Dichter-Philosophen Platon mitten während der Arbeit an dem Dialog nach Syrakus reisen lassen, wo er den sokratischen Eros aus den Augen verliert und stattdessen von der Problematik syrakusischer Rhetorik und Lebensführung gefangen genommen wird. Als ob ein Philosoph ein Windbeutel sei, und ein Dichter den ersten Teil seines Werkes zuerst zu schreiben habe!

a) Was nun das äußerlich Formale betrifft, so schlage ich dieselbe Lösung des Problems wie vorher im „Parmenides" vor.

Wir teilen das Werk dreifach, und zwar so, daß die große 2. Rede des Sokrates, die Palinodie, nicht als einen „ersten" Teil zugehörig, sondern als den Omphalos bildend betrachtet wird (vgl. Fig. I). Im Unterschied zum „Politikos", dem bisher einzigen Spätdialog, der einen Mythos aufweisen konnte, *steht der Mythos des „Phaidros" im Omphalos des Dialogs.* Woher dieser Unterschied? Daher, daß im „Politikos" die intellektuellen Fähigkeiten des Nous dargestellt werden sollten, während im „Phaidros" die emotionellen Fähigkeiten der Psyche zu ihrer höchsten Entfaltung gebracht werden sollen. Wie im „Politikos" wird auch hier der Omphalos durch ein „Erwachen" eingeleitet („Phaidros" 242C). Während es aber dort von einem rationalen (IA) und mythischen (IB) zu einem noetischen Bereich (II) hin geschah, findet es hier von einem rein rationalen (IA + B) zu einem mythischen Bereich hin statt. Erkenntnistheoretisch steht also der „Phaidros" nicht auf derselben Höhe wie der „Politikos", geschweige denn wie der „Parmenides". Was aber seine Einsichten in die Substanz der Seele angeht, so hat der „Phaidros" kaum seinesgleichen in der profanen abendländischen Literatur.

Teil I vor dem Omphalos besteht aus zwei Reden: der „Lysias"-Rede (IA), die vom Manuskript vorgetragen wird, und der frei dargebotenen Sokrates-Rede (IB). Beide verdammen den ἔρως oder die Liebe als eine disharmonische, gleichgewichtsstörende Leidenschaft (ἐπιθυμία), aber mit dem Unterschied, daß, während „Lysias" nur auf rhetorischen Effekt aus ist, Sokrates die von ihm verwendeten Begriffe sorgfältig definiert und methodisch aneinanderfügt. Er spaltet die ἐπιθυμία in zwei Teile, einen guten „rechten" und einen schlechten „linken", wie es später im Dialog heißt (266A); und dann bringt er den ἔρως in den schlechten Teil des körperlichen Triebs. In seiner ersten Rede versteht Sokrates mithin unter dem ἔρως, was am Ende des „Philebos" als ἔρως θηρίων erwähnt wurde. Unser Name dafür wäre Sexus.

Der entsprechende Teil III besteht auch aus zwei Abschnitten, die beide die Frage nach der wahren und falschen Rede (λόγος) behandeln. Der erste Abschnitt (IIIA), der weit ausführlicher ist, fragt im Lichte des Omphalos nach der τέχνη einer wahren Rede, wie sie eben die Grundlage der 1. Sokrates-Rede bildet (IB). Der zweite und letzte Abschnitt fragt nach der Sinnfülle der Schrift hinsichtlich der λογογραφία, bezieht sich also auf das Phänomen der Schriftlichkeit, das uns in der „Lysias"-Rede am Anfang des Dialogs (IA) begegnet. Wenn endlich hinzugefügt wird, daß der Dialog mit demselben Hinweis auf die örtlichen Gottheiten anfängt, mit dem er schließt (vgl. ὅσον τῇδε θεόν 279B8), dann sieht man, daß – wenn diese Einteilung richtig ist – der „Phaidros" wiederum ein platonischer Musterdialog ist.

Ist die Einteilung aber „richtig"? Von der äußeren Form her gesehen bleibt doch der Hauptschnitt zwischen den drei Reden des „ersten" Teils und dem darauf folgenden Gespräch über die Redekunst. Unsere Einteilung kann sich erst durch eine Analyse der inneren Form bewähren, d. h., durch Aufweis der thematischen Einheit dieses verschlungenen Kunstwerks.

b) Unsere thematische Darstellung soll von der Palinodie ausgehen. Hier begegnen uns die großen pythagoreisch orientierten Urbilder platonischer Psychologie: der Urzustand der *Psyche* in beschwingtem Flug in der Höhe, belebt und ernährt durch die Anschauung der schönen „Harmonie" der Sphären, d. h. durch die Erkenntnis der logisch-mathematischen Proportionen des Universums im Lichte der Idee des Schönen; der Verlust ihrer Flügel und ihr Fall in den Körper hinunter, wo sie sich über Jahrtausende hin bei ständigen Reinkarnationen aufhalten muß, bis sie wieder befreit in die Höhe steigt; die Entstehung der Liebessehnsucht, des *Eros*, durch das Gewahrwerden des irdischen Abglanzes des Schönen: die Erinnerung dessen, was einmal *war*, läßt der Seele die Flügel der Sehnsucht wachsen; das Erwachen der Gegenliebe bei dem Geliebten, bis sie zusammen wieder emporzufliegen wünschen – und dann der dramatische, bei Platon tragikomisch dargestellte Kampf zwischen himmlischer und irdischer Komponente der Seele, symbolisiert durch die zwei feurigen Pferde – „Zwei Seelen wohnen, ach, in meiner Brust" – den edlen θυμός und die schlechte ἐπιθυμία, deren gemeinsamer Lenker, der Nous, eine harte Arbeit hat. Dem Mystiker und dem Philosophen, dem Dichter und dem Psychologen steht hier ein reicher Tisch gedeckt, und in der Geschichte des Geistes haben bekanntlich besonders die Hermetiker sich an ihm zu bedienen gewußt.

Es läßt sich sogar zeigen, daß nicht nur die Palinodie, sondern der ganze Dialog aus dem „hermetischen" Urmotiv „Amor und Psyche" lebt. Darauf werden wir das nächste Mal zurückkommen.

Die Palinodie erreicht nach Beschreibung der Psyche als solcher (245C bis 249D; vgl. φύσις τῆς ψυχῆς 245C2) ihren Höhepunkt mit der Darstellung der θεῖα μανία und dem κάλλος im Abschnitt 49D–50C. Von diesem Höhepunkt aus zeichnet sich die thematische Entfaltung des Logos auch in diesem Dialog klar ab.

Zunächst (Fig. II!) durchläuft der Logos einen gestuften „Weg hinauf", von der nach Maßgabe der städtischen πολλά verfaßten „Lysias"-Rede (I A) über die von den Nymphen eingegebene (241E), begrifflich geschliffene, aber als solche eben „verhüllte" (237A) erste Sokrates-Rede bis zur mit entblößtem Kopf vorgetragenen, geistig-idealen Darstellung der ἀθανασία der Seele in der ersten Hälfte der Palinodie (II A), – der Aufstieg wird von einem πόθος τῶν τοτε (250C7) geleitet, einem wahren geistigen Eros-Trieb. Auf dem Höhepunkt zeigt sich dem durch die θεῖα μανία inspirierten Beschauer *das Schöne* als Inbegriff der idealen Welt – vgl. besonders die ekstatische Einweihungssprache in 249B5–C5. – Darauf folgt sogleich der „Weg hinab", der mit Herausstellung der Widerspiegelung des Schönen in der Sinnlichkeit (250C7–E1) einsetzt und folgende Etappen hat: zunächst die zweite Hälfte der Palinodie, wo die wahre

1. Etappe: Seele. B. Phaidros

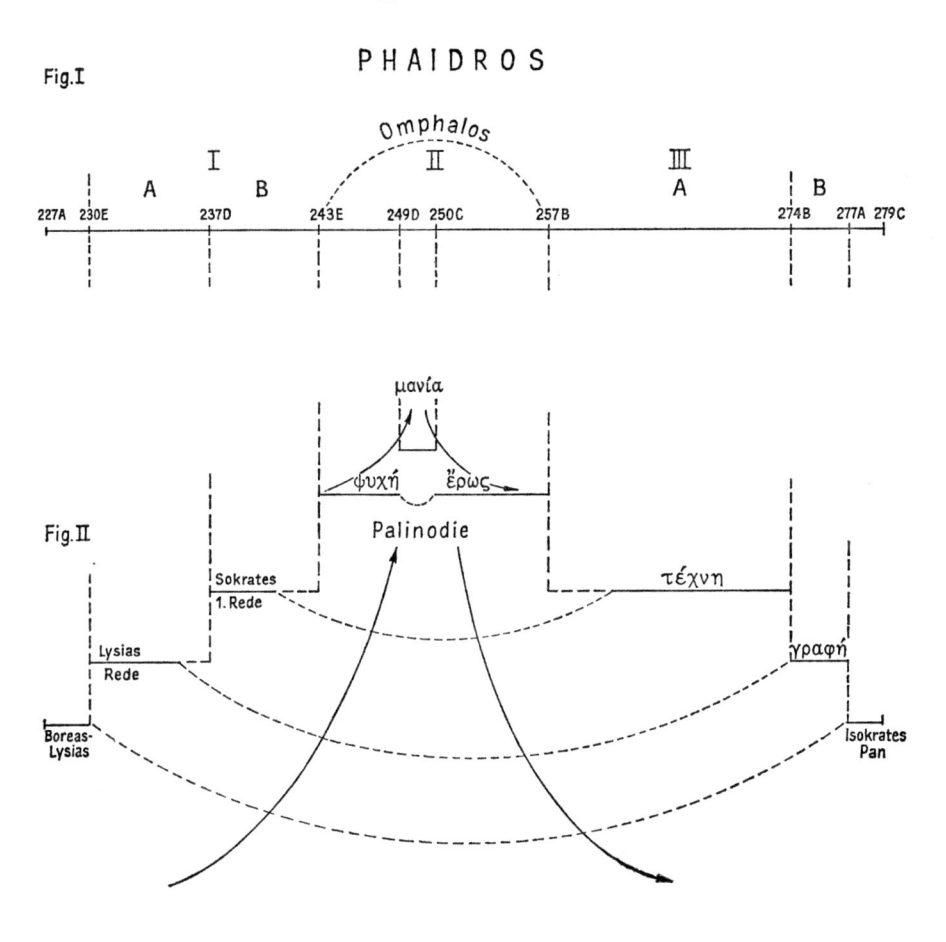

PHAIDROS

Fig. I

```
        I                Omphalos           III
    A       B           II              A      B
  227A 230E  237D   243E  249D 250C  257B    274B  277A 279C
```

Fig. II

μανία
ψυχή ἔρως
Palinodie
Sokrates 1. Rede
τέχνη
Lysias Rede
γραφή
Boreas-Lysias
Isokrates Pan

Eros-Passion als göttliche Schönheits-Passion dargestellt wird, danach eine Untersuchung des Nahrungswertes, d. h. des Schönheitsgehaltes der irdischen Nahrung für die Seele, nämlich des λόγος der Rhetorik (Teil III). Es stellt sich heraus, daß in diesem Nahrungsangebot eine Seelenführung, eine ψυχαγωγία (261A8, 271C10) liegt (vgl. die Einleitungsszene zwischen Sokrates und Phaidros, wo Sokrates nach seinen eigenen Worten (230DE) wie ein Stück Vieh durch die lockende Speise der von Phaidros dargebotenen „Lysias"-Rede umhergeführt wird!). Die Psychagogie artet zu einer Seelen-*Verführung* aus, falls die ῥητορική nicht von der διαλεκτική (IIIA), das Schriftliche nicht von der Mündlichkeit (IIIB) geistig durchleuchtet, und in dieser Durchleuchtung schönheitsbezogen wird.

So stellen die Dialoge „Philebos" und „Phaidros" zwei einander ergänzende Untersuchungen zu den „passions de l'âme" dar. Beide messen die Wahrheit der Passionen an einem höchsten μέτρον, das, im „Philebos" zwar unbenannt, im „Phaidros" aber als das unbedingt Schöne hervortritt. Der „Philebos" richtet seine Aufmerksamkeit „nach unten" in einer Untersuchung des allgemeinen Gefühlslebens, das nur durch Einsatz eines Schönheit vermittelnden πέρας vor dem drohenden Verfall in die falsche Unendlichkeit, ins ἄπειρον, „gerettet" werden kann. Der „Phaidros", der prinzipiell diesen allgemeinen Gesichtspunkt übernimmt, fügt doch ein σμικρόν τι hinzu: daß eine besondere Passion, die Liebe (ἔρως), durch unmittelbar göttliche Verankerung, d. h. durch unmittelbare Verbindungen mit dem καλόν, jede naturgegebene oder von Menschen gesetzte Grenze, jedes πέρας sprengen und der Seele Teilhabe an einer wahren Art der Unendlichkeit, nämlich an der ἀθανασία, verschaffen kann.

Nietzsche singt in seinem Mitternachtsgesang:
„Alle Lust will Ewigkeit,
will tiefe, tiefe Ewigkeit."

Nach Platons Lehre auf der ersten Stufe seines „Wegs hinab" geben diese sinnvollen Worte, gibt dieser λόγος ein Beispiel nicht auf Dialektik basierender Rhetorik, d. h. falscher Psychagogie, denn: Lust in ihrer Allgemeinheit will nicht „Ewigkeit", sondern ist in ihrer Befriedigung durch falsche Unendlichkeit unersättlich. Nur ein bestimmtes Lustgefühl, das der Liebe, sucht, durch die Unsterblichkeit, „Ewigkeit", da es einem immerwährenden Urquell entspringt und zu ihm zurückzukehren trachtet. – Der Fehler Nietzsches wäre zu korrigieren. Uns selber wird das nächste Mal die Begegnung mit der Unsterblichkeitsidee der *Hermetiker* zu einer eindringlicheren Betrachtung vom Webstück des „Phaidros" Anlass geben.

Die Natur der Liebe und der Seele

(20. Stunde)

„Erant in quadam civitate rex et regina." So fängt das Märchen von *Amor und Psyche* beim späten Platoniker und Hermetiker *Apuleius* an. Wir vergegenwärtigen uns die Hauptmomente des lieblichen und beliebten Mythos:

Die göttlich-schöne, einsame Königstochter *Psyche* in der Stadt, und ihre zwei gut versorgten, aber neidischen *Schwestern*. – *Zephyr*, der Westwind, der sie in Amors Auftrag von der Klippe „hinüber" zum verzauberten Schloß im Waldreich trägt. – *Amor* (= Cupido = Eros), der Venus holder Sohn, der sie dort in der Nacht umarmt, ohne sich zu offenbaren. – Das *Öllämpchen*, in dessen Schein die Königstochter, von den Schwestern verleitet, ihn zu *sehen* versucht – und von unersättlicher Gegenliebe ergriffen wird. Ein Tröpfchen Öl fällt und erweckt den schlafenden Gott. Er muß sie verlassen, und sie sucht ihn auf wilder Wanderung lange vergebens, bis sie endlich zum *Himmel* (caelum) gelangt. Dort stellt die unwillige Mutter Venus sie auf harte Proben, die sie glücklich besteht – und sie gewinnt den Geliebten und Unsterblichkeit *(immortalitas)*. Das Kind, das sie ihm gebiert, heißt die Wonne, *Voluptas*.

Der Platon-Kenner sieht sofort gewisse Ähnlichkeiten zwischen diesem spätantiken Märchen und dem ,,Phaidros". Handelt doch der Dialog, und besonders die mittebildende Palinodie, ausdrücklich von der unsterblichen Psyche, der Seele, wie sie durch Liebe (Eros) im Lichtkreis der Schönheit den Himmel zurückgewinnt. Wozu doch dieser literarische Hinweis hier? Läßt sich überhaupt die spätantike Spuk- und Märchenwelt eines Apuleius mit der klassisch erhabenen Philosophenwelt eines Platon vergleichen?

Wir legen es jedoch hier überhaupt nicht auf literarische oder geistesgeschichtliche Vergleiche an. Worauf es uns allein ankommt, ist, den späten Platon zu *verstehen*, und dazu steht uns jedes Mittel frei, sei es eines aus Platons eigener Zeit, ein spätantikes oder ein modernes. Ebenso wie der Logos eines ,,Parmenides"-Dialogs ,,logisch" begriffen zu werden verlangt, fordert wohl der Mythos eines ,,Phaidros"-Dialogs, mythisch gesehen zu werden. Zu dieser mythischen Sicht hilft uns, behaupten wir, die allgemein-menschliche Märchenwelt ebensogut, wie uns die Denkwelt moderner akademischer Philosophie zu einem Begreifen des ,,Parmenides" helfen kann. Denn es läßt sich zeigen, daß nicht nur äußere ,,Ähnlichkeiten", sondern genaue Homologie, im Großen wie im Kleinen, zwischen dem ,,Phaidros"-Dialog und dem Märchen von ,,Amor und Psyche" besteht. So bildet das Märchen ja auch keine von diesem oder jenem tüchtigen Schriftsteller ,,erdichtete" Phantasie; die Völkerkunde belehrt uns im Gegenteil, daß das Amor/Psyche-Motiv ein Urmotiv ist, das sich zu allen Zeiten bei den verschiedensten Völkern der Erde, in Indien, Nord-Afrika, Süd-Amerika etc. kundgibt, in der Märchenwelt meiner norwegischen Heimat mit besonderem Nachdruck (vgl. ,,Østenfor sol og vestenfor måne" und ,,Kvitebjørn kong Valemon")[1]. Die Homologie, wenn sie da ist, muß darauf beruhen, daß der klassische Philosoph und der spät-antike Märchenerzähler sich beide, jeder auf seine Weise, auf etwas in all seinen sich wandelnden Gestaltungen Gleichbleibendes beziehen, nämlich auf die *Natur* der Liebe und der Seele.

Erant (Apuleius), ἦν (,,Phaidros" 237B2; vgl. 243B4), *Es war einmal:* Hier wird, platonisch verstanden, eine Dimension ausgesprochen, in der sich Philosophie, Dichtung, Märchen und natürliches Vorstellungsleben treffen – die Dimension der ,,Ewigkeitszeit" (vgl. oben S. 104ff.). Weder die Idee der ἀθανασία (,,Phaidros" 245Cff.) noch die der *immortalitas* (Apuleius) der Psyche bezeugt eine Erfahrung der Ewigkeit *(aeternitas)* im Sinne des christlichen Glaubens;

---

[1] In meiner norwegischen Ausgabe des ,,Phaidros" (Lit.-Verz. Nr. 42e) ist dieselbe urbildhafte Deutung an Hand der angegebenen Volksmärchen durchgeführt.

was beide bezeugen, ist die Erfahrung der *sempiternitas*, der steten Dauer. Diese natürliche Sphäre des *Eros* und der *Psyche*, sei sie klassisch oder spätantik gestaltet, durchstoßen immer aufs neue für den Gläubigen die *Agape* Christi und die Ewigkeit des Heiligen Geistes *(Pneuma)*. Wohl mit dem Christentum, nicht aber mit der Märchenwelt eines Apuleius, ist die platonische Philosophie im Grunde unvergleichbar.

Bei Eröffnung des Gesprächs befindet sich der alte Erotiker und Ironiker *Sokrates* an einem Sommermorgen in Athen, nach „schönen Seelen" spähend, wie man vermuten muß. Er trifft einen Jungen, den er von früher kennt, *Phaidros*, auf dem Gang vor die Stadt und hält ihn auf. (Der Platonleser kennt Phaidros schon aus dem „Symposion", wo er als πατὴρ τοῦ λόγου der erste Eros-Redner ist.) Der Jüngling hat die Frühstunden zu Füßen des Sophisten und Rhetors, des demokratischen Politikers *Lysias* verbracht; und was er dort zu hören bekommen, hat solchen Widerhall in seiner Seele gefunden, daß er jetzt einen Spaziergang „außerhalb der Stadtmauer" ἔξω τείχους machen will, um die Rede in Einsamkeit zu memorieren. Sokrates, der sich vielsagend einen ἐραστὴς τῶν λόγων nennt (228C), gibt Interesse für die Lysias-Rede vor und geht mit. Zusammen begeben sie sich in den Zauberbereich der *Natur*, ins Reich des Hermes-Sohnes *Pan* (279B; vgl. 263D). – Im Text folgt die erste und wohl auch lichtvollste Schilderung der sinnlichen Natur in der klassischen griechischen Prosa (bes. 230BC).

Wir erblicken schon in diesem „Rahmengespräch" Urbilder. Sokrates ist der inkarnierte Eros (wie wir aus dem „Symposion" wissen), während Phaidros wie alle Jünglinge der Platon-Dialoge eine Psyche-Gestalt ist; und auch die übrigen Momente der Situation stellen, vom alles durchwaltenden ἦν der Ewigkeitszeit her gedeutet, typische, und nicht nur individuelle Gestaltungen dar. *Athen* ist nicht nur eine besondere griechische Stadt, im Gegensatz etwa zu Sparta; sie ist *die* Stadt, *civitas*, wie diese als Idee alle möglichen Städte in ihrem Stadtsein konstituiert. *Lysias* vertritt nicht nur eine sozial-kulturelle Strömung im damaligen Athen; er ist ein Vertreter des nur-städtischen Lebens im Sinne der Un-Natur, wie es im Märchen Psyches schlimme Schwestern sind. Die *Natur* „außerhalb" der Stadtmauer ist nicht nur der Ilissos der Archäologen; sie ist der zur Stadt „andere", freie Bereich – im Märchen: der Bereich, wo Psyche durch flüsternde Stimmen eingelullt werden kann (vgl. das Zirpen der Zikaden und die ganze Naturszenerie im Vorspiel, in den Zwischenspielen und am Ende des Dialogs). Sogar der einleitende Mythos von Boreas und Oreithyia, wie der Nordwind die Jungfrau raubt (vgl. später im Dialog die Sage von Zeus und Ganymedes 255C), findet in der Märchen-Gestaltung des Urthemas eine Entsprechung in der Beziehung Zephyr und Psyche.

Dassselbe gilt für die drei Reden (λόγοι) über die erotische Passion, die der urbildhaften Situation entspringen. Sie repräsentieren drei Örter der psychomythischen Topologie – den Ort *innerhalb* der Stadtmauer, wo die Worte „städtisch und volksbehaglich" (ἀστεῖοι καὶ δημωφελεῖς 227D1) sind (Lysias' Rede); die Ortschaft *außerhalb*, im verführerischen Nymphenhain (Sokr. 1. Rede); die Ortschaft *jenseits*, die „Ebene der Wahrheit" (τὸ ἀληθείας πεδίον 248B6), wohin die Seele nur auf dem geflügelten Wort der Liebe gelangen kann (Sokr. 2. Rede).

Oder wer kann in den einfachen, aber verschlagenen Worten des „Lysias" die so überzeugenden Warnungen an Psyche seiten ihrer zwei Schwestern verkennen? Hüte Dich vor den unkontrollierbaren Annäherungen dieser „Schlange"! Wer *ist* er nun eigentlich, dein Liebhaber? Bedenke doch, was „man" dazu sagen wird, und scheue diese fragwürdige Verbindung! Die Passion der Liebe ...? – reiner Wahn! Brauche deinen Verstand und besinne Dich!

Im Verhältnis dazu wirkt die *erste Rede des Sokrates*, obwohl er sie verhüllten Kopfes spricht (237A), wie eine Befreiung. Sie geht methodisch vor, definiert den Grundbegriff sorgfältig (den „linken" Eros = Sexus), stellt eine Prämisse auf (daß nämlich die Liebespassion etwas Verwerfliches ist), und zieht daraus in lückenlosen Schlußfolgerungen die Konsequenzen. Diese Rede erfüllt, mit Platons eigenem Maßstab gemessen, die für den wahren Logos nötige Bedingung der τέχνη (vgl. 265Cff.). Nur ist es nicht der platonische Sokrates, der so spricht. Was Sokrates hier von der Liebe sagt, ist zwar etwas Richtiges; das ist aber längst nicht das Wahre. Der für Wahrheit zureichende Grund, nämlich die Erkenntnis, was die Liebe *als solche* sei, fehlt. So hat auch Sokrates die ganze Rede einem anderen in den Mund gelegt, nämlich einem fingierten Freier, der sich wiederum als einen nicht Liebenden verstellt (237B). – Genauso benimmt sich Amor auf der Zauberburg, wenn er sich davor in Acht nimmt, von der Geliebten *erkannt* zu werden.

Mitten in der Rede hält aber Sokrates jäh inne (241D) – wie durch ein Tröpfchen heißen Öls aus dem Schlummer erweckt. Er will zunächst den gefährlichen Ort der Nymphen verlassen (241E), empfängt aber plötzlich eine neue Inspiration, die gerade nicht von den örtlichen Naturdämonen, wohl aber von seinem inneren δαιμόνιον stammt (242AB). In der „stehenden Stunde" des Tags (ἡ σταθερά), d.h. mittags, als die Sonne in ihrem Scheitelpunkt steht, öffnet sich ihm, in der Sprache der Palinodie gesprochen, das Himmelsgewölbe (vgl. 247A8ff.; bes. ἡ ὑπουράνιος ἁψίς B1). Jetzt kann Sokrates mit entblößtem Haupt (243B) die Wahrheit, wie sie ist, enthüllen. Von θεῖα μανία durchdrungen, erkennt er nicht nur die irdische, sondern die göttliche Natur des Eros (242D7). – Es folgt die *Palinodie* mit ihrem Mythos von Eros und Psyche im Lichte der Idee des Schönen. (Daß *Venus* bei Apuleius die Rolle der böswilligen Hexe übernommen hat, ist für die Apuleius-Deutung zwar wesentlich, hat aber für die Frage nach der möglichen Homologie zwischen Platon und Apuleius keine Bedeutung. Denn Venus bleibt *schön*, sie sei gut oder böse.)

Man möchte nun vermuten, das Thema Eros-Psyche sei mit der erhabenen

Palinodie erschöpft. Es sei ein höchster himmlischer Ort erreicht, wo Eros-Sokrates und Psyche-Phaidros für den Rest ihrer Tage in Glückseligkeit leben könnten. So geschieht es im Märchen, so erwartet es der unvoreingenommene Leser im „Phaidros". Es folgen aber in der platonischen Deutung des Urmotivs nüchterne Ausführungen zum Wesen des Logos als Rhetorik. Warum?

Weil der späte Platon selber eben nicht unvoreingenommen „den Sachen, so wie sie sind" gegenübertritt, sondern sie immer von der ihm gegebenen und aufgegebenen Grundvision her sieht. Von dieser Vision eines Hinauf *und Hinab* geleitet, kann er nicht „dort oben" seinen Ruhepunkt finden. Er kann nicht wie Apuleius die *Voluptas* als Frucht der Vermählung von Psyche und Eros setzen. Die platonische Frucht der Vermählung heißt *Logos*. Wie die liebende Seele sich im Logos ausspricht, ist Logos der Sinn der seelischen Liebe. Der platonische Logos bezieht sich aber, wie wir schon öfter gesehen haben, auf Wahrheit *und Falschheit*. Statt nach der Befreiung von der falschen Psychagogie der Rhetoren-Sophisten dieser ein für allemal den Rücken zu kehren, geht der platonische Sokrates daher in Freiheit zurück, um den Kampf mit ihr aufzunehmen. Auch im „Phaidros" bildet mithin die Frage nach der Falschheit den Antrieb für den „zurückkehrenden", dritten Teil des Dialogs.

Nun besteht, wie Sokrates anfänglich feststellt, die Falschheit der rhetorischen Psychagogie nicht darin, daß man seine freien Gedanken der gebundenen Schrift anvertraut (259D). Sie geht tiefer und besteht, frei wiedergegeben, darin, daß man ohne geistigen Eros ist und keinen Sinn für Psyche hat. Man erwirbt sich nicht auf mühseligen Umwegen Grunderkenntnis, sondern begnügt sich gleich mit dem, was erscheint, d. h. mit dem Wahr-scheinlichen (260A ff.). Man steht nicht dialogisch gegen einen Partner gerichtet, versucht nicht, sich in seine individuelle Situation und seinen seelischen Typos einzuleben (271B11), sondern schöpft, monologisch sich selbst zugekehrt, mechanisch aus den „Lehrbüchern", die ein für allemal die rechte Weise des Vorgehens für die Kunst festgelegt haben, sich effektvoll des Wortes zu bedienen (266Dff.).

Der wahre Psychagoge dagegen ist der Dialektiker, der, von der Natur des Ganzen ausgehend (270C2), die Seele nach Arten zerlegt (270Cff.) und dementsprechend weiß, für wen er redet und für wen er schweigt (275E). Ihm dienen die Schriftzeichen in ihrer unpersönlichen Allgemeinheit nur als Erinnerungsstützen (275A5). Am liebsten bedient er sich des lebendigen Wortes, das zwischen lebendigen Seelen wächst (276A).

So hat, historisch gesehen, Sokrates seine lebendigen Worte auf Platon übertragen, der sie durch mündlichen Unterricht in seiner Akademie weiterzugeben versuchte. So gab, im Rahmen des Dialogs, der Psychagoge Sokrates seine lebendigen Worte weiter an Phaidros draußen „vor der Mauer". Und so ermöglichen uns die Dialoge Platons als die am wenigsten schriftgebundenen philosophischen Werke der ganzen abendländischen Tradition, das lebendige Wort auch heute zwischen lebendigen Seelen in Liebe zu verbreiten.

2. Etappe: Welt

„Timaios" und die „Timaios"-Trilogie („Kritias"): Kosmos, Mensch und Geschichte

(21. Stunde)

Nach unserer Auffassung bildet der „Parmenides" das μέσον des spätplatonischen Schriftwerks. Zu ihm hinauf führt ein eleatisches, von ihm hinab führt ein pythagoreisches ἔσχατον, die beide wiederum, wie es scheint, nach dem Gesetz der superponierten Formen ihre μέσα καὶ ἔσχατα haben. Als μέσον des „Wegs hinauf" hat sich in gewisser Weise der „Sophistes" herausgestellt, indem seine Thematik im „Theaitetos" eingeleitet und seine Methodik im „Politikos" weiterentwickelt wird. Als μέσον des „Wegs hinab" ist unzweifelhaft der „Timaios" – oder richtiger: die „Timaios"-Trilogie – anzusetzen. Sie wird eingeführt durch Ausarbeitung der Konstitutions-Prinzipien jedes Naturgegenstandes überhaupt, wie auch durch Heraustellung der spezifischen Natur der Seele in den Dialogen „Philebos" und „Phaidros"; ihre Auswirkung zeigt sich in den realistischen Untersuchungen der Gesellschaft in den „Nomoi"[1]. – Von diesen zwei μέσον-Dialogen der jeweiligen Wege zeichnet sich der „Timaios" besonders aus. Demjenigen, dem die Fundamentalität des „Parmenides" aufgegangen ist – er interpretiere sie sonst, wie er wolle – muß der „Sophistes" wie alle Dialoge des „Weges hinauf" fast nur wie eine vorbereitende Einführung erscheinen, während ihm der „Timaios" als ganz eigenständiges Werk gilt. So wurden auch in der Antike und das Mittelalter hindurch bis zur Renaissance „Parmenides" (nicht „Sophistes") und „Timaios" (nicht „Politeia"), der reine Eleaten-Dialog und der reine Pythagoreer-Dialog, als die Hauptwerke Platons verstanden und gehütet. Viel spricht dafür, daß diese kontinuierliche Tradition das platonische Erbe seinem Geist nach besser zu pflegen und zu hüten wußte, als wir historisierenden Modernen es bis jetzt getan haben.

Werfen wir hier einen Seitenblick auf Aristoteles, der allmählich in den Fragebereich der Spätdialoge eindringen muß! – nicht so, daß wir Platon in Aristoteles münden und/oder Aristoteles aus Platon entstehen lassen wollten; wir vergleichen lieber die Hauptstrukturen der Gedankenwelten dieser beiden Klassiker

---

[1] Vielleicht treibt dieser Versuch, auch jedem „Weg" seinen μέσον-Dialog zuzuerkennen, den Schematismus zu weit. Zwar gelingt er im Falle „Timaios", aber die Mittelstellung des „Sophistes" wird dadurch erschwert, daß dieser Dialog doch der erste einer Trilogie ist. Ich lasse den Versuch daher auf sich beruhen und stütze mich nicht darauf in der sonstigen Darstellung.

des Denkens. Dann ist es klar, daß sämtliche Schriften des platonischen Spätwerks, die „Nomoi" vielleicht ausgenommen, dem von Aristoteles sogenannten „theoretischen" Fragebereich einzuordnen sind; nur mit dem Unterschied, daß, was bei Aristoteles in seinen „logischen" Untersuchungen als formales Organon „außerhalb" der sonst real arbeitenden, teils poietischen, teils praktischen und teils theoretischen Philosophie angesetzt ist, sich bei Platon in real arbeitenden, sprachtheoretischen und erkenntnistheoretischen Untersuchungen ausgewirkt hat, denn die Dialektik ist ja, wie früher schon mehrmals hervorgehoben, für Platon eine reale, keine formale Methode. Innerhalb dieses Vergleichshorizonts entspricht der „Parmenides" der „Metaphysik" und der „Timaios" der „Physik" (mit den dazugehörigen kleinen Schriften) des Aristoteles. Daraus braucht nicht geschlossen zu werden, daß der „Parmenides" ein „metaphysisches" Werk ist. Habent sua fata termini, und der Terminus „Metaphysik" hat sie bekanntlich ganz besonders. Eher könnte man den „Parmenides" eine „Meta-Logik" nennen, und, wenn mit „Physik" verbunden, eine „Pro-Physik". Der große Unterschied in der Ähnlichkeit zwischen diesen Werkpaaren der beiden Meister ist, daß Aristoteles den Weg durch die „Physik" zur „Metaphysik" hinaufsteigt, während Platon von seinem „Parmenides" zu seinem „Timaios" hinabsteigt. Die sinnliche Welt ist für Aristoteles das πρότερον πρὸς ἡμᾶς (vgl. Phys. I, 1). Durch ihr bewegliches Sein muß man hindurchgehen, um dorthin zu gelangen, wo der Gott als der Grund ruht (Met. XII). Aristoteles läßt sich mithin, allem Anschein nach, die Prinzipien seiner Metaphysik durch die Untersuchungen seiner Physik vorschreiben. So hat ja auch Heidegger die aristotelische „Physik" als das Grundbuch der abendländischen Metaphysik bezeichnet (vgl. Lit.-Verz. Nr. 16b). Für Platon aber ist die geistige Welt das πρότερον πρὸς ἡμᾶς. Die Seele, nicht die Sinnlichkeit, steht ihm näher; und die Seele, wie es im „Phaidon" heißt, „wohnt in der Mathematik", d. h. in den reinen Formen der idealen Welt. Daher mußte Platon, bevor er sich daran wagte, die Welt der „Physik" zu erschließen, um dort vielleicht die Anwesenheit Gottes zu ergründen, eine Pro-Physik in Form einer reinen Geistes-Dialektik durchführen, wo er unmittelbar nicht „Gott", wohl aber seine zwei Prinzipien vorfand. Vom „Timaios" zum „Parmenides" hinaufzusteigen, ist unmöglich. Dann würde die Erkenntniskritik im ersten Teil des „Parmenides" das grobe Welt-Schema, von dem der Schöpfungsakt im „Timaios" ausgeht, völlig destruieren; und damit geschähe dem „Timaios" großes Unrecht[1]. Der umgekehrte Weg aber vom „Parmenides" zum „Timaios" ist um so natürlicher, da er uns den Sinn für den logischen Gehalt der bildhaft-mythischen Diktion dieses naturphilosophischen Werks öffnet. Er ist auch um so dringlicher, da ihn in der Geschichte der

---

[1] Aus eben diesem Fehlansatz folgen, wie mir scheint, im „Timaios"-Aufsatz von *G. E. L. Owen* (Lit.-Verz. Nr. 25) unglückliche Konsequenzen, die *H. Cherniss* in seiner Erwiderung (Lit.-Verz. Nr. 7b), mit Sorgfalt wiedergutmacht.

2. Etappe: Welt. Timaios und Timaios-Trilogie

modernen Platonforschung bisher kaum jemand gegangen ist[1]. Die „Physik" des Aristoteles ist vielleicht das metaphysische Grundbuch des Abendlandes. Wir brauchen aber kaum mehr „Metaphysik", jedenfalls nicht mehr dringend, in unserem Zeitalter des Aufbruchs. Der Gott der Philosophen ist tot. Was wir aber immer aufs neue brauchen, ist, uns die Quintessenz der Philosophie Platons vor Augen zu halten, seine Grundvision in uns selber aufleuchten zu lassen, so daß wir immer wissen können, wer wir selber sind, und wer oder was uns zum Aufbruch ruft. Dazu hilft uns seine Meta-Logik, der „Parmenides", insbesondere aber auch, möchte ich vermuten, seine Physik, der „Timaios".

Nun ist vielleicht der „Timaios" von Platon selber gar nicht als sein spätestes Hauptwerk gedacht oder geplant worden. In all seiner sprachlich und thematisch geballten Fülle sollte er vielleicht nur ein ἔσχατον innerhalb der Trilogie sein, deren μέσον der „Kritias" sein sollte. Wir stehen hier vor ihren Trümmern. Nur der „Timaios" ist vollständig überliefert; vom „Kritias" haben wir nur 15 Seiten, und Platon selbst hat kaum mehr geschrieben; von dem vermutlich als dritter geplanten Dialog, dem „Hermokrates", fehlt uns sogar eine Inhaltsangabe. Es muß aber einem nicht ganz ungeübten Platonleser erlaubt sein, einen Rekonstruktionsversuch in diesem Trümmerfeld zu machen, einen Versuch, dessen Resultate übrigens mit denjenigen anerkannter Platoninterpreten (z. B. *Cornford*, *Taylor*) übereinstimmen.

Am Anfang des Gesprächs im „Timaios" wird ein Entwurf für drei (evtl. vier) große Themen- und Darstellungs-Einheiten vorgelegt, die alle von der Kombination Philosophie-Politik her zu sehen sind (vgl. 19E5ff.). Zunächst (1) soll im „Timaios" selbst der Pythagoreer Timaios aus Lokri die Entstehung des Menschen vor dem Hintergrund der Entstehung des sinnlichen Weltalls darstellen (27Aff.), was ja auch geschieht. Darauf (2) soll der athenische Staatsmann, Platons Onkel Kritias die Ur- und Frühgeschichte Athens vortragen (27B). Unter diesem Gesichtspunkt ist das überlieferte Atlantis-Fragment, das mit dem Anruf der Mnemosyne anfängt („Kritias" 108D), zu lesen. Dann (3) sollte der Reihe nach der syrakusische Staatsmann Hermokrates zu Wort kommen (vgl. „Kritias" 108A6). Sein Thema wird nicht angegeben (Platon ist vielleicht klar geworden, daß er all das doch nicht werde durchführen können). Es ist aber von Platonkennern mit Recht angenommen worden, daß der Syrakusaner Hermokrates die Aufgabe übernehmen sollte, den Bericht bis zur Zeitgeschichte auszuführen. Anstelle des mythischen Kampfes Ur-Athens mit der Atlantis-Macht sollte jetzt vielleicht der Kampf Athens – nicht mit Persien, auch nicht mit Sparta, sondern mit *Syrakus* in seinem philosophischen Sinn dargestellt werden. Hier wagen wir die Vermutung, daß dieses Stück Zeitgeschichte sich

---

[1] In ähnlicher Weise hat *K. Gaiser* von der Prinzipienlehre in περὶ τἀγαθοῦ ausgehend neues Licht auf die Farbenlehre Platons im „Timaios" 67C–68D werfen können (vgl. Lit.-Verz.Nr. 14b).

auf dem dramatischen Stoff Platons eigener Erfahrung in Syrakus aufbauen sollte, der uns in den Briefen vorliegt und ihm mit der Ermordung Dions im Jahre 354 aus den Händen glitt. Stattdessen erhielten wir den großen 7. *Brief*, der sicherlich für die Öffentlichkeit berechnet ist. Der „Hermokrates" sollte dann, nach dieser Annahme, *den Philosophen als den Friedenstifter*, den Sinn der platonischen Aktivität in Syrakus, im Rahmen des Schöpfungsplanes und vor geschichtlichem Hintergrund darstellen.

Ja, wir wagen noch einen weiteren Schritt in diesem Versuch der Rekonstruktion: Vielleicht sollte ein 4. Thema, wenn auch nicht notwendigerweise ein 4. Dialog, an diese Trilogie angehängt werden. Denn schon in der ersten Zeile des „Timaios" ist von einem vierten Gesprächspartner die Rede, der zwar nicht gekommen ist und dessen Thema von den anderen möglichst übernommen werden soll, der aber doch gerade als Abwesender zugegen ist. Sollte dieser nicht Platon selbst sein, in irgendeiner leicht durchschaubaren Verhüllung, so wie er kurz darauf in den „Nomoi" als der „fremde Athener" die Gesprächsführung übernimmt? Dadurch würde nämlich das gewaltige Projekt, welches schon von der Schöpfung über die Urgeschichte bis zur Zeitgeschichte reicht, mit einem Ausblick *in die Zukunft* abgerundet worden sein. Jedenfalls ist es dieser Ausblick, der den „Nomoi" ihren tieferen Sinn verleiht. In diesem letzten Hauptwerk hat das Corpus platonicum, der großen Lücke in der „Timaios"-Trilogie zum Trotz, seine natürliche Abrundung gefunden.

Platon selbst hat gewollt, daß wir seine „Welt"-Trilogie unter einem größeren Gesichtswinkel betrachten. Denn am Anfang läßt er das ganze Gespräch an seine viel früher verfaßte Staatsschrift, die „Politeia" anknüpfen. Hier ist ein Ideal der menschlichen Gesellschaft vorgebildet, das, wie es heißt, jetzt in „Bewegung" gebracht, d. h. in die Realität der Geschichte mit ihren Kämpfen und Kriegen hineinprojiziert werden soll („Timaios" 17B). Diese erklärte Hauptaufgabe des Gesprächs soll dem Plane nach nicht der Gesprächspartner Timaios, sondern Kritias übernehmen (27A2), warum auch er zuallererst, bevor Timaios seinen Schöpfungsbericht beginnt, den mythisch-geschichtlichen Rahmen für seinen Atlantis-Bericht zurechtlegt („Timaios" 20D–26E). Daher wagen wir die Vermutung:

Der Mitteldialog „Kritias" hätte das μέσον *der „Timaios"-Trilogie bilden sollen.* Sein Thema, das Geschichtliche als solches, wäre vielleicht für Platon das größte Wagnis seines spätesten Denkens gewesen (woran er ja auch gescheitert ist). Auf seine beiden ἔσχατα gestützt, auf den „Timaios", dessen Schöpfungsbericht wiederum durch die Darstellung der Natur der Seele in den beiden vorangegangenen Dialogen vorbereitet war, und auf den „Hermokrates", dessen Zeitgeschichte in die „Nomoi" als Grundlage zukünftiger Etablierung eines Akademie-Staats auslaufen sollte, hätte der „Kritias" für die zeitgenössischen Athener u. a. eine Mahnung sein sollen, in einer zerfallenen Welt ihre geistige Verpflichtung gegenüber der großen Tradition auf sich zu nehmen

2. Etappe: Welt. Timaios und Timaios-Trilogie 135

(vgl. „Menexenos"). Es ist sehr bedauerlich, daß dies groß angelegte Werk ein Torso blieb. Platons Versagen mag jedoch weniger an ihm als Persönlichkeit liegen denn an der Unfähigkeit des klassischen Griechentums überhaupt, dem Wesen der Geschichte gerecht zu werden.

Dem großen *Prooemium* (17A–27B), mit dem wir uns bis jetzt beschäftigt haben, folgt im „Timaios" der mythische Schöpfungsbericht in Form einer ununterbrochenen, nur auf Wahrscheinlichkeit (εἰκώς 29CD) Anspruch erhebenden Rede, die sich wiederum thematisch in drei scharf getrennte Teile gliedert:

Teil I (27B–47E) stellt den Anteil der frei verursachenden göttlichen Vernunft (νοῦς) an der Schöpfung dar. Sie erschafft, in mythischer Gestalt eines „Werkmeisters", δημιουργός, den Weltkörper und die Weltseele, paßt den Körper in die Seele ein, so daß sie zusammen ein lebendiges Ganzes ausmachen, und läßt dann die Seele durch Erschaffung verschiedenartiger seelischer Wesen den Körper möglichst vollständig durchdringen. Die beseelten Wesen sind erstens die Sternengötter (40Aff.) und die olympischen Götter (40Dff.), zweitens die Menschen (41Dff.), drittens die übrigen Lebewesen auf der Erde (90Eff.). Die Götter sind unsterblich (solange der Demiurg es will, 41D), die Lebewesen im allgemeinen sterblich; der Mensch ist teils das eine, teils das andere. Der Demiurg selber schafft nur die unsterblichen Teile der Lebewesen und überläßt es dann den von ihm geschaffenen Göttern, seinen „Kindern" (42E6), den sterblichen Teil der Schöpfung durchzuführen (41Aff.). Dies führt zum Auftreten eines zweiten Prinzips und damit zu einem radikalen Neuansatz des ganzen Schöpfungsberichts:

Teil II (47E–69A). Denn die Schöpfung geschieht nicht ex nihilo. Der Demiurg ist nur allmächtig „nach Vermögen" (κατὰ δύναμιν 30A3). Gegen seine frei wirkende Vernunftordnung wirkt, so erfahren wir jetzt, eine andere Art der Verursachung, eine „umgetriebene Ursache" (πλανωμένη αἰτία), wie Platon sie nennt: die der Notwendigkeit (ἀνάγκη). „Denn das Werden dieser Weltordnung wurde als ein gemischtes aus einer Vereinigung der Notwendigkeit und der Vernunft erzeugt" (48A). Die vier Grundstoffe der materiellen Welt: Erde, Wasser, Luft und Feuer – besser: Ansätze dazu – waren *vor* der Schöpfung da; auch der Raum war da, der, nach Platons malender Metapher, alles Werden empfängt „wie eine Amme" (οἷον τιθήνη 49A6). In diesem mittleren Teil der Darstellung findet sich die berühmte platonische Elementarkörper-Theorie, in der er – in ausgesprochenem Gegensatz zu Demokrit – nicht von der Materie, sondern von der Form ausgeht, nämlich von gewissen mathematischen, geometrischen und stereometrischen Figuren. Was aus der immer fließenden Feuerhaftigkeit Feuer *entstehen* läßt, ist die Gestaltung in Form des Tetraeders oder der Pyramide; was aus der gleich fließenden, gar nicht identifizierbaren Erdhaftigkeit Erde *entstehen* läßt, ist die Gestaltung in

Form des Hexaeders oder Kubus. (Zufällig kam, nach seinem eigenen Bericht, Werner Heisenberg als Gymnasiasten dies platonische Stück zum Aufbau der Materie in die Hand, und es wurde für ihn ein Anlaß, sein Interessengebiet von der Mathematik zur Physik zu verlegen (vgl. Lit.-Verz. Nr. 18a, S. 40ff.) – worauf er wenige Jahre später den Nobelpreis erhielt.[1])

Teil III (69A–92C) gibt uns dann – keineswegs eine Synthese der beiden ersten Teile, sondern die im Teil I ausbleibende Schöpfung der sterblichen Natur; zunächst der sterblichen Komponente der menschlichen Seele, die, wiederum zweigeteilt, in der Brust und im Bauch ihren Sitz hat, danach der Tierwelt und der Pflanzenwelt, die aber ganz knapp abgehandelt werden. Es geht ja in diesem Bericht nicht um die Schöpfung der Natur im allgemeinen, sondern gerade um die Schöpfung der Natur des Menschen (vgl. 90E). Der sehr ausführliche Teil kann daher in folgender Weise von Platon kurz beendet werden: „Dieses alles führte nun damals und führt noch jetzt, vermöge des Erlangens und Einbüßens des Unverstandes und Verstandes, den wechselseitigen Übergang der Tierarten ineinander herbei" (92C).

Die ganze Darstellung findet in folgenden fast hymnischen Worten ihren Abschluß: „Und nun, behaupten wir, ist unsere Rede über das All bereits zum Ziel gediehen. Denn indem dieses Weltganze sterbliche und unsterbliche Bewohner erhielt und derart davon erfüllt ward, wurde zu einem sichtbaren, das Sichtbare umfassenden Lebenden, zum Abbild des Denkbaren als ein sinnlich wahrnehmbarer Gott, zum größten und besten, zum schönsten und vollkommensten dieser einzige Himmel, der ein eingeborener ist": εἷς οὐρανὸς ὅδε μονογενὴς ὤν (92C).

Nun erhebt sich die Frage, was „platonisch" wohl als Schwerpunkt der ganzen wunderbaren Geschichte zu bestimmen ist. Soll sie einen religiös gefaßten Schöpfungsbericht geben, der, wie es seit Philo Judaeus immer aufs neue versucht worden ist, im Sinne der Genesis im 1. Buch Mose gelesen werden muß? Ist der platonische Demiurg zu vergleichen mit dem Gott des Moses? Augustinus fand ja überhaupt die Ähnlichkeit zwischen Platon und Altem Testament so groß, daß er meinte, Platon müsse Nachwirkungen des Propheten Jeremias in Ägypten erfahren haben (De Civ. Dei VIII, 11). – Ich fürchte, wir tun bei solcher Zusammenstellung sowohl Platon wie auch Moses Unrecht. Moses wird durch den Vergleich zu einem ganz schlechten Physiker. Bis ins hohe Mittelalter hat man ja die Genesis wegen ihrer Parallele zum „Timaios" als ein

---

[1] Vor kurzem hat *Heisenberg* mit folgenden Worten über seine sogenannte „Weltformel" gesprochen (vgl. Lit.-Verz. Nr. 18 b, S. 17): „Die einfachsten Lösungen dieser mathematischen Gleichung repräsentieren die verschiedenen Elementarteilchen, die genau in demselben Sinne Grundformen der Natur sind, wie Plato die regulären Körper der Mathematik, Würfel, Tetraeder usw. als die Grundformen der Natur aufgefaßt hat."

Lehrbuch der Physik gelesen und interpretiert. Platon wird seinerseits durch den Vergleich ein Prophet niederen Ranges. Sein Gott schafft ja nur die Sinnenwelt, nicht die „Welt" als solche wie der Mosis. Nein, aller äußerlichen Ähnlichkeit zum Trotz: distinguendum est. Platon, der betende Denker, hat nicht zu seinem Demiurgen beten können. Der ist ihm ein pro-physisches Prinzip.

Welches Prinzip aber? Erstens das der Verursachung (αἰτία; vgl. 27C2, 29D7). Im „Philebos" führte Platon ja dieses Prinzip eigens ein, um die γένεσις εἰς οὐσίαν, das „Werden zu Substanz" erklären zu können, und es wurde dort wie hier mit dem frei wirkenden Geist (νοῦς) in Verbindung gebracht. Zweitens ein Prinzip der Freiheit, das im „Parmenides" als ἐξαίφνης zum Ausdruck kam. Der große „Daimon" im „Timaios", der Demiurg, ist, erlauben Sie mir diese etwas kühne Behauptung, *eine* – vielleicht auf Grund ägyptischer Überlieferung alt-testamentlicher Offenbarung – *von Platon mythisch gestaltete Verkörperung des Prinzips für das Entstehen überhaupt, des Prinzips der verursachenden Plötzlichkeit (ἐξαίφνης).*

Mit allem Respekt vor Platons mythischer Gestaltungskraft sei gesagt: auch im „Timaios" liegt das Schwergewicht im zweiten Teil, in der nüchternen Darstellung des *Wesens der Materie*. Der „Timaios", diese großartige Einführung zum „Kritias", verkündet keine zeitgebundene Quasi-Religion. Er gibt an Hand eines sehr gelungenen kosmischen Entwurfs eine für alle Zeiten ernstzunehmende Interpretation der Stofflichkeit der Welt, legt die im Gegensatz zur Form „andere" Natur aus (vgl. Parm. 158C6). Sein wahres μέσον wäre also dort nicht zu sehen, wo es Philo Judaeus und mit ihm das ganze Mittelalter, sondern eher dort, wo es Werner Heisenberg fand: im Mittelteil 47E–69A (vgl. Strukturschema unten S. 142!).

Denn erst wer die Stofflichkeit der Welt und die Menschen von ihr her erkennt, kann zu dem gelangen, was Platon jetzt, auf seinem ganzen Weg hinab, ansteuert: sein Ideal durch die Tat möglichst zu verwirklichen.

Das geistige Paradeigma des „Timaios"

(22. Stunde)

Das zugleich mythische und mathematisch-naturphilosophische Hauptwerk des späten Platon, der „Timaios", führt, haben wir gesehen, in drei Stufen eine Untersuchung des Geschaffenseins der psycho-physischen Welt-Ganzheit durch. Die Seele ist geschaffen nach (arithmetischen) Proportionen, die der Musik und der Astronomie zugrundeliegen; sie entstammt dem Himmel, und ihr Sein ist die Zeit (I). Der Körper ist geschaffen nach (geometrisch-stereometrischen) Proportionen, die etwa der Architektur zugrundeliegen; er entstammt der Erde, und sein Sein ist der Raum (II). Der Mensch als Naturwesen steht vermittelnd zwischen den beiden Dimensionen, hat jedoch seine Wurzel im Himmel (vgl. 90A) (III). – Die ganze psycho-physische Welt, der Makrokosmos wie der Mikrokosmos, ist aber nur ein Abbild, ein „Gleichnis" des immerwährenden,

III. Der Weg hinab

rein geistigen Seins, das „vor" jeder Schöpfung „hehr und heilig" da steht, wie es im „Sophistes" (249A) ironisch heißt. Dies apriorisch gegebene geistige Sein, von dessen rechtem Verständnis eine adäquate „Timaios"-Interpretation abhängt, wird im Werke selbst nur stichwortartig besprochen. Bevor wir zum Kernstück (Teil II) des Dialogs übergehen, müssen wir versuchen, diese für den ganzen Dialog maßgebliche Dimension näher zu bestimmen.

Da wir den Zugang zum „Timaios" nicht direkt von der „Politeia" her, sondern auf dem großen „Umweg" durch die Spätdialoge und den „Parmenides" gefunden haben, brauchen wir in dieser Absicht nicht hinaus ins Unbestimmte oder in Kants Kritiken zu schauen. Das geistige Sein verhält sich zur psycho-physischen Welt wie, möchten wir behaupten, das „logische" Werk der Einheit, der „Parmenides" zum „mythischen" Werk der Ganzheit, dem „Timaios". Der göttliche Demiurg hat bei seiner Schöpfung der Welt ein geistiges Muster vor Augen, das Platon analog zu dem Muster denkt, das er selbst in seiner Schöpfung des Werkes „Timaios" vor Augen hat. Dies geistige Muster liegt zwar der Gesamtvision Platons zugrunde; jedes Spätwerk gestaltet ein Element, das zugleich die Gesamtvision je in seiner Weise abbildet. Die reinste Ausführung des Musterhaften, d. h. des Geistigen als solchen ist Platon aber im „Parmenides" gelungen. So geht auch der „Timaios" von einer bestimmten Frage aus, nämlich nach dem Verhältnis der psycho-physischen Welt zu dem vorher gegebenen geistigen Sein, *die der Fragestellung einer bestimmten „Hypothese" im „Parmenides" entspricht;* wir denken an die Frage der *4. Hypothese* nach dem Anderen in seinem Verhältnis zu dem als seiend gesetzten Einen.

Auf Grund dieser Ähnlichkeit im Ausgangspunkt läßt sich bis in die Einzelheiten zeigen, wie das groß angelegte Werk „Timaios", Teil für Teil und Absatz für Absatz eine Homologie zur winzig anmutenden, aber doch so gehaltvollen 4. Hypothese des „Parmenides" bildet – und zwar in folgender Weise:[1]

Die dialektische Entfaltung der Frage nach der Andersheit in der 4. Hypothese des „Parmenides" verläuft in drei Stufen. Auf der ersten (157C1 ff.) wird gezeigt, daß das Andere, obwohl es das Eine nicht *ist*, doch *teil* daran hat (μέθεξις). Die Teilhabe wird teils von der Ganzheit (157C 3–E 5), teils von den einzelnen Bestandteilen (157D5–158B1) her gesehen. Als *ganzes* (ὅλον) ist das Andere ein ἓν ἐκ πολλῶν, dessen Einheit sich in der Gestalt (ἰδέα) auswirkt; das gestaltete Andere ist, heißt es wörtlich, „*ein* vollkommenes, Teile habendes Ganzes" (ἓν ὅλον τέλειον μόρια ἔχον 157E4). In je einem *Bestandteil* (μόριον) hat das Andere als solches unmittelbar teil an dem Einen, das ihn in seinem

---

[1] Die Strukturierung der 4. Hypothese entnehme ich meinem „Parmenides"-Buch. Sie wurde dort an Hand des Textes allein und ohne Rücksicht auf die Frage nach der Strukturierung des „Timaios" (dessen *thematische* Übereinstimmung mit der 4. Hypothese mir schon damals klar war) ausgearbeitet. Die Strukturierung des „Timaios" entspricht im großen und ganzen derjenigen in der Übersetzungsausgabe *Cornfords*.

2. Etappe: Welt. Timaios und Timaios-Trilogie

Einzelsein konstituiert. Ein und dasselbe Einheit vermittelnde Gesetz strukturiert mithin das Ganze wie seine einzelnen Bestandteile; das Andere wird „superponiert" geformt.

In derselben Weise bewirkt das Werk der Vernunft in Teil I des „Timaios" zuerst das eine gestaltete Welt-Ganze, dessen „Teile" die nur abstrahierbaren, psychischen und physischen Elemente ausmachen (31Aff.); darauf die individuellen, extrahierbaren Organismen, besonders den Menschen, dessen Mikrokosmos den Makrokosmos nach Vermögen abbildet (39Eff.).

Auf der zweiten Stufe des Logos in der 4. Hypothese wird das Andere als solches, in seinem Verschiedensein vom Einen, untersucht (158B1ff.). Das primäre Kriterium dafür ist Vielheit (πολλά), die wiederum in zwei Weisen abgehandelt wird: als unbegrenzte (ἄπειρον) und begrenzte (πέρας). Auf Einzelheiten in dieser Verbindung werden wir bald zurückkommen, da Thematik und Einteilung genau denen im von uns zu behandelnden Teil II des „Timaios" entsprechen.

Nach einer Zusammenfassung der zwei ersten Stufen in der 4. Hypothese (158D6; vgl. „Timaios" 68E–69A) wird in der dritten, abschließenden Stufe („Parmenides" 158Eff.) das so konstituierte Andere von seinen Affekten (πάθη) aus betrachtet; besonders werden die der „Ähnlichkeit" (ὅμοιον) und „Unähnlichkeit" (ἀνόμοιον) abgehandelt. In dieser Weise vorzugehen, entspricht der Herausstellung der sterblichen Teile der Schöpfung im Teil III des „Timaios". Hier wird die „Ähnlichkeit" der συμφωνία des gesunden, die „Unähnlichkeit" der ἀναρμοστία des krankhaften Körperzustandes zugrundegelegt (vgl. bes. 80A).

Der „Timaios" kann folgerichtig mit einer emphatischen Zeile abgeschlossen werden, in der das Moment der Einheit zweimal hervortritt (εἷς-μονογενής). Denn in jener dreistufigen Weise hat die Einheit der Vernunft die Andersheit der Notwendigkeit „nach Vermögen" durchdrungen.

Die hieraus resultierende Homologie zwischen den beiden Texten läßt sich in folgender Weise schematisch darstellen:

"Timaios" "Parmenides" 4. Hypothese
(Der Vortrag des Timaios)

Vorspiel
Thema und Problemstellung

27C–29D
Die sinnliche Welt im Verhältnis zur Welt der geistigen Formen.

157B
Das Andere im Verhältnis zum seienden Einen.

TEIL I

29D–47A
Das Werk der Vernunft.

157C1ff.
Das Andere ist–nicht das Eine, sondern hat daran Teil.

Abt. A

31Aff.
Die Welt als ein ganzer, Teile umfassender Organismus.

C3ff.
„*Ein* vollkommenes, Teile habendes Ganzes also sind notwendig die Anderen als das Eins."

Abt. B

39Eff.
Die vier Arten von Lebewesen, besonders der Mensch.

E5ff.
Das Einzelne (ἕκαστον) als „ein von den Anderen abgesondertes für sich Seiendes".

TEIL II

47E–69A
Was aus Notwendigkeit geschieht.

158B1ff.
Das Andere ist nicht-einheitlich, d. h. es ist vielheitlich.

Abt. A

48Eff.
Die „Materie" und das „Worin" des Raumes.

52 D–53 C
Der Elementarzustand als Chaos.

B5ff.
„Also als Menge (πλῆθος), worin das Eine nicht ist."

C2ff.
„Die vom εἶδος verschiedene Natur" ist unbegrenzt an Menge (ἄπειρον τῇ πλήθει).

2. Etappe: Welt. Timaios und Timaios-Trilogie

53 C ff.
Die Konstruktion der Figuren der Elementarkörper durch die Zahl.

Abt. B
D1 ff.
Durch die Begegnung der Anderen mit dem Einen entsteht ein „Verschiedenes", das ihnen eine Grenze (πέρας) setzt.

TEIL III

69A–90E
Das Zusammenspiel der Vernunft mit der Notwendigkeit: τὰ παθή-ματα 158 E ff.

158 ff.
Das so konstituierte Andere hat an allen Widerfahrnissen (πάθη) teil.

Abt. A

73 B ff.
Die Konstitution des menschlichen Körpers.

E2 ff.
Das Widerfahrnis der Ähnlichkeit.

Abt. B

81 E ff.
Krankheiten des Körpers und der Seele.

E6 ff.
Das Widerfahrnis der Unähnlichkeit.

Konsequenzen und Beschluß

90E ad fin.

159A4 ad fin.

Platons physikalische Theorie der Elemente
(„Timaios" 47E–69A)

Im Lichte des „parmenideischen" Paradeigma läßt sich der Mittelteil des „Timaios" (Teil II) – eine der sonst undurchsichtigsten Textstellen im Corpus platonicum – klar strukturieren und gut verstehen.

Der Weg der Untersuchung ist – wie auf der entsprechenden zweiten Stufe in der 4. Hypothese des „Parmenides" – ein zweifacher. Zuerst (A) wird analytisch nach der Seinsweise der reinen Körperlichkeit an sich gefragt (47Eff.); das entspricht der Frage im „Parmenides" nach der reinen Andersheit als der „von der Form verschiedenen Natur" (158C6). Gefunden wird im „Timaios" ein „solches" (τὸ τοιοῦτον), das dem Raum anhängt wie der Säugling an der Amme, im „Parmenides" ein reines Quantum oder Massensubstrat (πλῆθος). Darauf folgt (B) ein konstruktiver Weg („Timaios" 53Cff., „Parmenides" 158D). Auf Grund der aufgedeckten Seinsweise der reinen Körperlichkeit bzw. Andersheit-zur-Form findet die Konstruktion der Welt der körperlichen Elemente im „Timaios" durch das Teilnehmen an „Formen und Zahlen", in der 4. Hypothese durch das Teilnehmen an „Grenze" (πέρας) statt.

Innerhalb der weit ausführlicheren Darstellung im „Timaios" begegnen sich die zwei Wege, der analytische und der konstruktive, in einem vermittelnden Abschnitt (52D–53C), den wir für das Mittelstück des Werkes halten. Hier wird zuerst vom chaotischen Urzustand des räumlich verteilten Massensubstrats, danach vom anfänglichen Entstehen der Elementarbestandteile gehandelt. Den Mittelpunkt dieses Mittelstücks, der zugleich als Angelpunkt der ganzen Darstellung im „Timaios" zu betrachten ist, bildet die Periode 53A8–B5 (vgl. 48B3–5). Hier kann die inhaltliche Interpretation Fuß fassen.

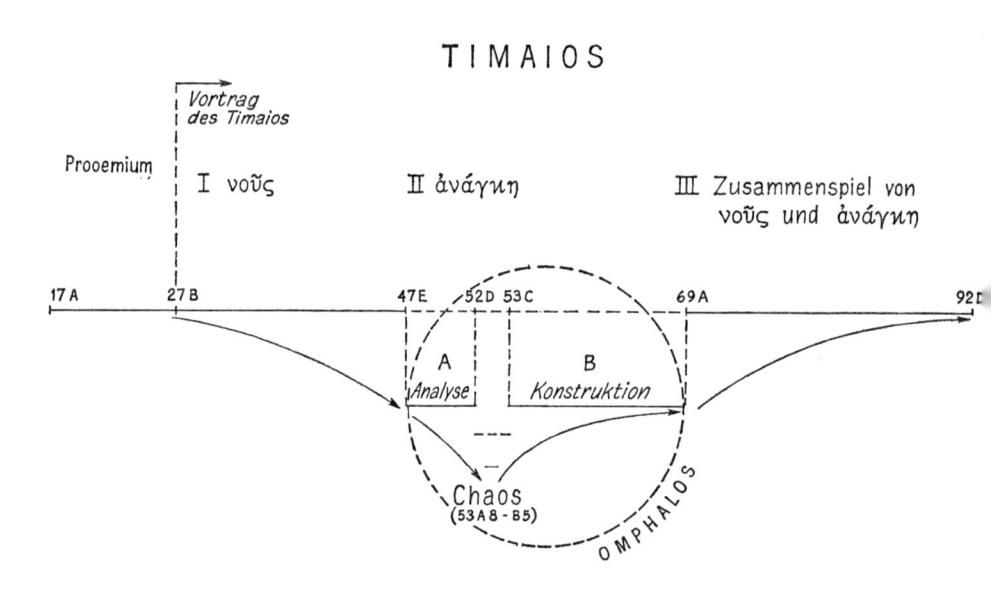

TIMAIOS

Prooemium | Vortrag des Timaios

I νοῦς | II ἀνάγκη | III Zusammenspiel von νοῦς und ἀνάγκη

17A — 27B — 47E — 52D 53C — 69A — 92C

A Analyse | B Konstruktion

Chaos (53A8–B5)

OMPHALOS

Der Urzustand der Körperwelt „vor" jeder Schöpfung ist – nach der Darstellung am Mittelpunkt des Mittelstücks im Mittelteil – „traumhaft" als Zustand regelloser Unordnung (ἀλόγως καὶ ἀμέτρως) vorzustellen. Dies Chaos ist aber kein Nichts. Etwas ist da, obwohl kein Ding, kein Element, kein fixierbares So-und-so. Was da ist, sind gewisse „Spuren" (ἴχνη) der (vier) Elemente, des Feuers, des Wassers, der Erde und der Luft. Diese „Spuren" verstehen wir als die im vorausgehenden Teil des Mittelstücks beschriebenen „Ähnlichkeiten" oder, modern ausgedrückt, Aggregatzustände der Masse. Denn das ursprüngliche Massensubstrat schichtet sich, heißt es dort, dank gewissen differenzierten Ähnlichkeiten der Dichte und dem Gewicht nach in vier räumlichen Regionen. Diese apriorische Verräumlichung, „Einräumung" eines viergeteilten Massensubstrats ist die notwendige Bedingung dafür, daß der Demiurg sein Werk der schöpferischen Konfiguration εἴδεσι τε καὶ ἀριθμοῖς vollbringen kann. Denn nur durch „überredendes" Hervorbringen dessen, was schon als Möglichkeit vorhanden ist (vgl. τῷ πείθειν 48A2), nicht durch Gewalt, geht die Vernunft ans Werk.

Der *analytische* Weg (A), der in diese Traumvision vom Urzustand des Raums und der Materie ausläuft, hat von einer Destruktion der Substantialität der Elemente seinen Ausgang genommen (48Bff.). Gegen jegliche naiv-substantielle Elementenlehre wie etwa die des Empedokles zeigt Platon hier, daß man zwischen der Stofflichkeit als solcher und unserer Benennung bzw. unserem Begreifen der Stofflichkeit trennen muß. Der Name „Wasser" und der damit verbundene Begriff haben Bestand; sie sind ideale Größen. Der Stoff Wasser aber, den man anschauen und in die Hand nehmen kann, ist etwas Unbeständiges; das lehrt uns die sinnliche Erfahrung (vgl. ὁρῶμεν 49C1). Denn bald geht dieses Wasser in diese Erde und diese Erde in diese Luft usw. über. Es gibt also keinen an sich seienden Grundstoff oder ein stoffliches Element (στοιχεῖον). Was da ist, sind Erscheinungsweisen eines Massensubstrats, deren jede je nach ihrem Platz im Kreislauf *als* Wasser, *als* Erde, *als* Luft und *als* Feuer entsteht (vgl. 49C6–7). Den Grund des Kreislaufes bildet als die Summe aller möglichen Plätze das „Worin" (ἐν ᾧ) als solches, d. h. der Raum. Der Raum, selbst unsichtbar und gestaltlos (51A7), empfängt, wie eine Amme (49 A6), das Massensubstrat, das an ihm hängend Substanz (οὐσία) erhält (52C).

Worauf wir hier, an der vielleicht am tiefsten dringenden Stelle auf dem ganzen Rückweg des späten Platon gestoßen sind, ist, wie mir scheint, die ausführliche Darstellung einer ontologischen Theorie vom phänomenalen Sein des Körpers, die in Entsprechung steht zur epistemologischen Theorie vom phänomenalen Schein der Sinnesdaten auf der ersten Stufe des Wegs hinauf (vgl. „Theaitetos" 156Aff. und oben S. 53). Die sinnliche Welt – „subjektiv" wie im „Theaitetos" oder „objektiv" wie hier im „Timaios" – „hat" nach dieser Doppel-Theorie nicht ein für allemal teil am Licht der Wahrheit und des Seins; sie muß es immer erneut aufnehmen. Die Teilhabe der sinnlichen Körperlichkeit an der Idee ist ein unaufhörliches Teil*nehmen* (vgl. μεταλαμβάνειν; „Parmenides" 158D), ihre Seinsweise eine unaufhörliche γένεσις εἰς οὐσίαν („Philebos" 26D; vgl. „Theaitetos" 157B1). Wenn Einheit nicht da ist („Parmenides" 158C1) oder wenn „Gott" nicht da ist („Timaios" 53B3), zerfällt alles ins „unendliche Meer der Unähnlichkeit" („Politikos" 273D). Im beweglichen Werden und steten Entstehen allein ist die Körperwelt als solche, wie auch die von uns wahrgenommene Sinnenwelt, da.

Die geistige Grundlage dieser beiden einander entsprechenden Theorien, mithin die wahre platonische „Elementartheorie"[1], die – „immer dabei, zwei zu werden" – bald als epistemologische Theorie der Sinnesdaten („Theaitetos"), bald als ontologische Theorie des körperlichen Seins („Timaios") *erscheinen kann*, ist in der reinen eidetischen Sprache der Henologie im „Parmenides", besonders in der 4. Hypothese (für den „Theaitetos" auch in der 8. Hypothese), von Platon dargelegt.

Die sinngebende Zielsetzung der abwärts gerichteten Untersuchung im „Timaios" ist aber der aufwärtsstrebenden Untersuchung im „Theaitetos" konträr entgegengesetzt. Die phänomenale Welt, die dort auf der ersten Stufe der ersten Etappe des Wegs hinauf nur im Vorübergehen skizzenhaft hingeworfen wurde, wird hier als maßgebendes Woraufhin der ganzen Untersuchung ausführlich erörtert. Analytischer Reduktion der körperlichen Elemente zur traumhaft geahnten Grenzidee der reinen Räumlichkeit folgt mithin der Versuch, die Vierheit der Elementarkörper von ihrem idealen Sein, d. h. von ihrer Weise der Teilnahme am Raum her konstruktiv aufzubauen.

Dieser *konstruktive* Weg (B) im Mittelteil des „Timaios" (53Cff.; vgl. „Parmenides", 4. Hyp., 158D) geht vom idealen Gebilde des Raumes, d. h. von der Mathematik als Geometrie und Stereometrie, aus. Die idealen räumlichen Gebilde sind zugleich im Körper, als Bedingung seiner Entstehung, wie in der Seele, als Bedingung ihrer Erkenntnis, beheimatet. Ihr Schöpfer ist der in Freiheit tätige göttliche „Werkmeister" – man erinnere sich, wie Platon im „Kratylos" das Phänomen der Sprache aus dem Elementarbestand der reinen Phoneme durch das Lautmalen des „Namengebers" entstehen läßt (vgl. „Kratylos" 424A, oben S. 39).

Die Freiheit des Werkmeisters ist aber keine der Willkür, als wäre sie nur eine Freiheit von Form. Im Gegenteil: der Demiurg schafft in Freiheit nach den Gesetzen des geistigen Seins, d. h. hier, nach der mathematischen Gesetzlichkeit der Struktur des Raumes. Es gibt – nach Platon und Euklid – im idealen Raum mit Notwendigkeit das Dreieck, und unter allen möglichen Dreiecken gibt es mit derselben Notwendigkeit ein elementares, nämlich das gleichschenklige (das wiederum in zwei rechtwinklige Dreiecke gespalten werden kann) (53CD). Auf dieser vorgegebenen Grundlage lassen sich – ebenso mit Notwendigkeit – nur fünf reguläre Polyeder darstellen (59D7ff.). Der Demiurg erfindet diese Polyeder also nicht. Auch könnte er keine anderen oder mehr erfinden. Was er tun kann und auch tut, ist, sie so, wie sie sind, zu ent-decken und die „Spuren" der Stofflichkeit sinnvoll daran teilhaben zu lassen. Dem „Feuer" wird das Tetraeder oder die zugespitzte Pyramide, der „Luft" das

---

[1] Die Bezeichnung „Elementartheorie" für die platonische Dialektik von Einheit und Andersheit im „Parmenides" ist dem „Parmenides"-Werk von *K. Friis Johansen* entnommen (Lit.-Verz. Nr. 12); vgl. auch sein Nachwort zur norw. „Parmenides"-Ausgabe, Lit.-Verz. Nr. 42e.

2. Etappe: Welt. Timaios und Timaios-Trilogie

Oktaeder, dem „Wasser" das Ikosaeder und der „Erde" das Hexaeder oder der schwer ruhende Kubus zugeordnet (54Eff.). Der tatsächliche Wechsel im Kreislauf der Natur kommt dadurch zustande, daß die verschiedenen Polygone, weil sie aus denselben Elementardreiecken aufgebaut sind, in gespaltenem Zustand ineinander übergehen können (56 Cff.).

In dieser ent-deckenden Weise gestaltet die Vernunft des Werkmeisters die körperliche Welt. „Dum deus calculat, fit mundus (sensibilis)." Die Wechseldauer der Natur, der – nach Platons früherer Kritik auf seinem „Weg hinauf" – weder die herakliteische Betonung des Wechsels noch die eleatische der Dauer gerecht geworden ist, sie ist in dieser anti-demokritischen, pythagoreisch orientierten Elementenlehre Platons intelligibel gemacht worden. Die Phänomene sind „gerettet" durch den Logos der Henologie.

3. Etappe: Gott

„Nomoi" und „Epinomis":
Der Kolonie- und der Akademie-Staat

(23. Stunde)

Wir sind auf der Endstufe des platonischen Denkweges angelangt. Nicht nur der späte Platon, auch die Frühstufen Platons werden in dem Riesenwerk der „Nomoi", das mit seinen XII Büchern allein $1/5$ des Gesamtwerks ausmacht, mitaufgenommen. Dazu kommt noch, wenn sie echt ist, die „Epinomis", die aber, wie ihr Name sagt, doch nur als ein Appendix der „Nomoi" anzusehen wäre. – In jeder Beziehung hat dieses Schlußstück Platons, das an mehreren Stellen Zeichen seiner Unausgefeiltheit aufweist, eine Sonderstellung innerhalb seines Schaffens inne. Sokrates ist nicht mehr anwesend, die Dialektik ist beinahe vollständig und die dialogischen Gespräche sind sehr stark zurückgedrängt, von „Ideen" oder „Prinzipien" ist kaum mehr die Rede; es wird nicht mehr mythisch phantasiert, sondern mit religiöser Überzeugung von Gott gesprochen, und wenn jetzt von der οὐσία gehandelt wird, dann ganz einfach in der alltäglichen Bedeutung von Vermögen, Hab und Gut (z. B. 697B, 724A). Die Darstellung ist weitschweifig, oft pedantisch umständlich, oft aber auch geballt, erhaben. Die ganze Fülle des menschlichen Lebens breitet sich aus – von der Wiege, ja, weiter zurück, vom Moment der Zeugung (die nicht unter Einfluß von Alkohol stattfinden darf! 775C) und vom Embryo (der durch Spaziergänge der Mutter in rhythmische Bewegung gebracht werden soll! 789Aff.) über die Spieljahre, die Schuljahre – zum erstenmal die Forderung der Grundschulpflicht in unserer Geschichte – die Mannesjahre bis zum hohen Alter hinauf, da die Seele endlich befreit zu den „flammantia moenia mundi" aufsteigen kann. Dem greisen Platon ist kein Winkel des alltäglichen Lebens uninteressant und unwesentlich. Überall sollen Gesetze, geschriebene und ungeschriebene, regulierend eingreifen, um *die Rhythmik des Alls* (vgl. 653C7ff.; dazu z. B. 771C6) ins Erdenleben zu verpflanzen. Das Volk soll an der Wahrheit der Dialektik durch Gesetzgebung in Form eines alles durchwaltenden Zaubergesanges, einer ἐπῳδή (659E et passim), teilhaben.

Von namhaften Platonforschern dieses Jahrhunderts wurden die „Nomoi" vernachlässigt. Wenn *Julius Stenzel* über „Platon den Erzieher" schreibt, findet er sie zwar von höchstem Belang, aber in dem Maße umfassend und problematisch, daß er das Werk liegen läßt und sich auf die „Politeia" allein beschränkt. *Werner Jaeger*, der immer gern Inhalts- und Form-Analyse kombiniert, muß die Frage nach der Struktur der „Nomoi" unbeantwortet lassen („Paideia" III, 215).

3. Etappe: Gott. Nomoi und Epinomis

Paul Friedländer, der so sehr für die Autonomie der Einzeldialoge eintritt, bewertet die „Nomoi" hauptsächlich nach ihrem Verhältnis zur „Politeia", wobei das spezifisch Volksreligiöse wie auch die spezifische Gesetzgebung dieses Spätwerks ungebührlich zurückgedrängt werden. Auch andere Forscher könnten wir hier erwähnen – wie *v. Wilamowitz, Taylor, Shorey* – deren „Nomoi"-Analysen viele Wünsche offen lassen. Es scheint, als ob man nicht unbefangen zu dem großen Schlußstück Platons gekommen ist, sondern sich schon im voraus eine Auffassung vom „echt Platonischen" erworben hat, die man dann seiner Beurteilung der „Nomoi" zugrundelegt. Selbst habe ich meine Platonstudien eben mit einer Untersuchung der „Nomoi" angefangen[1] – einem Worte Karl Reinhardts folgend:

„Wer im Werden die Entelechie erkennen will, für den ist es oft lehrreicher, die Frühzeit aus der Spätzeit zu erklären, als die Spätzeit aus der Frühzeit" (vgl. Lit.-Verz. Nr. 29, S. 43).

In den letzten zwei Jahrzehnten sind mehrere wesentliche Monographien zu den „Nomoi" erschienen. Aber noch immer sieht man, daß Platon-Darstellungen, besonders von philosophischer Seite, die „Nomoi" ohne weiteres beiseite schieben (z. B. Bröcker). Sind der modernen akademischen Philosophie nur Begriffe wie „Dasein" und „Vorhandensein" und „Wesen", nicht aber mehr das Dasein eines Embryo, das Vorhandensein einer Volksschule, das Wesen des Opfers und des Gebets von Interesse?

Wir geben eine Andeutung des Inhalts, suchen uns ein gewisses Ordnungsprinzip darin klarzumachen und konzentrieren uns schließlich auf ein paar zentrale Einzelprobleme.

Der Inhalt der 12 Bücher der „Nomoi" läßt sich kurz als „Gesetze und Gespräche über Gesetze" bestimmen (vgl. Englands kommentierte Ausgabe I, S. 1). „Gespräche über Gesetze" finden wir besonders im ersten Drittel des Werks, wo wir einer ständig fortschreitenden Bewegung von allgemein-theoretischen zu konkret-speziellen Fragen begegnen. Die Gesetzgebung im engeren Sinne beginnt erst am Ende des sechsten Buches (771A), wird aber schon im fünften (734E) eingeleitet.

Nun gibt diese Einteilung nicht schon eine harmonische Gliederung. Auch dies Werk ist ein Dialog, kein Traktat. Und die Hauptzäsur des *Dialogs* „Nomoi" fällt ans Ende des dritten Buches. Bis dahin haben wir ein großes, wieder zweigeteiltes Vorgespräch; erst mit dem Buch IV fängt das Hauptgespräch an.

Das *Vorgespräch* (Buch I–III) hat die „Paideia" als gemeinsames Thema.

---

[1] Meine norwegische „Magisterabhandlung" an der Universität Oslo 1953 galt einer „Form- und Ideen-Analyse" der „Nomoi" (Manuskript). Ein Auszug daraus ist im HERMES erschienen (Lit.-Verz. Nr. 42d).

– Drei alte Männer treffen sich auf Kreta, genauer angegeben: auf dem Wege „von Knossos nach der Grotte und dem Tempel des Zeus" (625B2). Es sind der Spartaner Megillos, der Knosser Kleinias und ein Fremder aus Athen (Platon). Das Gespräch kommt auf die spartanische Gesetzgebung, und der Athener wendet es sofort in erzieherische Richtung. Man darf sich nicht wie die Spartaner in der ἀνδρεία allein, sondern muß sich auch in Scheu und Schamgefühl, in der αἰδώς, üben, was besonders durch συμπόσια, durch besonnen geleitete Trinkgelage geschehen kann. Die Übung der αἰδώς durch Weintrinken muß aber ihrerseits in Verbindung mit der Gesamt-Erziehung (πᾶσα παιδεία (642A5) gesehen werden. Denn der Mensch, heißt es, ist wie eine Puppenspielfigur in göttlicher Hand (θαῦμα θεῖον 644Dff.), deren Bewegungsimpulse, ἡδονή und λύπη, sie nach allen Richtungen ziehen, und die nur durch die Leitung des „goldenen" Logos aufrechterhalten wird.

Im zweiten Buch wird die Frage nach der Paideia weiter entfaltet im Hinblick auf die Einrichtung von drei Bürgerchören, die nach steigenden Altersstufen musisch, apollinisch, dionysisch organisiert sind. Sie dienen alle der Paideia in der Bedeutung von „Leitung und Erziehung zur Tugend" (ὁλκή τε καὶ ἀγωγή 659D; vgl. 653B, 643E). Durch sie soll „die ganze Stadt der ganzen Stadt" gewisse Wahrheiten einsingen (ἐπᾴδειν 665C), und vor allem das Grunddogma, daß es nur dem gerechten Manne im Leben gut geht (664B; vgl. 662B).

Das dritte Buch nimmt scheinbar ein ganz anderes Thema auf, nämlich die Frage nach der Leitung des Staates (πολιτείας ἀρχή 676A). Die Untersuchung mündet aber in eine Erörterung der Ursache für den Verfall der persischen Monarchie und der athenischen Demokratie; und die Ursache, so zeigt sich, liegt wiederum in einer falschen Paideia, mag sie den persischen Monarchen (694Cff.) oder aber den athenischen Demos (700Aff.) betreffen. In beiden Fällen ist die αἰδώς der ἄδεια gewichen, im Falle Athens so, daß aus einer durch αἰδώς gebändigten ἀριστοκρατία eine zügellose θεατροκρατία entstanden ist (701A).

Wir sind am Ende des dritten Buches. Auf die Frage des Atheners, wie man die Realisierbarkeit ihres Staatsentwurfs nun prüfen könne, erklärt der Kreter Kleinias unerwartet, kretische Städte, mit seiner Heimatstadt Knossos an der Spitze, hätten die Absicht, einen „Ablegerstaat", eine ἀποικία zu gründen. Er sei zum Mitglied eines Ausschusses gewählt worden, der sich um die Gesetzgebung kümmern solle. So laßt uns, fährt er fort, in unseren Gedanken diesen Staat gründen (τῷ λόγῳ συστησώμεθα 702D2). Dann werden unsere bisher unbestimmten Theorien auf die Probe gestellt, und ich wiederum kann sie später für unsere Koloniegründung verwenden (702D3–5).

Damit ist die Hauptzäsur gegeben. Denn die Fiktion einer kretisch-knossischen Koloniegründung unter der Leitung des Kleinias wird fast bis zum letzten Wort des Werks aufrechterhalten. Ihretwegen ist das ganze Werk der „Nomoi" nur als Entwurf ἐν λόγῳ gegenüber der eigentlichen Gründung ἐν ἔργῳ zu sehen.

3. Etappe: Gott. Nomoi und Epinomis

Im scharfen Gegensatz zu dem die Erde verlassenden Schlußmythos der „Politeia", der die innere, seelische Formung des Menschen bezweckt, enden die „Nomoi" in Buch XII mit einer unmittelbaren Aufforderung: Geht hinaus und gründet diesen Staat in Wirklichkeit.

Im *Hauptgespräch* (Buch IV–XII) tut sich ein merkwürdiges Konglomerat auf, das wohl doch nicht ohne Form und Folgerichtigkeit ist. Nach einleitender Erörterung in Buch IV von Fragen teils praktischer Art (704Aff.: Bedingungen der geplanten Apoikie), teils theoretischer Natur (715Eff.: Gott als Maß aller Dinge) wie auch des Prinzips der Nomothesie überhaupt (717Bff.) fängt in Buch V (734Eff.) das ziemlich unbewegliche und monologisierende „Gesetzbuch" (Friedländer) an. Zuerst werden Besiedlungsprobleme (V, 735A7ff.) und solche der Staatsverfassung (VI, 751Aff.: Beamtenwahl etc.) erörtert; erst am Ende des Buches VI setzt die Gesetzgebung „im engeren Sinne" (Apelt) ein. Sie dehnt sich ununterbrochen durch den restlichen Teil des Werks, mit *Zivilrecht* (VI, 771A–VIII, 842C) und *Strafrecht* (IX Anf.–X) als den zwei Hauptgruppierungen. Jede Gruppe ist mit einer großen, dialogisierten „Digression" versehen: in Buch VII mit Erziehung und Unterricht, in Buch X mit Asebie („Unfrömmigkeit") und Theologie. – Die zwei letzten Bücher XI und XII geben in Monologform Verordnungen zu Handel, Verkehr (913Aff.) und Verwaltung (932Bff.) etc. Sie machen einen ungelösten, unvollendeten Eindruck – ausgenommen der Schlußabschnitt 960B–969D des Buches XII (also des ganzen Werkes). Diese letzte, wiederum dialogisierte „Szene" steht ganz isoliert da. Hier wird kein spezielles Problem innerhalb einer juristischen Obergruppe erörtert; es handelt sich vielmehr um die Gesetzgebung und den Staat überhaupt. Wie kann den Gesetzen Bestand (σωτηρία 960D3) und dem Staate Verankerung (ἄγκυρα 961C5) gegeben werden? Wir werden diesen Abschnitt als „XII Telos" bezeichnen und eigens darauf zurückkommen. Denn hierin sehen wir der platonischen Weisheit „letzten Schluß".

– Auf ihn folgt die „*Epinomis*" mit einer so sprunglosen Konsequenz, daß man gerne bereit ist, falls es die Stilforschung verlangt, sie nicht Platon selber, sondern einem Schüler (Philipp von Opus) zuzuschreiben.

Wenn wir nach einem einfachen Ordnungsprinzip der enormen Stoffülle des Hauptgesprächs Umschau halten, zeigt sich uns zunächst eine Rangordnung der Werte, die vom Athener im einleitenden Buch III (697 Aff.) kundgegeben wird: daß die ψυχή vor dem σῶμα und das σῶμα vor der οὐσία (Hab und Gut) zu schätzen sei. Wenn man an der Spitze dieser Rangordnung den θεός hinzufügt, der kurz darauf, am Anfang des Hauptgesprächs, als das Maß aller Dinge genannt wird, erhält man ein Viererschema, nach welchem das ganze Hauptgespräch gestaltet zu sein scheint:

Die Ansiedlungsverordnungen in Buch V und die Wahlverfügungen usw. in Buch VI stellen die οὐσία/σῶμα-Stufe dar. Die Paideia-„Digression" des Buches

VII mit ihren revolutionären Schulgedanken nimmt sowohl auf das Gymnastische wie auf das Musische Rücksicht, vertritt mithin die σῶμα/ψυχή-Stufe. Das Strafrecht erhält in Buch IX eine eschatologische Perspektive, die dann in Buch X zu Gottesbeweisen an Hand der sich selbst bewegenden Seele führt; hier ist die ψυχή/θεός-Stufe erreicht. Die trockenen Verordnungsbücher XI–XII sind freilich ein Rückfall, aber danach wird ganz zum Schluß, in XII Telos, der Höhepunkt der Darstellung mit der Einsetzung einer höchsten konstitutionellen Autorität in Form einer „nächtlichen Versammlung" erreicht, eines νυκτερινὸς σύλλογος von Philosophen-Astronomen. Sie stehen, wie eine intellektuelle Priesterschaft, durch astronomische und dialektische Studien Gott zugekehrt, vertreten also das „göttliche" Strukturelement. Es ist die astronomische Ausbildung dieses gottergebenen Gehirns des Staats, welche in der „Epinomis" in Form einer Frage nach der σοφία abschließend erörtert wird. Hier erhält die σοφία die konkrete Gestalt der Sternkunde, ἀστρονομία.

Die Struktur des Hauptgesprächs der „Nomoi" ist schon nach dieser ersten Andeutung für einzigartig innerhalb des späten Dialogkreises Platons zu erklären. Kein μέσον ist ersichtlich, kein „Omphalos"; also gibt es auch keine ἔσχατα. Statt dialektisch „hinauf" und „hinab" geht die Untersuchung immer vorwärts, geradlinig und zielbewußt, nicht auf Betrachtung und Grundbeziehung, sondern von Anfang an auf praktisches Tun ausgerichtet. Der Welt der Tatsachen zugekehrt, tritt der platonische Logos als Tat hervor, soll sein schriftliches Werk nur ein προοίμιον dazu sein, ans Werk des geschichtlichen Lebens zu gehen.

Wenn wir mit Rücksicht auf diese primäre Beobachtung bezüglich des Hauptgespräches her das ganze Werk in Betracht ziehen, meldet sich ein mehr grundsätzliches, weil superponiertes, Ordnungsprinzip, das auch vom Athener selbst dargelegt wird; wir nennen es das *Prooemium/Nomos-Prinzip*. Der Athener kommt darauf in Buch IV, und zwar in der einleitenden Analyse der Bedingungen für die Gesetzgebung überhaupt zu sprechen (718Cff.), und er wiederholt es später besonders in Verbindung mit der Frage nach dem Sinn der *Strafe* (IX, 857Bff.). An Hand eines Vergleiches mit den damaligen Ärzten – der Sklavenarzt ordiniert nur, der Facharzt belehrt außerdem – fordert er von der wahren Gesetzgebung, sie solle ein eigenes Element der Überredung (πειθώ) enthalten. Dieses soll von dem Element der βία möglichst isoliert und als προοίμιον, „Präludium" dem Gesetz (νόμος) im eigentlichen, autoritativen Verstande vorausgeschickt werden (Platon spielt 722C7 auf die musikalische Bedeutung von νόμος als Gesang, Weise an).

Das Prooemium soll wie ein Protreptikon als „Ermunterung" (παραίνεσις 773A2) wirken und den Empfänger „wohlgesinnter, und durch Wohlgesinnung lernwilliger" (718D6; vgl. 723A4) machen. Nicht nur emotionale Beeinflussung, sondern auch rationale und prinzipielle Erörterungen (857D) gehören dazu, ja, das Prooemium hat bei Platon auch einen sakralen Einschlag

3. Etappe: Gott. Nomoi und Epinomis

(πρόρρησις, 888A). Der Arzt, der Musiker, der Redner, der Dichter, der Wahrsager stehen alle Gevatter bei seiner Geburt. Sein Wesen ist das der Freiheit und des Spiels. – Dagegen ist *der Nomos* ,,zwingend" notwendig und blutig ernst. Er hat wie der Arzt Vollmacht zur Heilung und übt sie durch zum Teil schmerzhafte Eingriffe aus. Platon nennt ihn sogar ,,tyrannisch" (722E7). Während das Prooemium philosophische, religiöse und allgemeinmenschliche Fragen qualitativen Charakters aufnimmt, trifft der Nomos nüchterne, quantitative Verfügungen (τί τὸ μέτριον καὶ ὁπόσον 719E4), die an eine konkrete Materie gebunden sind.

Wir nennen terminologisch das reine ,,tyrannische" Gesetz eine *Lex simplex* (vgl. νόμος ἄκρατος 723A1) und ein Gesetz, das dazu noch das erwünschte προοίμιον besitzt, eine *Lex duplex* (vgl. νόμος διπλοῦς 721B5). Platon trennt sorgfältig die zwei Momente der Lex duplex voneinander (722 E) und fordert ihre Anwendung sowohl was Einzelgesetze als was Ansammlungen von Gesetzen betrifft (723B). Eine vorbildliche Lex duplex bildet das ganze Buch X, wo eigentlich nur ein auf βία beruhendes, kurzes Strafgesetz dargelegt werden sollte, dessen Thema, die ἀσέβεια, jedoch immerhin so wichtig und ernst war, daß es ein groß angelegtes προοίμιον verlangte (vgl. 907D). Die theologische ,,Digression" im Buche X ist also, vom Prooemium/Nomos-Prinzip her betrachtet, für völlig legitim zu erklären. Die Strafgesetzgebung im Buche IX weist mehrere Beispiel von Leges duplices auf (z. B. 870Aff., 872Dff., 879Bff.), während sie insgesamt eine Lex pura bildet im Verhältnis zur eingeschobenen theoretischen Analyse des Sinnes von Gesetzgebung und Strafe (857Bff.). Das Ehegesetz im VI. Buch, 773Aff. ist eine musterhafte Lex duplex, während das Ehegesetz im IV. Buch, 721B vom Athener gerade als Beispiel einer nicht zufriedenstellenden Lex simplex gebraucht wird, usw.

In dieser ,,nomothetischen" Terminologie läßt sich die innere Form des augenscheinlich so formlosen Konglomerats unschwer charakterisieren: *Die ,,Nomoi" in ihrer Ganzheit haben die Struktur einer Lex duplex*. Superponiert betrachtet geht die thematische Entwicklung einen geradlinigen, teleologisch fixierten Weg *von Vorspiel zu Gesetz* (vgl. 722D). Die drei ersten Bücher bilden das Vorspiel zum Gesetz des Hauptcorpus. Im Hauptcorpus bildet die Bedingungsanalyse ein Vorspiel zur eigentlichen Gesetzgebung, die in 712B mit einem Hauptprooemium einsetzt und somit selber als eine Lex duplex gebaut ist. Die Lex simplex, die ab V, 734E folgt, schickt wiederum mehrere prinzipielle Erwägungen und Verordnungen der ,,engeren" Gesetzgebung voraus, die erst bei VI, 771Aff., mit einem geschmeidigen Geflecht von Leges duplices und Leges simplices einsetzt. Die ganze Komposition endet in XII Telos mit einem Nomos von der Nächtlichen Versammlung, der gleichzeitig ein Prooemium ist, nämlich zu dem Gesetz, das entsteht, wenn irgendein Mitglied der platonischen Akademie, sei es in buchstäblichem Sinne damals oder in übertragenem Sinne später, tatsächlich hinausgeht, um einen ,,Ablegerstaat" ἐν ἔργῳ zu gründen.

NOMOI

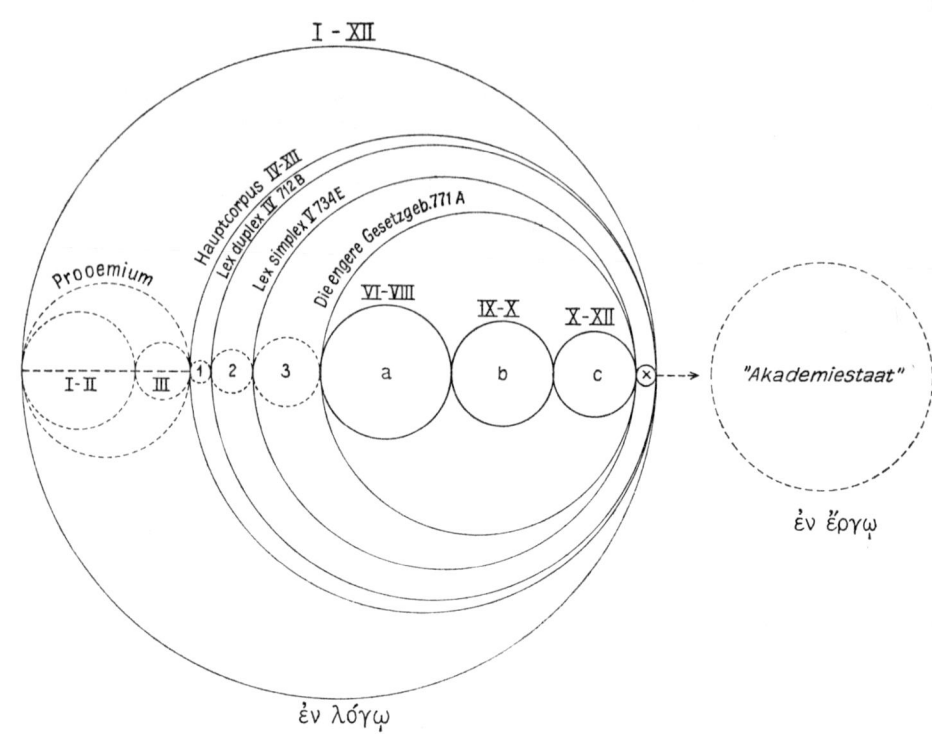

I - XII

Prooemium
Hauptcorpus IV-XII
Lex duplex IV 712 B
Lex simplex V 734 E
Die engere Gesetzgeb. 771 A

I-II | III | 1 | 2 | 3 | VI-VIII (a) | IX-X (b) | X-XII (c) | (x) → "Akademiestaat"

ἐν ἔργῳ

ἐν λόγῳ

1. Bedingungsanalyse
2. Hauptprooemium
3. Parzellierungen, Beamtenwahl etc.
    a. Zivilrecht
    b. Strafrecht
    c. Handel und Verkehr
    x. „XII Telos": Nächtliche Versammlung

Die platonische Theologie

(24. Stunde)

Unter unserem früher dargelegten Gesichtspunkt sollte die Endstufe des platonischen Denkwegs, das Dialogpaar „Nomoi"/„Epinomis", das Element der *Theologie* innerhalb einer naturphilosophischen Ganzheit ausmachen, deren übrige Elemente das der Psychologie („Philebos"/„Phaidros") und das der Kosmologie („Timaios"/„Kritias") sind. So hat uns auch schon die vorbereitende Strukturanalyse der „Nomoi" belehrt, daß „Gott" im Prooemium des Hauptcorpus als Maß aller Dinge auftritt, wie die thematische Entwicklung von der οὐσία und dem σῶμα über die ψυχή zur Frage nach dem θεός verläuft,

3. Etappe: Gott. Nomoi und Epinomis

der ein ganzes Buch (X) gewidmet wird; und wie endlich die σωτηρία und die ἄγκυρα der Stadt in einer Versammlung zu finden ist, die „Gott" im Gedanken (durch dialektische Untersuchungen) und im Erforschen (durch astronomische Betrachtungen) zugewandt ist (XII Telos und „Epinomis"). Theologie und Politik schließen sich in den „Nomoi" ebensowenig aus, wie das in Freiheit überredende Prooemium-Moment zu dem mit Notwendigkeit bezwingenden Nomos-Moment in ausschließendem Gegensatz steht.

Nun könnte sich die skeptische Stimme erheben, „Gott" sei doch ein Thema in fast allen Platon-Dialogen, vom kleinen „Ion" (wo Gott als der „Magnet" der höchste Anziehungspunkt ist) und vom „Lysis" (wo Gott als der „erste Freund" alle wahre Freundschaft begründet) über die „göttliche" Diotima-Rede des „Symposion" und über das höchste Gute (= Gott?) in der „Politeia" bis zur späten „Daimonologie" des „Phaidros" und des „Timaios". Warum also „Nomoi"/„Epinomis" als besonders „theologisch" hervorheben?

Ein Blick auf die Gottesproblematik des *späten* Platon gibt schon eine hinreichende Bestätigung unserer Behauptung. Denn eine Gesetzmäßigkeit zeichnet sich in der platonischen Thematisierung des Gottesphänomens auf seinen zwei „Wegen" klar ab. Im *Weg hinauf* wird die Frage nach Gott zurückgestellt. Im logisch-ontologischen Fragebereich des „Sophistes" fehlt sie völlig; im methodologischen des „Politikos" und im henologischen des „Parmenides" wird sie angeschnitten (besonders im Mythos des „Politikos" und im Herr-Knecht-Argument des „Parmenides"), aber sie tritt vor der Frage nach dem höchsten μέτρον bzw. nach dem reinen ἕν ganz in den Hintergrund. Im „Theaitetos" wird sie nur in der „Episode" behandelt, sonst gehorcht Platon der Forderung des Protagoras im selben Dialog, „Gott" solle im rein logisch-theoretischen Zusammenhang nicht ins Spiel gebracht werden („Theaitetos" 162D; vgl. oben S. 54). Auf dem ganzen „Weg hinauf" des späten Platon steht das Gottesphänomen „in Klammern".

Um so eindringlicher meldet es sich in den „abwärts" führenden Dialogen nach dem „Parmenides" – ständig zunehmend an Kraft, Wucht und Bedeutung. Es ist, als ob Platon unter dem freiwillig sich auferlegten Zwang des Logos jetzt aufatmen und den schwerwiegenden Inhalt seiner „Klammer" freigeben dürfte. Schon im „Philebos" tritt Gott als die alles lenkende Weltvernunft hervor (27Cff., 30A). Diese höchste Idee der *religio naturalis* wird dann im „Phaidros" mythisch ausgestaltet und ausgestattet. Nicht nur „Gott" im allgemeinen, sondern die griechischen Götter wie Zeus und Apollon werden hier plastisch versinnbildlicht. Man könnte sogar zeigen, daß der ganze „Phaidros" im Banne einer griechischen Gottesgestalt steht: des *Hermes* – des Gottes der Rhetorik und der Hermeneutik, der zugleich der Gott der Schreibkunst und der Schriftzeichen ist, Vater des Pan, der Erotiker, Ithyphalliker, Psychagoge – warum ja auch Jahrhunderte später eben die „Hermetiker" den Dialog besonders schätzten. Platons religiösem Bewußtsein läßt aber auch diese *religio mythica* keine Ruhe (vgl. z. B. „Phaidros" 246C). Aus dem darauffolgenden „Timaios" geht ziemlich eindeutig hervor, daß das mythische Element hauptsächlich nur dazu da ist, metaphysische Prinzipien zu versinnbildlichen. Der Schöpfungsbericht „Timaios" ist für seinen Urheber eine glänzende Mythopoiie, nicht aber dogmatisch verpflichtende Religion. Es ist kaum zu denken, daß Platon selber seinen Demiurgen anfleht.

Erst in den „Nomoi" ist „Gott" die wahre griechische Gottheit geworden. Erst hier finden wir die volle Entfaltung des antiken göttlichen Phänomens in seiner von dem Römer Varro festgehaltenen Dreiergestalt. Die Anwesenheit der *religio naturalis* kennen wir aus dem Buch X und sonst; sie meldet sich schon durch den dreifach proklamierten θεός in den ersten Zeilen des Werks. Die *religio mythica*, die anfangs durch einen Hinweis auf Homers Bericht vom Verhältnis Minos-Zeus angeschnitten wird (624A7ff.), erhält in dem pädagogischen Buch VII die erstaunliche, aber ganz konsequente Ausprägung, daß Platon selbst in Gestalt des Atheners seine eigenen Werke, das Corpus platonicum, im Gegensatz zu denen der Dichter als sakrosankt hinstellt (811C–E): ποιηταὶ καὶ ἡμεῖς ἐσμὲν..., wie er sagt (817B6; vgl. 811C). Die *religio civilis*, die auch anfangs durch den Hinweis auf den Weg nach der Grotte und dem Tempel des Zeus angedeutet ist, wird durch die Einrichtung sakraler Bürgerchöre (II, 653Dff.; vgl. VII, 812BC), durch Regelung der sakralen Ämter (VI, 759Aff.), durch Verbot privater Heiligtümer (X, 909Dff.) usw. überall zur Geltung gebracht. Erst in „Nomoi"/„Epinomis" tritt die schon im „Euthyphron" durchschimmernde *Frömmigkeit* Platons voll zu Tage.

– *Heidegger* hat dir unlängst die kritische Frage aufgeworfen: „Wie kommt der Gott in die Philosophie?" (Lit.Verz. Nr. 16c, S. 52). Die Metaphysik des Abendlandes ist nach ihm eine hybride Konstruktion; denn sie sei keine reine Ontologie, sondern von Hause aus Onto-theo-logie. Das Denken hat die an sich sinnvolle Differenz zwischen Seiendem (ὄν) und Sein (als λόγος) durch das Herbeirufen „Gottes" als einer höchsten *causa sui* zu überbrücken versucht. „Zu diesem Gott kann der Mensch weder beten, noch kann er ihm opfern. Vor der Causa sui kann der Mensch weder aus Scheu ins Knie fallen, noch kann er vor diesem Gott musizieren und tanzen." (S. 70). In einer solchen Situation des Denkens sei es besser, „von Gott zu schweigen" (S. 51).

Mir scheint, diese schroffen Sätze Heideggers enthalten eine radikalere Kritik der traditionellen Metaphysik als die Kantische. Denn auch nicht vor Gott als kategorischem Imperativ kann man „musizieren und tanzen". – Nun ist es Sitte, die metaphysische Tradition des Abendlandes bis auf Platon zurückzuverfolgen. Gibt es aber die so gefaßte „Onto-theo-logie" bei Platon? Kaum. Wenn unsere Beobachtungen zur Gesetzmäßigkeit der platonischen Theologie im Spätwerk ihre Richtigkeit haben, so hat Platon diesbezüglich eine grundsätzliche Trennung durchgeführt (die ihrerseits in der nicht ontologischen, sondern henologischen Differenz ihre systematische Rechtfertigung hat) – zwischen dem Suchen

3. Etappe: Gott. Nomoi und Epinomis 155

des Denkens nach transzendentaler *Begründung* auf der einen Seite und der Applikation des Gedachten in phänomenaler *Beschreibung* andererseits. Im ersten Falle wird „Gott" in Klammern gesetzt; im zweiten zwingt er sich dem fromm Gesinnten auf. Auf dem Höhepunkt seines transzendentalen Fragens – im „Parmenides" – errichtet Platon einen Altar des Denkens für den unbekannten Gott Vater; dort schweigt er nicht „von", sondern „vor" Gott (vgl. oben S. 104). Auf der Endstufe seiner phänomenalen Beschreibung – in den „Nomoi" – läßt er Gott mit den Menschen spielen (VII, 803C), läßt er die Menschen für Gott tanzen (653Dff.), fleht er als der „Athener" selber Gott an (712B), urteilt und verurteilt Platon im Namen Gottes. Erst diese lebendige Gottheit des menschlichen Alltags hat, wie es scheint, für Platon Substanz – ein griechischer Jehowa, der nur ausnahmsweise Gnade vor Recht gehen läßt. So ist die erste *theologia naturalis* unserer Philosophiegeschichte („Nomoi" X) als Waffe des Verkündigers gegen die Abergläubischen entstanden; sie macht keine höchste Stufe im Suchen des Denkens nach Grunderkenntnis aus.

Erst in der aristotelischen „Metaphysik" ist die *theologia* zu einem (übrigens sehr problematischen) Teil der theoretischen Ontologie geworden (Buch XII). Dort erst kam der „Gott" in die *prima philosophia* hinein.

Das Asebie-Gesetz (Buch X, 997D-909D)

Wenn es so ist, daß „Gott" in „Nomoi"/„Epinomis" konkret-substantiell gefaßt wird und daß Theologie und Politik dort nicht voneinander getrennt gehalten werden können, dann ist es um so wichtiger, eine politische Konsequenz dieses Entwurfs eines theokratischen Staatsgebildes ins Auge zu fassen, daß nämlich Platons Werk „Nomoi" ein Musterbild religiöser Intoleranz darstellt. Denn der großen Beweisführung des Buches X über die Existenz und das Wesen Gottes (θεός) folgt unmittelbar, was sie veranlaßt: ein Gesetz gegen diejenigen, die an Gott nicht glauben oder von Gott ein falsches Bild haben und verbreiten.

Platon geht mit seiner gewohnten Gründlichkeit ans Werk. Drei Gefängnisse sollen im Staat eingerichtet werden (908AB) – 1. ein allgemeines „Volks"-Gefängnis (τοῖς πολλοῖς A3) in voller Öffentlichkeit; 2. ein Sondergefängnis in der Nähe der nächtlichen Versammlung namens σωφρονιστήριον, wir übersetzen: „Haus der Besinnung"; 3. ein – wir würden heute sagen – „Konzentrationslager" an einem möglichst öden und wilden Ort (ὡς ὅτι μάλιστα ἀγριώτατος), zu dem kein Freier Zugang hat und dessen Namen das Gerücht (φήμη) der rächenden Strafe (τιμωρία) verbreiten soll. Die dorthin lebenslänglich Verbannten sollen nach ihrem Tode unbeerdigt über die Grenzen des Staates hinausgeworfen werden.

III. Der Weg hinab

Nun trennt Platon, grob gesagt, zwischen zwei Arten des Verbrechens gegen den Gott des Staates: einem intellektuellen wohlmeinender aber verdrehter Köpfe und einem emotionellen „tierischer" (θηριῳδεῖς) Psychagogen. Die letztgenannten, die das Wesen der Götter völlig verkennen, sind als besonders sittenverderblich in das „Konzentrationslager" zu werfen (909A8ff.). Die ersteren aber, die aus geistiger Verirrung Atheisten geworden sind, sollen in das σωφρονιστήριον gesperrt werden, wo sie von Mitgliedern der „nächtlichen Versammlung" aufgesucht und durch dialektische Gespräche umgestimmt werden sollen. Gelingt die Bekehrung im Laufe von fünf Jahren nicht, sollen sie als unverbesserlich hingerichtet werden (908 D5ff.).

– Aufs neue sind wir in unserem Gang durch die spätplatonischen Werke auf einen Zug der Unmenschlichkeit bei Platon gestoßen. Freilich muß man die Sachlage nicht nur einseitig unter modernen Gesichtspunkten beurteilen. Die Dialektik des „Parmenides" und der Dialoge in seiner Nähe kann zwar Anspruch auf Zeitlosigkeit erheben, kann und muß also auch an zeitlosen Maßstäben der Philosophie in ihrer systematischen Geltung untersucht und beurteilt werden. Die Eigenart der „Nomoi" besteht aber gerade darin, daß Platon das *hic et nunc* seiner eigenen geschichtlichen Position geistig zu durchdringen versucht in dem Willen, daraus Maßnahmen für die Gestaltung der unmittelbaren Zukunft zu ziehen. – Dennoch bleibt aber das Faktum, daß Platon hier religiöse Intoleranz zum Gesetz erhoben und systematisch gestaltet hat, die im allgemeinen athenischen Rechtsbewußtsein der Zeit ziemlich in den Hintergrund getreten war. Als frei gestaltender Gesetzgeber ist er selber dafür verantwortlich, was er aus den ihm gegebenen Bedingungen macht. Man kann Sokrates als Zeugen anführen. Nicht, daß er vom Platon der „Nomoi" zum Tode verurteilt worden wäre; denn eben Platon hat uns ja versichert, daß Sokrates kein Atheist war. Aber wahrscheinlich würde man diesen ironisch sich verstellenden Geist ab und zu in das σωφρονιστήριον einsperren müssen, um seine religiöse Überzeugung zu überprüfen. Jedenfalls ist Sokrates nicht als Mitglied der nächtlichen Versammlung denkbar; dazu ist der Sprung von seinem φροντιστήριον bei Aristophanes zum hier vorgestellten σωφρονιστήριον, von seiner persönlichen ἐξέτασις zur *Inquisitio* dieser Versammlung doch zu groß. So ließ ihn auch Platon konsequenterweise in seinem Alterswerk unerwähnt.

„Der Weisheit letzter Schluß" (XII, 906 B ad finem)

Man könnte gegen jeden solchen Ansatz zu realistischer Bewertung der von Platon erwogenen politischen Maßnahmen einwenden, auch die „Nomoi" – wie einst die „Politeia" – seien kein realistisch geplantes Werk. Die kretische Apoikie sei doch nur eine Fiktion, die Platon zur Ausarbeitung eines zwar allgemeingültigen, aber nicht *in concreto* applizierbaren Staatsmodells konstruiere.

3. Etappe: Gott. Nomoi und Epinomis

– So wichtig diese Feststellung sein mag, es ist doch von entscheidender Bedeutung zu beachten, daß die Fiktion der kretischen Apoikie *im Rahmen des Werkes selber*, und zwar ganz am Ende, stillschweigend aufgehoben wird. Wie man das Einsetzen der Fiktion am Ende des Buches III als Hauptzäsur des Werkes betrachten muß, so muß man ihrer Aufhebung in XII Telos besondere Aufmerksamkeit zollen.

In XII Telos wird dem νυκτερινὸς σύλλογος als höchster Amtsversammlung des Staats platonische Episteme zuerteilt – die dann in der „Epinomis" für die wahrhafte Weisheit (σοφία) erklärt wird. Im Vergleich zu dieser höchsten Tugend besitzen alle übrigen Beamten nur „völkische Tugenden" (δημοσίαι ἀρεταί 968A). Es ist mithin die Idee der φύλακες παντελεῖς aus der „Politeia" („Politeia" 414B), die jetzt am Ende des Alterswerks Platons wiederauftaucht. Das geschieht nicht unvermittelt. In einem Gottesstaat muß die Gottesweisheit irgendwie „von oben" gesichert werden. Wie läßt sich aber die hochgespannte Idee mit der so nüchtern anmutenden Konstitution des Staats der „Nomoi" in Einklang bringen? In der Nächtlichen Versammlung sollen u. a. 11 Gesetzhüter als höchste Beamten des Staats sitzen (951 D ff.; vgl. 961 A B). Schon am Anfang des konkreten Staatsentwurfs (VI, 751 A ff.) werden aber Regeln für die Wahl der Staatsbeamten vorgeschrieben, die grundsätzlich demokratisch, d. h. „von unten" gedacht sind. Wie kann die exklusive platonische σοφία „von unten" verstanden und konstituiert werden?

Das Wahlproblem hat zwei Seiten, die der Athener selber sorgfältig voneinander trennt. Es erheben sich die Frage nach der Ergänzung einer schon bestehenden Beamtenversammlung und die Frage nach ihrer ersten Einrichtung. Was die erste angeht, so kann sich die Nächtliche Versammlung selbst komplettieren; denn außer den älteren Episteme-Wächtern soll sie auch aus jüngeren Schützlingen bestehen (961 A 8 ff.). Schwerer lösbar aber ist die zweite Frage nach der Einsetzung dieser seltsamen Versammlung. Als das Problem bei den allgemeinen Wahlüberlegungen in Buch VI auftauchte, wurde es vom Athener nicht theoretisch, sondern in enger Verbindung mit dem knossischen Apoikie-Projekt gelöst. Ein „Ablegerstaat" muß, so lief die Gedankenfolge, anfangs von seinem Mutterstaat genährt werden, im besprochenen Falle von Knossos. Infolgedessen müsse der 10-Männer-Ausschuß des Kleinias in das erste Gesetzhüterkollegium eintreten (753 A ff.). Dieser Ausweg ist in XII Telos nicht mehr möglich. Denn wie könnte wohl ein Kleinias mit all seinen δημοσίαι ἀρεταί eine „Nächtliche Versammlung" von Philosophen-Astronomen stiften, geschweige denn leiten?

Nein, einziger Ausweg aus der Schwierigkeit ist derjenige, der auf dem letzten Blatt des Dialogs vorgeschlagen wird: Unser athenischer Freund muß die Leitung des Staates auch *in concreto* übernehmen (969C)! Die Nächtliche Versammlung konnte nur von einer einzigen Stelle der damaligen athenischen Welt aus gestiftet werden – der platonischen Akademie. XII Telos bedeutet kein rührendes Emporblicken eines greisen Mannes zum Firmament (wie der feinsinnige Kommentator Platons politischen Denkens *Ernest Barker* meint ad loc). Auch fügt sich dieser philosophische Abschluß nicht widerstandslos in die Fiktion der kretischen Apoikie ein (wie die „Nomoi"-Kommentatoren *Ritter* und *England* ad loc. zu zeigen versucht haben). Die Diskrepanz bleibt bestehen – und läßt sich nur durch das Prinzip der sinnvollen Plötzlichkeit einheitlich erklären. Je mehr philosophisch-theoretisch und gottergeben der Athener während des Hauptgesprächs geworden ist, desto mehr hat sich die Möglichkeit der Realisierung an seine Person und seine nächste Umgebung gebunden, desto klarer zeigt sich der platonischen Weisheit letzter Schluß: den Geist des Platonismus in einer Institution zu verkörpern, die staatsgründend sein soll.

Im „Politikos" heißt es von den Bedingungen der Gesetzgebung überhaupt, daß der gute Arzt schriftliche Verordnungen nur dann gibt, wenn er verreisen muß und dem Patienten nicht mehr persönlich gegenüberstehen kann. So soll sich der greise Platon jetzt bald auf die große Reise begeben. Seiner Grundvision immer treubleibend ist er in seiner Jugend und in seinen Mannesjahren mit Sokrates zusammen oder mit Sokrates vor Augen durch die καλοκάγαθία der athenischen Welt geschritten, deren Quelle er im „Symposion" als das Schöne an sich, in der „Politeia" als das Gute an sich klarzulegen versucht hat. In höherem Alter hat er dann selber ein Gespräch mit den großen vorsokratischen Denkern angefangen, das ihn einerseits stufenweise durch die herakliteisch-eleatischen ἀρχή-Dialoge emporgeführt hat, durch den „Kratylos", den „Theaitetos", den „Sophistes" und den „Politikos" bis auf den Gipfelpunkt des Philosophendialogs „Parmenides" und seiner Frage nach der ἀρχή als dem ἕν; das ihn andererseits von diesem Höhepunkt stufenweise wieder hinuntergeführt hat zur „Rettung" der „Andersheit" (τἄλλα), dann, von pythagoreischen Fragestellungen geleitet, durch Untersuchungen zur Substanz der Seele („Philebos", „Phaidros"), zur Struktur der sinnlichen Welt („Timaios"-„Kritias") und zur Gestaltung der Gesellschaft, wie sie auf der faktischen Religion beruht („Nomoi"-„Epinomis"): in diesem großen Hinauf und Hinab immer derselbe bleibend, immer dabei seiend „zwei zu werden", wie es im „Parmenides" hieß.

Jetzt steht ihm aber die letzte Reise bevor. Eine ganz neue Situation öffnet sich ihm. Und nun tritt er, der sich bis jetzt in seinen Werken verbarg, in eigener Gestalt hervor; jetzt schafft er, der sonst die Freiheit der Mündlichkeit schätzte, ein Schriftwerk, das über Leben und Tod entscheidet; jetzt läßt er, der bisher durch sein Denken jegliche Autorität in Frage stellte, seine eigenen Werke, besonders die „Nomoi", als heiligen maßgeblichen Kanon einsetzen. Geistvoll wie immer – das Asebiegesetz z. B. dürfte ein bewundernswertes Stück attischer Prosa sein – schlägt der alte Platon einen Kreis, um der menschlichen Gesellschaft einen natürlichen Organismus abzuringen; die Spitze des Zirkels aber ruht in ihm selbst. Immer mächtiger, von überirdischem Nimbus

3. Etappe: Gott. Nomoi und Epinomis

umgeben, tritt uns Höhlenbewohnern der zurückgekehrte Platon der „Nomoi" als ein Vermittler zwischen Gottheit und Menschen entgegen.

So wurde er nach seinem Tode in einer Elegie von keinem geringeren denn Aristoteles als ein Religionsstifter besungen, „,... den nicht einmal zu loben die Schlechten ein Recht haben" (... ὅν οὐδ' αἰνεῖν τοῖσι κακοῖσι θέμις. Arist. frgm. 146, ed. Ross; vgl. Lit.-Verz. Nr. 14c).

Wenn wir auf die Rechtmäßigkeit unseres Lobes Platons vertrauen, bedeute es mithin nach Aristoteles, daß wir uns ihm gegenüber nicht allzu schlecht fühlen.

NAMENREGISTER
(Dialogpersonen sind nicht verzeichnet)

Abraham 105
Adam, J. 13
Anaxagoras 61, 98
Apelt, Otto 82, 149
Apuleius 126, 127 ff
Aristophanes 156
Aristoteles 3, 10, 21, 26, 76, 87, 97, 102, 105, 117, 131 ff, 159
Aristotelismus, aristotelisch 3, 45, 92, 102, 155
Augustin 71, 105, 136
Austin, John 46, 51
Ayer, Alfred 46

Barker, Ernest 158
Bergson, Henri 105
Berkeley, George 47, 51
Bohr, Niels 5
Bonaventura 102
Bröcker, Walter 49, 147
Böhme, Jakob 13
Baader, Franz 13

Cassirer, Ernst 60
Cherniss, Harold Vorw., 69, 132
Christus 52, 105, 128
Cornford, Francis M. 52, 133, 138
Cusanus, Nicolaus 3, 31, 47, 104, 106

Damaskios 3
Dante Alighieri 9, 28
Demokrit 3, 135
  demokritisch 145
Descartes, René 46, 47, 52
Diels, Hermann 105
Dilthey, Wilhelm 47
Dion 2, 133
,,Dionysios Areopagita" 104

Eleatismus, eleatisch 39, 55, 66, 91, 92, 94, 97, 98 ff, 106, 114 (Elea), 116, 131, 145, 158
Empedokles 143
England, E. B. 147, 158

Epikur 105
Eudoxos 3
Euklid 20, 144
Euripides 3

Fichte, Johann Gottlieb 47, 70, 98
Ficino 31
Frege, Gottlob 33
Friedländer, Paul 5, 51, 147, 149
Friis Johansen, Karsten Vorw., 144

Gadamer, Hans Georg 121
Gaiser, Konrad 3, 87, 115, 116, 133
Goethe, Johann Wolfgang v. 9 ff, 11, 13–14, 28, 61 ff, 73, 78
Gundert, Hermann 71, 81

Hegel, Georg Wilhelm Friedrich 10, 61, 70, 74, 102, 109
Heidegger, Martin 6 ff, 14, 43, 46, 60, 74, 92, 102, 105, 113, 132, 154
Heisenberg, Werner 136 ff
Heraklit 38 ff, 44, 49, 55, 59, 69 ff, 73, 108, 114
  heraklitisch 38 ff, 54, 91, 145, 158
Hermes 153
  Hermetiker 124, 126, 153
Homer 154
Hoffmann, Ernst 4
Hume, David 47, 51
Husserl, Edmund 46, 105

Isokrates 3, 52

Jaeger, Werner 5, 10, 52 ff, 146
Jensen, Povl Johs. 11
Jeremias 136

Kant, Immanuel 46, 48, 60, 92, 125, 138, 154
Kierkegaard, Søren 5, 27, 103, 109
Krämer, Hans Joachim 3, 87, 115

Locke, John 47, 51

Maritain, Jacques 60
Moses 136

Nietzsche, Friedrich 15, 125
„Orpheus" 103
Owen G. E. L. 132

Parmenides 38 ff 55 ff, 69, 73, 108
Paulus, paulinisch 103
Pherekydes 92
Philip von Opus 31
Philo Judaeus 136, 137
Plotin 13, 14, 70, 103, 116
Porphyrios 116
Proklos 3, 70, 77, 103, 104
Protagoras 49, 104, 108
Pythagoras 103
　Pythagoreer, pythagoreisch 38, 87, 91, 105, 114, 116, 124, 131–145, 158

Raeder, Hans 76
Regenbogen, Otto 121
Reinhardt, Karl 147
Rickert, Heinrich 9
Ritter, Constantin 67, 158
Robin, Leon 115
Russell, Bertrand 46, 51
Ryle, Gilbert 40

Sartre, Jean-Paul 33
Schadewaldt, Wolfgang Vorw., 9
Schelling, Fr. Wilh. 102
Schiller, Ferd. Canning Scott 53
Schleiermacher, Friedrich 5
Shorey, Paul 147
Simplikios 116
Sokrates 2, 52 ff, 60–61, 103, 113 ff, 156 ff, et passim
　Sophistik 44 ff, 52 ff, 60 ff, 67, 72–73
Speiser, Andreas 25
Speusippos 3
Stallbaum, Gottfried 8, 89
Stenzel, Julius 3 ff, 10, 115, 146

Taylor, Alfred E. 133, 147
Thales 52, 92

Varro 154

Weizsäcker, Carl Fr. v. 5
v. Wilamowitz Moellendorff, Ulrich 3, 90, 122, 147
Wilpert, Paul 115
Wittgenstein, Ludwig 46, 51, 89, 92

Zeller, Eduard 10

DIALOGE UND DIALOGSTELLEN

Alkibiades maior 51
Apologie 2
7. Brief 2, 4, 103
  341 C: 26, 107, 116
Charmides 2, 51
Epinomis 2, 8, 29, 31, 91, 113, 114, 146ff, 149, 152, 153, 155, 157, 158
Euthydemos 2, 31, 44, 108
Euthyphron 154
Gorgias 2, 122
„*Hermokrates*" 29, 134
Ion 81, 153
Kratylos 2, 8, 29, 30, 31ff, 45, 46, 50, 51, 54, 61, 69, 75, 76, 79, 81, 91, 108, 113, 158
  383 A–384 E: 32ff;   385 A–391 B: 35ff;   391 B–427 D: 36ff;
  422 Dff: 39;   424 Aff: 144;
  427 Dff: 41ff;   429 B 10ff: 41ff;   433 D 7ff: 43ff
Kritias 2, 8, 29, 113, 114, 133ff, 152, 158
Laches 2
Lysis 2, 153
Menexenos 135
Menon 2, 81
Nomoi 2, 3, 8, 29, 30, 31, 71, 82, 98, 104, 113, 114, 117, 132, 134, 147ff
  I–III: 147ff
  IV–XII: 149ff
  IV: 716C: 54;   718Cff: 149
  VI: 747B6: 81;   751Aff: 157
  VII: 150
  X: 150, 151, 153, 155
  XII: 149, 150, 157ff
Parmenides 2, 3, 5, 8ff, 10, 26, 29, 30, 31, 40, 55, 60, 65, 66, 69, 76, 77, 85, 87, 88, 89ff, 113, 114, 115, 116, 117, 118, 122, 127, 131ff, 137, 138ff, 153, 155, 156, 158
  1. Hyp.: 101ff
    141A5–D6: 104ff
  2. Hyp. Anf.: 106ff
  2. Hyp.: 109ff
  3. Hyp.: 109ff, 110
    156D3: 26

  4. Hyp.: 110, 118, 138ff
    158B1–D8: 118, 144
  5. Hyp.: 110
  6. Hyp.: 110
    162AB: 33
  7. Hyp.: 110
  8. Hyp.: 110, 144
  9. Hyp.: 111
Phaidon 2, 85, 132
  96Aff: 61
Phaidros 2, 8, 9, 29, 66, 76, 83, 99, 113, 114, 121, 127ff, 131, 152, 153, 158
  246C: 154;   259Eff: 33;   264C: 5;   274Bff: 33
Philebos 2, 3, 8, 29, 38, 40, 84, 91, 109, 113ff, 114, 116ff, 125, 131, 137, 152, 158
  11A–12B: 116;   18Bff: 40;   26D: 143;   27Cff: 153;   30A: 158;
  39B–55C: 118;   50DE: 121;
  51C: 6;   62B: 113;   67B: 122
„*Philosophos*" 7, 8, 76, 87, 90, 92
Politeia 2, 3, 10, 29, 31, 51, 75, 89, 103, 115, 131, 134, 138, 153, 156, 157, 158
  414B: 157;   462B: 75;   505A: 93;   506D8–521B11: 10;   521C3: 27;   524DE: 75;   533Cff: 21;   534C1: 38;   534E: 90
Politikos 2, 3, 8, 29, 38, 40, 48, 66, 69, 73, 76, 88, 91, 93, 109, 113, 115, 116, 118, 123, 131, 153, 158
  262A: 44;   262AB: 67;   273D: 143; 277A–283B: 84ff;   277Eff: 40;   278D1: 92;   278D2–E2: 66; 283B–287A: 86ff;   285C4ff: 87ff;   285D: 60;   286Dff: 41;   287C: 66
Protagoras 113
Sophistes 2, 3, 8, 29, 32, 38, 40, 43, 48, 50, 55, 57, 59ff, 77, 78, 81, 85, 86, 87, 91, 94, 98, 99, 106, 107, 108, 110, 114, 117, 131, 153, 158
  216A: 59ff;   217C: 55;   218Aff: 65ff;   231Bff: 67;   246A bis 254B: 69;   249A: 138;   252C3:

93; 253C: 88; 257A: 93; 257B6: 33; 267DE: 44
Symposion 2, 9, 30, 31, 51, 75, 103, 114, 122, 128, 153, 158
209E: 61; 211AB: 91, 93
Theaitetos 2, 3, 8, 29, 38, 40, 43, 44, 45ff, 59, 61, 63, 65, 66, 70, 71, 75, 77, 79, 91, 108, 111, 120, 131, 143, 153, 158
156Aff: 143; 157B: 143; 162D: 153; 165D–168C: 54ff; 172C bis 177C: 52ff; 179Dff: 54ff; 183AB: 108; 187Dff: 56; 189E: 6; 199D: 35; 206Cff: 33, 57ff; 207Eff: 40; 207C: 35
Timaios 2, 3, 6, 8, 17, 29, 38, 71, 85, 91, 102, 105, 113, 114, 131, 135, 146, 153, 154, 158
33B: 91; 47E–69A: 141ff; 48B: 40; 49Eff: 91; 67B: 12
„*Über das Gute*" 2, 76, 87, 115, 116

GRIECHISCHE WÖRTER UND BEGRIFFE

ἀγαθόν gut, das Gute   12, 44, 75ff, 93, 102, 116
  ἀγαθοειδής guthaft   15
  περὶ τἀγαθοῦ über das Gute   76, 87, 115, 119
ἀγάπη Liebe   128
ἄγκυρα Anker, Verankerung   149, 153
ἀγορά Agora, Marktplatz   52, 60
ἄγριος wild   155
ἀγωγή Führung, Erziehung   148
ἄδεια Furchtlosigkeit, Scheulosigkeit   148
ἀδιανόητον dem Denken unzugänglich   72   (vgl. διάνοια)
ἀδύνατον unmöglich, Unmöglichkeit   72, 97, 103, 113
ἀεί immer   102, 104, 106ff, 113
ἀθανασία Unsterblichkeit   124ff
Ἅιδης die Unterwelt, die Welt des Unsichtbaren   27
αἰδώς Schamgefühl   148
αἴσθησις Wahrnehmung   40, 48ff, 53ff, 58ff, 65, 77, 91, 120
  Empfindung   121ff
αἰτία Ursache, Bedingung   13ff, 97, 118, 137
  πλανωμένη αἰτία „umgetriebene Ursache"   135
αἰών Ewigkeit   102, 104
ἄκρα (/μέσα) äußere Teile, Enden   5ff, 83
ἀκριβής streng, genau
  αὐτὸ τἀκριβές das Genaue selbst, das Unbedingte   78f, 86, 93
ἄλη Irre   38
ἀλήθεια, ἀληθής Wahrheit, wahr, Unverborgenheit   14, 24, 38, 44, 50f, 56f, 71, 75, 129
  ὡς ἀληθῆ in Wahrheit, wahrhaftig   64, 67
ἄλληλος einander   5, 86, 111
ἀλλοδοξία Verwechslung, Täuschung   57
ἄλλος, τἆλλα anderes, das Andere, die Andersheit   69, 73, 76, 82, 90, 92ff, 97, 101, 104, 106, 109ff, 113, 116, 158
  Allegorie, allegorisch   11, 15ff, 23, 29
ἀλογία Sinnlosigkeit, Unvernunft   35
ἄλογον sinnlos, dem Intellekt unzugänglich   72
ἀλόγως regellos   142
ἀμέτρως ungeordnet   142
ἀμφίβολος zweideutig, doppelseitig   38
  Amphibolie: Zweiseitigkeit, Zweideutigkeit   38ff, 109
ἀμφώ, συνάμφω beide, Beidheit   74, 84
ἀναβαίνειν (/καταβαίνειν) hinaufzusteigen
  Anabasis: das Hinaufsteigen, der Weg hinauf   21ff, 29ff, 38, 41, 61, 77, 110ff
ἀνάγκη Notwendigkeit   135, 142
ἀνάλογος analog, Analogie (Verhältnisbezug)   14, 17ff, 23, 25   (vgl. Homologie)
ἀναρμοστία Disharmonie   139
ἀνδρεία Mannesmut   85, 148

Griechische Wörter und Begriffe

ἀνήρ Mann
 ἀνὴρ φιλόσοφος Philosoph 59
 ἀνὴρ πολιτικός Bürger, Politiker 81
 ἀνὴρ οἰκεῖος Privatmensch 81
 ἀνὴρ ξενικός Fremder 81
ἀνθρωπονομική Menschenweide 80ff
ἄνισον (/ἴσον) ungleich groß 16, 87ff, 91ff
ἀνόμοιος (/ὅμοιος) unähnlich, Unähnlichkeit 55, 91, 99, 139
ἀντιλογική Widerspruchskunst 68, 73
 Kontradiktion, Widerspruch, Widerspruchsprinzip 44, 54, 108ff
ἀνυπόθετος unbedingt 20, 82 (vgl. ὑπόθεσις)
ἀνωτάτω am höchsten, auf dem höchsten Punkte 16
ἄπειρον (/πέρας) unbegrenzt, unendlich, Unendlichkeit 91ff, 116, 118ff, 125, 139ff
ἀποικία Apoikie, Kolonie, Ablegerstaat 148ff, 157ff
ἀπόλλυσθαι vergehen 105
ἀπορία Aporie, Ratlosigkeit 72ff
ἅπτειν berühren 91 (vgl. ἅψις)
ἀρετή Arete, Tugend 1, 46, 62, 87, 116, 118
 Fähigkeit (politisch) 81
 δημόσιαι ἀρεταί völkische Tugenden 157ff
ἀριθμός Zahl 91ff, 143
ἀριστοκρατία Aristokratie 148
ἄρρητον (/ῥητόν) unsagbar 72 Schweigen 104
ἄρχειν Erster zu sein, leiten, herrschen 83, 85
ἀρχή Arche, Grund, Quelle, Prinzip 20ff, 30, 44, 61f, 68, 74, 77, 82, 85, 90, 92ff, 97, 100, 103, 106, 111ff, 117, 158
 Herrschaft 78, 82ff
 ἀρχὴ τοῦ παντός Grund des Alls 20ff
 μετὰ ἀρχῆς mit Grund 22ff, 68ff
 ἄνευ ἀρχῆς ohne Grund 22
 ἀρχὴ παντὸς πράγματος Ausgangspunkt jeder Sache 44
 ἐξ ἄλλης ἀρχῆς von einem neuen Ausgangspunkt 82
 κατ' ἀρχάς am Anfang 41
 πολιτείας ἀρχή Leitung des Staates 148
ἀσέβεια Asebie, Gottlosigkeit 149, 151, 155, 158
ἀστεῖος städtisch 129
ἀστήρ Stern
ἀστρονομία Astrologie: Lehre der Sterndeutung 8
 Astronomie, Sternkunde 150, 153, 157ff
αὔξη Wachstum 15
αὔριον morgen 121f
αὐτός, ταὐτόν selbst, dasselbe, Identität, Selbigkeit 40, 55, 59, 70, 84, 90ff, 102, 106, 110
 αὐτὴ δι' αὐτῆς unabhängig, von sich selbst aus 55
 αὐτὸ καθ' αὑτό unbedingt, in Unbedingtheit 93
 Identitätsprinzip 54, 108
ἄφθεγκτον den Aussagen unzugänglich 72
ἅψις Berührung, Kontakt 91ff
ἁψίς Gewölbe
 ὑπουράνιος ἁψίς das Himmelsgewölbe 129

βελτίων besser 54
βία Gewalt 150
βιβλίον Buch 48, 50
βίος Leben
Biologie, biologisch 8, 79, 81 ff

γέλοιον lächerlich 117
γένεσις Genesis, das Werden 15, 111, 136
  γένεσις εἰς οὐσίαν Werden zu Substanz 118, 137, 143 (vgl. γίγνεσθαι)
γένος Genos, Art, Klasse, Kategorie 59, 62, 67ff, 72ff, 76ff, 91, 94, 97, 101, 106
  τρίτον γένος eine dritte Klasse 13
  κοινὰ γένη gemeinsame Arten 56, 65
  κοινωνία τῶν γενῶν Gemeinschaft der Arten 59, 62
  τὸ μέγιστον γένος die höchste Kategorie oder Klasse 62, 69
  γένη τῆς οὐσίας Seinskategorien 63 (vgl. εἶδος, ἰδέα)
γιγαντομαχία Gigantomachie, Gigantenkampf 63 f, 69, 71, 98
  γιγαντομαχία περὶ τῆς οὐσίας über das Sein 64 f
γίγνεσθαι werden, das Werden 105
γνῶσις Wissen 19, 68
γράφειν schreiben 4
γραφή, γραμματική Schrift, Schreibkunst 4, 57

δαίμων Gottheit, göttlich 15, 60
  τὸ δαιμόνιον die göttliche Stimme des Sokrates 129
  Daimonologie 153
δείκνυμι zeigen 84
δέον gebührlich 87
δήλωσις das Offenlegen 88
δημιουργός Demiurg, Werkmeister 135ff, 143ff, 154
δῆμος Demos, Volk 148
δημωφελής volksbehaglich 129
διάθεσις Beschaffenheit
  διάθεσις τῆς ψυχῆς Beschaffenheit der Seele, seelische Verfassung 116, 121
διαιρεῖν trennen
  κατ' εἴδη διαιρεῖν nach Ideen einteilen 88
  Diairesis: Trennung (diairetisch) 65ff, 81, 100, 107
διακρίνειν (/συγκρίνειν) sondern, beurteilen, analysieren
  διακριτική, διάκρισις Trennungskunst, Analytik 85
  Diakrisis, diakritisch 29f, 35, 41, 66, 73, 85ff, 108
διαλέγεσθαι, διαλεκτική Gespräch führen, Dialektik 20, 56, 64f, 78, 125
  Dialektik, Dialektiker, dialektisch 20ff, 29ff, 37ff, 44, 47ff, 60, 66, 69ff, 75ff, 85ff,
    106, 109ff, 114, 116, 118f, 125, 130ff, 138, 146, 150, 153, 156
διάνοια Verstand, Überlegung, Gedanke 4, 20ff, 40, 47ff, 55ff, 65, 68, 71, 77, 103,
    113
  dianoetisch, verstandsmäßig 21f, 68f, 85, 108
διδασκαλία Belehrung 35
δι' οὗ durch welches 56
διχοτομία Dichotomie, Zweiteilung (dichotomisch) 66, 107
δοκεῖν (wahr) scheinen 53
δόξα Doxa, Vorstellung, Anschauung, Schein 19, 22ff, 37, 40, 47, 48, 50ff, 53f, 55ff,
    65ff, 77ff, 84, 91, 101, 110f, 113ff, 120; Fürwahrhalten 53ff, 56ff

Griechische Wörter und Begriffe

δόξα ἀληθής wahre Vorstellung 50ff, 56, 71
δόξα ἀληθής μετὰ λόγου wahre Vorstellung mit einer vernünftigen Erklärung verbunden 50,
δοξάζειν meinen, fürwahrhalten 53f
τὸ μὴ ὄντα δοξάζειν das, was nicht ist, fürwahrhalten 54, 56 (vgl. δόξα)
δυὰς ἀόριστος unbestimmte, unabgegrenzte Zweiheit 87, 116
δύναμις Vermögen, Kraft 13, 15, 69ff, 107
 δύναμις τοῦ διαλέγεσθαι Vermögen, ein Gespräch zu führen 20
 κατὰ δύναμιν nach Vermögen 135

εἰ wenn, ob 94
εἰ (μὴ) ἔστιν ob es (nicht) ist 94
εἶδος Eidos, Form, Begriff, Idee 4ff, 12, 20ff, 29, 60, 62, 65, 72ff, 77, 79, 88, 97ff, 140, 143
 Gestalt 67
 superponierte Form 25ff, 30, 113
 innere Form 97
 Struktur 5ff
 εἶδος μετὰ/ἄνευ ἀρχῆς Idee mit/ohne Grund 22
 εἴδη τοῦ λόγου Strukturmomente der Aussage 63
 ἄτομον εἶδος unzerteilbare Idee 67ff, 81
 eidetisch: ideal, nur in dem Gedanken erfaßbar 29, 40, 108, 110, 114, 119, 144 (vgl. γένος, ἰδέα)
εἴδωλον Abbild 29, 78, 100
εἰκασία Einbildung, Imagination 21ff, 47, 53
εἰκών Bild 19f, 34, 42, 45
 Symbol 11ff, 23, 27ff
 Gleichnis 10ff, 27ff
εἰκώς wahrscheinlich 135
εἶναι sein, das Sein 15
 ἔστι ist, existiert 35ff, 43, 94, 102, 106
 copula 6, 33
 ἦν (es) war 128
 ἔν (τινι) εἶναι in etwas sein, Insein, Immanenz 91ff, 102
 τὸ τί ἦν εἶναι „das, was es war, zu sein", Essenz (nach Aristoteles) 105
εἷς s. ἕν
ἕκαστον jedes, das Einzelne 35, 44, 88, 140
ἔκγονος Sproß, Nachkomme 14
ἐκτός hinaus, jenseits 72ff, 75, 101
ἔλαττον (/πλέον) weniger 87
ἔλεγχος Prüfung, Untersuchung 38
ἔλλειψις (/ὑπερβολή) Mangel, Zuwenig 40, 87
ἕν, τὸ ἕν, εἷς (/τἄλλα, πολλά) ein, das Eine, Eines 62f, 67, 73, 76, 90, 92ff, 97ff, 100ff, 106ff, 112f, 115ff, 118ff, 136, 138f, 153, 158
 ἓν ἕκαστον τῶν ὄντων das jedem seienden Ding zukommende Eine 44
 ἓν ἐπὶ πολλῶν Eines über mehreren 9, 99f, 103ff, 112
 ἓν ἐκ πολλῶν Eines aus mehreren 138
 ἓν ὄν das Seins-Eine 106
 εἷς ἐστιν ὁ ἀγαθός Einer ist der Gute 102
 Henologie: Einheitslehre, henologisch 8, 101, 103ff, 110ff, 113, 116, 144ff, 153ff

Griechische Wörter und Begriffe 169

ἐναντίον, τὰ ἐναντία Gegensatz, Gegensatzpaare 73ff, 91, 109
ἐνθουσιασμός (/λόγος) Enthousiasmos, Inspiration 81
ἐν ἔργῳ (/ἐν λόγῳ) im Werk, „praktisch" 148, 151ff
ἐντελέχεια Entelechie, „was sein Ziel in sich selbst hat", immanenter Formtrieb 10, 147
ἐν ᾧ worin, der Raum 143
ἐξαίφνης plötzlich, Plötzlichkeit 26ff, 78, 97, 107, 109ff, 137
Freiheit 43, 110, 137
ἐξέτασις Prüfung, Untersuchung 156
ἕξις Zustand, Verfassung, Habitus
ἕξις ψυχῆς Zustand der Seele 116, 121
ἔξω τείχους außerhalb der Stadtmauer 128
ἐπᾴδειν, ἐπῳδή einsingen, bezaubern, Zaubergesang 146, 148
ἐπίβασις Sprosse einer Leiter 20
ἐπιθυμία Begierde, Leidenschaft 120ff, 122, 124
ἐπιμέλεια Fürsorge 82
ἐπιστήμη Episteme, Kenntnis, Erkenntnis 39, 44ff, 48ff, 53ff, 61, 62ff, 66, 77, 81, 91ff, 111, 114, 156ff
ἐ. γνωστική / ἐπιτακτική / ἀρχιτεκτονική wissende / befehlende / baumeisterhafte Erkenntnis 81
Epistemologie: Erkenntnislehre 8, 19, 47, 113ff, 144
ἕπομαι ich folge 39, 51
ἐριστική Eristik, Streitkunst, die Kunst des Disputierens 118
ἑρμηνεῦς Dolmetscher, Erklärer 38
Hermeneutik, Kunst der Auslegung, Erklärungskunst 6, 153
ἔρως Eros, Liebe 114, 121ff
Sexualität 122ff, 129
ἐραστὴς τῶν λόγων „Reden-Liebhaber", wer gerne Reden zuhört 128
τοὺς θηρίων ἔρωτας die Eros-Triebe der Tiere 122ff
ἐρωτικά erotisch, Erotiker 61, 103, 128ff, 153
Erotologie, Liebeslehre 8
ἔστι s. εἶναι
ἔσχατον Außenpunkt, Ende 118ff, 131ff, 134, 150
Eschatologie, Lehre von den letzten Dingen 150
[εἴσω] drinnen
esoterisch, nach innen gerichtet, geschlossen, geheim (/exoterisch) 3f, 59, 115ff
ἑταῖρος Freund 59
ἕτερον (/ταὐτόν) verschieden, different 40, 42, 55, 59, 73, 84, 91ff
konträrer Gegenfall 67
Differenz 45, 72, 102
– (ontologische) 73ff. 106, 108
– (henologische) 106, 108, 113 (vgl. ἄλλος)
ἕτερον ἀνθ' ἑτέρου Eines statt eines Anderen 57
ἔφεβος Ephebe, Jüngling 48

ζυγόν Verbindung, Verbindungsmittel, Joch 13
ζωή Leben 71
ζῷον Lebewesen 5, 19, 22, 28

ἡδονή (/λύπη) Lust, Wohlgefallen 76, 88, 116ff, 119ff, 148
Hedonismus: Lustlehre 117

Griechische Wörter und Begriffe

ἦθος Ethos, Charakter, Denkweise 40
ἡλικία Alter 91
ἡλιοειδής sonnenhaft 13
ἦν s. εἶναι
ἧττον (/μᾶλλον) weniger 118

θάτερον s. ἕτερον
θαῦμα θεῖον Puppe des Gottes 148
θεατροκρατία Theatrokratie, Herrschaft der Bühne 148
θεῖν laufen 38
θεός Gott 27, 38, 45, 49, 51ff, 150, 152, 154ff
  θεὸς ἐξ ἀνθρώπων Gott aus Menschen (kommend) 83
  ὅσοι τῇδε θεοί alle Götter dieser Stelle 123
  θεῖος göttlich 81, 124ff, 129, 148
  Theologie, theologisch 8, 68, 80, 82, 114ff, 149, 151ff
θεωρία Theoria, Betrachtung, Vision 9
θηριώδης tierisch 156
θριγκός Zinne 90
θυμός Sinnesmut, Gemüt 124

ἰδέα Idee 12, 93, 110
  Gestalt 138 (vgl. εἶδος, γένος)
ἰόν (/ὄν) gehend 38ff
ἴσον (/ἄνισον) gleich groß, Quantität 42ff, 87ff, 91ff, 94
ἵστημι ich stelle, Perf. stehe 39, 44, 81
ἴχνος Spur 142
ἴωμεν πάλιν laßt uns zurückgehen 78

καιρός passend, gelegen 87
καλόν, κάλλος schön, das Schöne, Schönheit 75, 93, 117, 124ff
  καλὰ καὶ ἀγαθά schön und gut 12, 44
  καλοκἀγαθία Kalokagathie, Schön- und Gutheit 118, 120, 158
κανών Kanon, Regel, Vorschrift 158
καταβαίνειν (/ἀναβαίνειν) hinabsteigen
  Katabasis: das Heruntersteigen, der Weg hinab 20ff, 29ff, 104, 110ff
κίνησις (/στάσις) Bewegung 38, 54, 69ff, 91ff
κοινός gemeinsam 55ff, 65
  ἀπὸ κοινοῦ zugleich vorwärts und rückwärts gerichtet, apokoinu 96
κοινωνία Gemeinschaft 62ff, 69, 71
κόσμος Kosmos, Welt 131
  Kosmologie: Weltlehre 8, 114, 152
  Makrokosmos, Mikrokosmos 137ff
κυνὶ λύκος wie dem Hunde der Wolf (ähnelt) 60, 66, 107

λαμπρόν klar, hell
  διὰ τὸ λαμπρὸν τῆς χώρας durch die Helligkeit des Gebietes 74
λέγειν sagen, sprechen 4, 35, 57
  τὰ ὄντα λέγειν ὡς (οὐκ) ἐστιν das Seiende, wie es (nicht) ist, zu sagen 35, 43
  τὸ μὴ τὰ ὄντα λέγειν das Seiende nicht zu sagen 43, 54 (vgl. λόγος)
λόγος Logos, Vernunft, Gedanke, u. ä. 41, 44, 50, 52, 57ff, 62, 65f, 68, 71, 81, 83
  86, 90f, 94, 98, 101, 104, 125ff, 130, 139, 145, 148, 150, 153ff

Griechische Wörter und Begriffe 171

Gedankenentfaltung 3ff, 29ff, 56, 79, 82, 119, 124
Proportion, Verhältnis 17ff
sprachliches Kunstwerk 5
Satz, Aussage 33ff, 43, 63, 99
Sinn 25
methodisches Verfahren 66ff
Argument 98
Erörterung 72ff, 94
vs. Enthousiasmos 81
Argumentationseinheit 86, 91
Wort 88, 90f
Rede 57, 123, 128f
λόγον διδόναι Rechenschaft abgeben 40
λόγος ἑκάστου Rechenschaft einer jeglichen Sache 88
λόγος ἀμφοῖν ἅμα Bericht von beiden auf einmal 62, 65, 71ff, 94, 101
λόγῳ μόνον durch das Wort allein 88ff
ἐν λόγῳ (/ἐν ἔργῳ) im Wort, theoretisch 148, 152
λογογραφία Redenschreiberei 123
Logik 39, 45, 107ff
λύπη (/ἡδονή) Schmerz, Unlust 119ff, 148

μαθηματικά, τά mathematische Dinge oder Sachen, die Mathematik 68, 87
μαιεύεσθαι entbinden (als Hebamme) 45
μαιευτική (τέχνη) Hebammenkunst 49f
μᾶλλον (/ἧττον) mehr 118
μανία Wahnsinn 126
 θεῖα μανία göttlicher Wahnsinn 124ff, 129
μέγα (/σμικρόν) groß, das Große 87, 91
μέθεξις Teilhabe 99ff, 110, 138
μέθοδος Methode, systematisches Vorgehen 65ff, 90, 100 (vgl. ὁδός)
μεῖξις Mischung 117, 119
μέλος Glied
 κατὰ μέλη Gliedweise 66
μέρος (/ὅλον) Teil 91ff, 101
μέσον (/ἄκρα), μεσότης mittleres Teil, Mitte, Mittelweg 5ff, 83, 87, 116, 120, 131ff, 134, 137, 150
 μέσον τῶν ἐσχάτων Mittelpunkt zwischen den Extremen 87
μεταβολή Übergang 26
μεταλαμβάνειν teilnehmen 110, 143
μέτρον Maß, Maßstab 56, 82, 87f, 93, 118, 125, 153
μέτριος maßgeblich, das Meßgebliche 87
 τί τὸ μέτριον καὶ ὁπόσον was und wieviel passend ist 151
μετρητική Meßkunst 78, 80, 82, 86ff, 91
μή nicht, Negation 33, 40, 43, 56ff, 72ff, 108
μηδέποτε niemals 107
μίμησις Mimesis, Nachahmung 6, 40
 μιμητική Kunst der Nachahmung 79
 μιμητὴς τῶν ὄντων Nachahmer des Seienden 68
μοῖρα Schicksal, Fügung
 θεία μοίρα nach göttlicher Fügung 81
μονογενής eingeboren 136, 139

Griechische Wörter und Begriffe

μόνον allein, nur 86, 88ff
monologisch 130
μόριον Bestandteil, Teil 138
μῦθος Mythos, Erzählung 80ff, 86, 105, 114, 123, 126, 128, 149, 153
Mythopoiie: Mythendichtung 154

νόησις (/διάνοια) Vernunft 4, 20, 22, 47ff, 68f, 71, 106, 113
noetisch, vernunftsmäßig 12, 16, 18ff, 21f, 27ff, 68, 123
νόμος Nomos, Gesetz, Norm 80, 82ff, 150ff
Gesang, Weise 151
νόμος διπλοῦς / ἄκρατος doppeltes / einfaches, reines Gesetz 151
νομοθέτης Gesetzgeber 43, 49
Nomothesie, Gesetzgebung 149ff
νοῦς Nous, Geist, Vernunft 20, 70ff, 77, 80, 82ff, 119, 123ff, 135, 137, 142
ὁ ἡγεμὼν νοῦς der „Führer Geist" 82
νῦν nun, jetzt 87

ξένος Fremder, Fremdling 59

ὁδός Weg 57
ὁδὸς ἄνω κάτω μία καὶ ωὐτή der Weg hinauf und hinab ist einer und derselbe 113
ὁδὸς οἴκαδε Weg nach Hause 113, 117, 119
ὁλκή Leitung 148
ὅλον ganz, Ganzheit 5, 50, 57, 91ff, 97, 101, 109ff, 138
ἓν ὅλον τέλειον μόρια ἔχον ein vollkommenes, Teile habendes Ganzes 138
ὁμόδουλος Mitsklave 52
ὅμοιον (/ἀνόμοιον) ähnlich, Ähnlichkeit 42f, 55, 90ff, 99, 139
ὅμοιον ἡμῖν ähnlich uns 24, 61
ὁμοίωσις θεῷ Angleichung an Gott 49, 51ff
ὁμολογία Übereinkunft, Verabredung 31
Homologie: Übereinstimmung, Entsprechung 1 zu 1, homolog 17ff, 22, 127, 129, 138f (vgl. Analogie)
ὀμφαλός Omphalos, Nabel, Mitte 62ff, 67, 72, 78ff, 82ff, 86, 95ff, 101, 110, 116ff, 119ff, 123, 126, 142, 150
ὄν, τὸ ὄν, τὰ ὄντα seiend, Sein, das Seiende 14, 35, 38, 43ff, 54ff, 62ff, 67, 69, 72ff, 76ff, 90f, 94ff, 98, 100, 106, 111, 154
τὸ παντελῶς ὄν das vollendet Seiende 71
τὸ μὴ ὄν das nicht Seiende 65, 62ff, 67f, 72ff, 91, 94
τὸ μηδαμῶς ὄν das gar nicht Seiende 72
τῷ ὄντι in der Tat, eigentlich 20
ὄντως in Wirklichkeit 67
Ontologie: Seinslehre 6ff, 32, 43, 72ff, 99, 108, 116, 143, 153ff
ὄναρ Traumzustand 78ff
ὄνομα Name, Benennung 29, 31, 33ff, 42ff, 45ff, 50, 61ff, 65, 77, 90ff, 104, 107, 109
Nennwort 31
Eigenname 31
Sprachphilosophie 8, 31ff
ὀνομάζειν benennen 35ff
ὁπόσον so und so viel, das So-und-so-viele 118
wieviel 151
ὁρᾶν sehen

Griechische Wörter und Begriffe

ἐν τοῖς ὁρωμένοις in den sichtbaren Phänomenen 99
ὁρῶμεν wir sehen 143
ὄργανον Organon, Werkzeug, Instrument 35, 40ff, 45, 132
ὀρθότης Richtigkeit 31, 36, 46
ὁρμή Impuls, Antrieb 20, 62
οὐρανός Himmel 23, 136
οὐσία Wesensfülle 15ff, Sein 35, 55, 59, 63ff, 91
   Substanz 114, 118, 137, 143
   Vermögen, Hab und Gut 146, 149, 152
   ἐπέκεινα τῆς οὐσίας jenseits des Seins 15, 75, 103 (vgl. ὄν)
ὄχημα Stützgerät 78

πάθημα Leidenschaft 120, 141
   παθήματα τῆς ψυχῆς die Leidenschaften der Seele 120, 122
πάθος Widerfahrnis, „Prädikat" 23, 90, 94, 96, 101, 107, 109, 139, 141
   ἐναντία πάθη entgegengesetzte Widerfahrnisse 91ff, 94, 101, 104, 107ff
παιδεία Paideia, Bildung, Erziehung 23, 26, 147ff
   πᾶσα παιδεία Gesamterziehung 148
   Pädagogik 8ff, 27, 92, 154
   paideutisch: erzieherisch 21
   Humanismus 60ff (vgl. φιλανθρωπία)
παιδιά Scherz, Spiel 36ff, 45, 100
παλινῳδία Palinodie, Widerruf 123ff, 130
πᾶν all, alles 20ff, 38, 50, 84, 91, 98, 101ff, 110
πάνσοφος Alleswisser 68
παράδειγμα Paradeigma, Beispiel, Muster 10, 40, 67, 80, 84ff, 88ff, 94, 137
   paradeigmatisch: musterhaft 10, 40, 88
παράδοξον paradox, unerwartet, auffällig 103
   Paradoxie: Sinnlosigkeit 103, 106
   Paradoxologie 107
παραίνεσις Ermunterung 150
πατὴρ τοῦ λόγου Vater der Rede 128
πεδίον Ebene 129
πείθειν überreden 143
πειθώ Überredung 150
πέρας (/ἄπειρον) Grenze, Ende 91ff, 118ff, 125ff, 139ff
πίστις Fürwahrhalten 21ff, 47, 53
πλέον (/ἔλαττον) mehr 87
πλῆθος Menge, Masse 140f
πνεῦμα Pneuma, Geist 128
πόθος Sehnsucht 121ff
   πόθος τῶν τότε Sehnsucht des Vergangenen 124
ποῖόν τι Qualität 42
πόλις Stadt 52, 78, 82
   πολιτικός politisch, Politiker, Staatsmann 62, 81, 83
   πολιτεία Staat 148
πολλά (/ἕν) viele, Vielheit 9, 62ff, 90, 94ff, 97, 99ff, 103, 109, 112f, 118, 124, 138
τοῖς πολλοῖς für die Menge 155
ποτε einmal, je 87
πρᾶγμα Ding, Sache (eig. das Getane, das Geschäft) 35, 44
   pragmatisch: geschäftlich 49, 53ff, 59

πρᾶξις Ausübung 35ff, 83
πρέπον schicklich, das Schickliche 87
πρεσβεία Würde 15
προλεγόμενον Prolegomenon, Einleitung 90
προοίμιον Prooemium, Vorspiel, Einleitung 31, 135, 142, 150ff
πρόρρησις Ermahnung 151
προσηγορία Allgemeinname 31
πρός τι Relation 106
πρότερον πρὸς ἡμᾶς das uns Nähere 132
[προτρέπειν] auffordern
 Protreptikon: auffordern des Schriftstück 150
 protreptisch 10

ῥέω ich fließe 39
ῥῆμα Zeitwort 31
ῥητόν (/ἄρρητον) sagbar
 οὐδαμῶς ῥητόν in keiner Weise Sagbares 4, 116
ῥητορική Rhetorik, Redekunst 8, 54, 83, 122, 125, 128, 130ff, 153

σαφήνεια Evidenz, Deutlichkeit 19
σεισμός erschütternd 39
σημεῖον ᾧ διαφέρει spezifisches Kennzeichen 57
σιμότης Stumpfnasigkeit 57
σκεύη Sachen, Dinge 19
σκιά Schatten 19, 22
σκοτεινότης Dunkelheit 74
σμικρόν klein, das Kleine 87, 91
 σμικρόν τι eine Kleinigkeit 122, 125
σοφία Weisheit, Einsicht 150, 156ff
 σοφιστής Sophist, Weiser 62
σπουδή Bemühung, Ernst 45
σταθερά Mittagsstunde 129
στάσις (/κίνησις) Ruhe 69ff, 91ff
στοιχεῖον Element, Buchstabe 6, 40, 50, 57, 108, 143
 περὶ τὰ τῶν πάντων στοιχεῖα was die Elemente des Alls betrifft 84
σύγγραμμα Aufgeschriebenes: geschriebene Gesetze 83
συγκρίνειν (/διακρίνειν) zusammenfügen
 συγκριτική Verknüpfungskunst 85
 synkritisch: konstruktiv, verbindend 30, 41, 59, 73f, 76, 85, 94, 108
συζητεῖν zusammen untersuchen 31
 συζήτησις Untersuchung, Disputation 31
σύλλογος νυκτερινός nächtliche Versammlung 150, 157
συμπλοκή Zusammenflechtung, Gewebe 74, 85, 110, 117
 σ. τῶν εἰδῶν Verflechtung der Ideen 62, 65
 ἡ βασιλικὴ συμπλοκή die königliche Webekunst (d. h. die Staatskunst) 80
συμπόσιον Trinkgelage 148
συμφιλοσοφεῖν mitphilosophieren 61
συμφωνία Harmonie 139
συνάμφω s. ἀμφώ
συνδεσμός Band, Verbindung 18, 26ff
συνθήκη Übereinkunft, Verabredung 31

σφαῖρα Kugel
  σφαῖρα εὐκύκλη wohlabgerundete Kugel 102
  σφαῖρα τοῦ περιέχοντος Sphäre des Umgreifenden 105
σχῆμα Form, Figur 91, 117
σῶμα Körper 149f, 152
σωτηρία Rettung, Bestand 149, 153
σωφροσύνη Besinnung 85
  σωφρονιστήριον Haus der Besinnung 155ff

τἄλλα s. ἄλλος
ταὐτόν s. αὐτός
τεκμήριον Kennzeichen, Merkmal 53
τέλος Telos, Ende 149ff, 156ff
  teleologisch, zielgerichtet 151
τέχνη Kunst, Wissenschaft, Methode 20, 49f, 57, 63ff, 67, 78, 81, 83, 114, 123, 126, 129
  Technites: Fachmann, Wissenschaftler 21ff
τί ἐστι was ist ... 46, 65
τιθήνη Amme 135
τιμωρία Strafe 155
τοιοῦτον solches 141
τόπος νοητός / ὁρατός Gebiet der Vernunft / der sinnlichen Wahrnehmung 18
τρίτον dritt, das Dritte 13, 96
τρόπος Art, Weise
  τρόπος τῆς ἀρχῆς τῆς πόλεως Weise der Herrschaft des Staates 78, 82
τροφή Nahrung 15
τύπος Typos, Gestalt, Charakter 42ff, 130

ὕπαρ Erwachen 78ff, 82, 88
ὑπερβολή (/ἔλλειψις) Übertreibung, Überschuß, zu viel 40, 87
  δαιμονία ὑπερβολή daimonische Übertreibung („Transzendenz") 15ff
ὑπεροχή Übermaß, zu viel 87
ὑπηρέτης Diener, Dienstmann 80, 82
ὑπόθεσις Hypothese, Voraussetzung, Grundlage, Grundsatz 20ff, 30, 87, 94, 96ff, 101, 103ff, 115, 118, 138ff, 144
ὑφαντική Weberei, Webkunst 84ff

φαίνεσθαι scheinen, erscheinen 53
  φαινόμενον das Erscheinende 30, 53
  τὰ φαινόμενα σῴζειν die „Phänomene" oder das Erscheinende „retten", d. h. seine Idealität abdecken 30, 110, 145
  φαντασία Erscheinung, sinnliche Wahrnehmung 51, 53, 55ff
φάντασμα Erscheinung, Scheinbild 53
  τὰ ἐν τοῖς ὕδασι φαντάσματα Spiegelbilder, Erscheinungen im Wasser 19
  Phantasmagorie: Schattenspiel, Illusionismus 44ff
φέρεται wird herumgetrieben 84
φήμη das Gerücht 155
φθόνος Schadenfreude 117
φιλανθρωπία menschliche Liebenswürdigkeit 52ff
φίλος Freund 80
φιλόσοφος Philosoph, philosophisch 59, 62, 75, 122

φόβος Schrecken 121
φρόνησις Intellekt, Erkennen 76, 116
  φροντιστήριον Studienzimmer 156
φύλακες παντελεῖς vollkommene Hüter 156
φύσις Natur, Wirklichkeit 35, 38, 73, 100, 114, 118
  φ. τῆς ψυχῆς Natur der Seele 124
  τῇ φύσει aus Natur 31
  παρὰ φύσιν gegen die Natur 37
  Physik, Naturphilosophie 8, 15, 105, 132, 136, 139
φυτόν Pflanze 19
φῶς Licht 13ff, 24ff, 60, 74ff, 116
  Lichtwanderung 61ff
χίμαιρα Chimäre, mythisches Fabelwesen 78
χρόνος Zeit, Ewigkeitszeit 91ff, 97, 102, 104ff, 110
χωρίς getrennt, isoliert, für sich 63
χωρισμός Bruch, Trennung 18, 26

ψεῦδος Falschheit 50, 57, 68, 120ff
ψυχή Psyche, Seele 71, 116, 120ff, 126ff, 149ff, 152
  Psychologie: Seelenlehre 8, 48, 50, 115, 124, 152
  Psychagogie (Psychagoge): Seelenführung 125ff, 130ff, 153, 156

ὡς als 43

VERZEICHNIS BERÜCKSICHTIGTER[1] LITERATUR

Als grundlegend in der Platon-Literatur gelten die unten angegebenen Werke von Ulrich v. *Wilamowitz Moellendorff* (historisch-biographisch), A. E. *Taylor* (philosophisch), Paul *Friedländer* und *Werner Jaeger* (literarisch-humanistisch). Man orientiere sich auch in den Platon-Abschnitten von A. *Rivaud*, L'Histoire de la Philosophie I, Paris 1948 und Karl *Jaspers*. Die großen Philosophen I, München 1957. Die sorgfältigste Studienausgabe von Platons Werken bleibt die von O. *Apelt* in der Philosophischen Bibliothek (Meiner). Für den späten Platon liest man außerdem die englischen Übersetzungsausgaben (besonders von F. M. Cornford) und dazu noch die Werke von J. *Stenzel* (die jedoch unnötig schwierig sind). Ernst *Hoffmanns* Gesamtdarstellung „Platon" ist knapp und klar und hat ihren Schwerpunkt in der „späteren" Problematik. – Typische Beispiele für die moderne angelsächsische Weise, sich dem späten Platon philosophisch zu nähern, geben die Sammelwerke von u. a. Vlastos, Hare, Ryle, Owen, Ackrill: „New Essays on Plato and Aristotle" (ed. Bambrough), London 1965 und „Studies in Plato's Metaphysics" (ed. Allen), London 1965.

1. *Adam*, J.: The Republic of Plato I–II. Cambridge 1902.
2. *Austin*, J. L.: Sense and Sensibilia. Oxford 1962.
3. *Barker*, E.: Greek Political Theory: Plato and his Predecessors. London 1918.
4. *Bröcker*, W.: Platos Gespräche. Frankfurt 1965.
5. *Brumbaugh*, R.: Plato's Theory of the One. New Haven 1960.
6. *Cassirer*, E.: Philosophie der symbolischen Formen, I–III. Berlin 1923–1929.
7. *Cherniss*, H.:
    a) „Plato 1950–1957" (Forschungsbericht), in: Lustrum 4, 1959 und 5, 1960.
    b) „The Relation of the Timaeus to Plato's Later Dialogues", in: Americ. Journ. Philol. LXXVIII. 1957, S. 225–266.
8. *Cornford*, F. M.: Englische Übersetzungsausgaben von: Theaitetos, Sophistes, Parmenides, Timaios. Cambridge 1935–1937, 1939.
9. *England*, E. B.: The Laws of Plato. The text ed. with introductory notes etc., I–II. Manchester 1921.
10. *Frege*, G.: „Sinn und Bedeutung" (1892), in: Funktion, Begriff, Bedeutung. Fünf logische Studien, Hrsg. G. Patzig. Göttingen 1962.
11. *Friedländer*, P.: Platon I–II. Berlin-Leipzig 1928–30. I–II³ 1964, III² 1960.
12. *Friis Johansen*, K.: Platons Parmenides (dän.). Kopenhagen 1965.
13. *Gadamer*, H. G.: Platos dialektische Ethik, Phänomenologische Interpretationen zum Philebos. Leipzig 1931. 2. Auflage mit anderen Studien zur platonischen Philosophie. Hamburg 1967.
14. *Gaiser*, K.:
    a) Platons ungeschriebene Lehre. Studien zur systematischen und geschichtlichen Begründung der Wissenschaften in der Platonischen Schule. Stuttgart 1963, ²1968.
    b) „Platons Farbenlehre", in: Synusia, Festg. f. W. Schadewaldt. Pfullingen 1965, S. 173–222.
    c) „Die Elegie des Aristoteles an Eudemos", in: Museum Helveticum 23. 1966, S. 84–106.

---

[1] In den Anmerkungen ist auch Literatur berücksichtigt worden, die während der Drucklegung erschienen ist.

15. *Gundert*, H.:
    a) ,,Enthousiasmos und Logos bei Platon", in: Lexis 2. 1949, S. 25ff.
    b) ,,Dialog und Dialektik. Zur Struktur des platonischen Dialogs", in: Studium Generale 21. 1968, S. 295–379, S. 387–449.
16. *Heidegger*, M.:
    a) Platons Lehre von der Wahrheit. Bern 1947.
    b) Vom Wesen und Begriff der φύσις. Aristoteles Physik B I. Il Pensiero III, 2–3. 1958.
    c) Identität und Differenz. Pfullingen 1957.
17. *Heinemann*, F.: Plotin. Forschungen über die plotinische Frage, Plotins Entwicklung und sein System. Leipzig 1921.
18. *Heisenberg*, W.:
    a) Das Naturbild der heutigen Physik. Hamburg 1955.
    b) Das Naturbild Goethes und die technisch-naturwissenschaftliche Welt, Vortrag in der Goethe-Gesellschaft. Weimar 21. Mai 1967 (gedr., in: Mitteilungen der Alexander von Humboldt-Stiftung Nr. 13/1967).
19. *Hoffmann*, E.:
    a) Platon. Eine Einführung in sein Philosophieren. Zürich 1950, Hamburg 1961.
    b) Platonismus und christliche Philosophie. Zürich und Stuttgart 1960.
20. *Husserl*, E.: Ideen zu einer reinen Phänomenologie und phänomenologischen Philosophie I. Halle 1913.
21. *Jaeger*, W.:
    a) Paideia. The Ideals of Greek Culture, I–III. Oxford 1941–1945.
    b) ,,Über Ursprung und Kreislauf des philosophischen Lebensideals." Sitzungsbericht d. Preuss. Akad. d. Wiss., Hist. Philos. Kl. No. 25. Berlin 1928 (in engl. Übers. als Appendix zum ,,Aristotle". Oxford 1934).
22. *Jensen*, P. J.: (mit Naess/Wyller): Den tidløse Dialog. Platon-Aristoteles (norw.). Oslo 1962.
23. *Krämer*, H. J.:
    a) Arete bei Platon und Aristoteles. Zum Wesen und zur Geschichte der platonischen Ontologie, Abh. Hdlbrg. Akad. Wiss. Heidelberg 1959.
    b) Der Ursprung der Geistmetaphysik. Amsterdam 1964, [2]1967.
24. *Manasse*, E. B.: ,,Bücher über Platon. I, Werke in deutscher Sprache; II, Werke in englischer Sprach", in: Philos. Rdsch., Beih. 1 und 2. 1957 und 1961.
25. *Owen*, G. E. L.: ,,The Place of the Timaeus in Plato's Dialogues", in: Class. Quart. n. s. III. 1953, p. 79–95.
26. *Perpeet*, W.: ,,Der systematisierte Platon"; Rezension von Egil A. Wyller, ,,Platons Parmenides"; H. J. Krämer, ,,Arete bei Platon und Aristoteles", in: Philosophische Rundschau 10. 1962, S. 253–271.
27. *Raeder*, H.: Platons philosophische Entwickelung. Leipzig 1905.
28. *Regenbogen*, Otto: ,,Bemerkungen zur Deutung des platonischen Phaidros (1950)", in: Kleine Schriften. München 1961, S. 269ff.
29. *Reinhardt*, K.: Platons Mythen. Bonn 1927.
30. *Rickert*, H.: Goethes Faust. Die dramatische Einheit der Dichtung. Tübingen 1932.
31. *Ritter*, C.:
    a) Platons Gesetze. Kommentar. Leipzig 1896.
    b) Platons Dialoge. Inhaltsdarstellungen I. Stuttgart 1903.
32. *Robin*, L.: La théorie Platonicienne des Idees et des Nombres d'après Aristote. Paris 1908.
33. *Russell*, B.: My Philosophical Development. London 1959.

34. *Ryle*, G.:
   a) „Letters and Syllables in Plato", in: Philos. Rev. LXIX. 1960.
   b) Platos Progress. Cambridge 1966.
35. *Speiser*, A.:
   a) Ein Parmenideskommentar. Studien zur platonischen Dialektik. Leipzig 1937, Stuttgart ²1959.
   b) Die geistige Arbeit. Basel 1955.
   c) Die mathematische Denkweise. Basel ³1952.
36. *Stallbaum*, G.: Platonis opera omnia VIII, 2; Sophista, p. 52; IX 1; Politicus, p. 50 (1840–41).
37. *Stenzel*, J.:
   a) Studien zur Entwicklung der platonischen Dialektik vom Sokrates zu Aristoteles. Leipzig ²1931.
   b) Zahl und Gestalt bei Platon und Aristoteles. Leipzig ²1933.
   c) Metaphysik des Altertums, Hdb. d. Philos. I, 4. München 1931.
   d) Platon der Erzieher. Leipzig 1928.
38. *Taylor*, A. E.: Plato. The Man and his Work. London ⁶1949.
39. *Wilamowitz-Moellendorff*, U. v.: Platon. Sein Leben und seine Werke. I–II. Berlin 1919, I ⁵1959, II ³1962.
40. *Wilpert*, P.: Zwei aristotelische Frühschriften über die Ideenlehre. Regensburg 1949.
41. *Wittgenstein*, L.: Philosophische Untersuchungen. London ²1958.
42. *Wyller*, E. A.:
   a) Platons Parmenides in seinem Zusammenhang mit Symposion und Politeia. Interpretationen zur platonischen Henologie. Det Norske Videnskapsakademis Skrifter. Oslo 1960; vgl. „Platons Parmenides. Form und Sinn", in: Zeitschrift für Philosophische Forschung 17. 1963, „Platos Parmenides. Another Interpretation", in: Review of Methaphysics. Yale 1962.
   b) „The Parmenides is the Philosopher", in: Classica et Mediaevalia. Kopenhagen (im Druck); vgl. „The Architectonic of Plato's later Dialogues", in: Classica et Mediaevalia XXVII. 1968.
   c) „La philosophie de l'Instant chez Platon", in: Revue de synthèse, LXXXXV. Paris 1964
   d) „Platons Gesetz gegen die Gottesleugner", in: HERMES 85. 1957.
   e) Norwegische Übersetzungsausgaben der Platon-Dialoge: Symposion (1953), Ion (1957), Phaidros (1962), Charmides, Laches, Lysis, Alkibiades I (1963), Parmenides (1966), in: Det Norske Akademis Klassikerbibl., Oslo.
   f) „Zum Begriff ‚non aliud' bei Cusanus." Akten des Cusanus-Kongresses in Bressanone 1964. Padua-Köln (im Druck); vgl. „Cusanus' De non aliud og Platons Parmenides" (norw.), in: Lychnos. Uppsala 1962.
   g) Das Vorspiel des Faust II, EDDA. Oslo 1958.
   h) Fra Homer til Heidegger (norw. Essays). Oslo 1958.
   i) Fra tankens og troens møtested (norw. Essays). Oslo 1968.

HANS-GEORG GADAMER
Platos dialektische Ethik
und andere Studien zur platonischen Philosophie
1968. XIV, 288 Seiten. 28,–; Lw. 34,–

Das 1931 erschienene Plato-Buch des Verfassers, das seit langem vergriffen war, hat sich als die repräsentative Leistung der Anwendung phänomenologischer Denkweise auf die griechische Philosophie durchgesetzt. Es erscheint in unveränderter Gestalt und ist doch ein neues Buch geworden: der Verfasser hat es durch Hinzufügung einer Reihe kleinerer Platostudien zu einem neuen Ganzen gemacht, das durch ein eingehendes Register aufgeschlossen ist.

Inhalt: *Platos dialektische Ethik – Phänomenologische Interpretationen zum Philebos [1931] – Plato und die Dichter [1934] – Platos Staat der Erziehung [1941] – Dialektik und Sophistik im VII. platonischen Brief [1962] – Amicus Plato magis amica veritas [1968].*

PAUL NATORP
Platos Ideenlehre
Eine Einführung in den Idealismus

Zweite, durchges. u. um einen metakritischen Anhang vermehrte Auflage (1921).
Nachdruck 1961. XII, 571 S. Lw. 42,–

Nach einer beinahe hundertjährigen fast ausschließlichen Beschäftigung der Philologen mit Platon erschloß dieses Buch Platon wieder der philosophischen Interpretation. Seine bahnbrechende Leistung bestand darin, daß hier in einer bis dahin nicht gekannten Intensität und Schärfe des Zugriffs die Bedeutung methodologischer Probleme im Denken Platons bewußt gemacht wurde.

Klaus Oehler 1965 in der Zeitschr. f. philos. Forsch. XIX, S. 397

JULIUS STENZEL
Platon der Erzieher

Nachdruck 1961 der Ausgabe von 1928. Mit einer Einführung von Konrad Gaiser.
XXX, 337 S. Lw. 26,–

Die hervorragende Stellung, die den Interpretationen Stenzels in der Geschichte der neueren Platondeutung zukommt, ist dadurch gekennzeichnet, daß er es vermochte, die seit Schleiermacher kaum jemals wieder erreichte, von der Sache her aber zu fordernde Vereinigung der *philosophischen* und der *philologischen* Betrachtungsweise zu erneuern.

Konrad Gaiser in der Einführung, S. V f.

Preise in DM. Januar 1970

FELIX MEINER VERLAG HAMBURG

PLATON-TEXTE
IN DER PHILOSOPHISCHEN BIBLIOTHEK

Der Staat. Über das Gerechte

Übersetzt und erläutert von Otto Apelt. Durchgesehen von Karl Bormann. Einleitung von Paul Wilpert. (PhB 80) 1961. LX, 487 S. 18,–; Lw. 23,–

In einer Geschlossenheit wie kein anderer Dialog enthält der Staat die gesamte Weite des Platonischen Denkens und zeigt die Frucht eines Denkerlebens in seltener Abrundung. Bei der Lebendigkeit des Platonischen Bemühens ist der Staat noch nicht das abschließende Wort des Philosophen, aber er ist der Abschluß einer entscheidenden Strecke.

Paul Wilpert in der Einleitung, S. XXVIII f.

Der Sophist

Griechisch-deutsch. Auf der Grundlage der Übersetzung von Otto Apelt (2. Auflage 1922) neu bearbeitet und eingeleitet, mit Anmerkungen, Literaturübersicht und Register versehen von Reiner Wiehl. (PhB 265) 1967. XLVIII, 215 S. 18,–; Lw. 23,–

Setzen, Zugrundelegen und Erschließen von Selbigkeit und Verschiedenheit macht den allgemeinen und grundsätzlichen Bewegungscharakter des erkennenden Denkens in Gestalt der dihairetischen Erkenntnismethode aus. Diese Bewegungsform ist der Logos derselben, ihre sie begründende Form. So enthält das Gespräch über den Sophisten nicht nur die reale Vorführung eines bestimmten Gedanken- und Erkenntnisweges, sondern darüber hinausgehend eine Gedankenreflexion über die in diesem Wege enthaltene universale Form, im Hinblick auf die jener Weg einen allgemeinen, den besonderen Anlaß übersteigenden, in sich begründeten methodischen Charakter gewinnt, der die notwendige Voraussetzung für eine Einsicht in die Wahrheit ist.

Reiner Wiehl in der Einleitung, S. XXVII

Weiter sind lieferbar

Griechisch-deutsch

Gastmahl. Hrsg. v. A. Capelle. (PhB 81) 1960. XXXIX, 158 S. 10,–; Lw.12,80
Euthyphron. Übers. u. hrsg. von K. Reich. (PhB 269) 1968. XVIII, 52 S. 7,—
Laches. Neu übers. u. hrsg. von R. Schrastetter. (PhB 270) 1970. XXXIX, 101 S. 14,—

In der Übersetzung von Otto Apelt

Euthydemos. (PhB 176) 1955. III, 107 S.   3,20
Gorgias. (PhB 148) 1955. IV, 184 S.   4,80; Hlw. 7,20
Philebos. (PhB 145) 1955. IV, 156 S.   4,80; Hlw. 7,20
Protagoras. (PhB 175) 1956. XXXVI, 83 S.   4,80; Lw. 7,50
Theätet. (PhB 82) 1955. IV, 195 S.   Hlw. 7,40

Preise in DM. Januar 1970
Verlangen Sie bitte das neueste Verzeichnis

FELIX MEINER VERLAG HAMBURG